EM
TERRENO
MINADO

Humberto Trezzi

EM TERRENO MINADO

Aventuras de um
repórter brasileiro
em áreas de
guerra e conflito

GERAÇÃO

Copyright © 2013 by Geração Editorial
Copyright da apresentação © 2013 by Humberto Trezzi

1ª edição — Novembro de 2013

Grafia atualizada segundo o Acordo Ortográfico da Língua Portuguesa
de 1990, que entrou em vigor no Brasil em 2009

Editor e Publisher
Luiz Fernando Emediato

Diretora Editorial
Fernanda Emediato

Produtora Editorial e Gráfica
Priscila Hernandez

Assistente Editorial
Carla Anaya Del Matto

Capa
Alan Maia

Projeto gráfico e Diagramação
Kauan Sales

Revisão
Josias A. Andrade
Daniela Nogueira

DADOS INTERNACIONAIS DE CATALOGAÇÃO NA PUBLICAÇÃO (CIP)
(Câmara Brasileira do Livro, SP, Brasil)

Trezzi, Humberto
    Em terreno minado / Humberto Trezzi. -- 1. ed. -- São Paulo :
Geração Editorial, 2013.

    ISBN 978-85-8130-130-3

    1. Jornalismo 2. Reportagem em áreas de risco
3. Repórteres e reportagens I. Moraes Neto, Geneton.

13-01577   CDD: 070.43

Índices para catálogo sistemático

1. Reportagens : Jornalismo   070.43

GERAÇÃO EDITORIAL

Rua Gomes Freire, 225 — Lapa
CEP: 05075-010 — São Paulo — SP
Telefax: (+ 55 11) 3256-4444
Email: geracaoeditorial@geracaoeditorial.com.br
www.geracaoeditorial.com.br
twitter: @geracao

Impresso no Brasil
Printed in Brazil

SUMÁRIO

À FLOR DA PELE (Domingos Meirelles) 7
APRESENTAÇÃO 13

PARTE 1 (CONFLITOS)
Líbia 23
Angola 89
Colômbia 103
Haiti 123
Timor 137
Cursos de risco 149

PARTE 2 (CATÁSTROFES)
Santa Catarina 161
Chile 189

PARTE 3 (REBELIÕES POLÍTICAS)
Bolívia 207
Equador 225

PARTE 4 (CRIME ORGANIZADO)
Rio de Janeiro 241
Paraguai 277
México 295
Porto Alegre 315
Reportagem Policial 337

À FLOR DA PELE

Domingos Meirelles

Os fios soltos que afloram ao longo da estrutura narrativa de Humberto Trezzi sugerem infinitas possibilidades de leitura. No início, a sensação que se tem é de que vão abandonar a trama, mas logo se percebe que se trata de uma questão de estilo. São exatamente essas linhas rebeldes que se afastam aqui e ali, ziguezagueando entre o texto original das matérias publicadas em *Zero Hora* e o olhar do autor ao revisitá-las, anos depois, que amarram os nós e dão consistência à exuberante urdidura que dá corpo e alma a este livro de estreia. Por meio de um texto ágil, afiado e enxuto, onde as palavras estão sempre no lugar certo, Trezzi alinhavou suas histórias com a habilidade e paciência de quem costura um tapete. *Em Terreno Minado* encontramos nuances, tons e semitons de um competente trabalho de tapeceiro.

Com linguagem centrada e coloquial, o autor estimula o leitor a desenvolver suas próprias reflexões sobre os episódios desconcertantes que testemunhou ao longo da sua vida profissional. Como as folhas de outono, sopradas pelo vento, as reportagens rodopiam pelo livro estimulando diferentes olhares sobre o verdadeiro papel do jornalista diante do seu tempo. São também discutidos conceitos polêmicos sobre a chamada "parte prática da profissão", onde os paradigmas da ética trafegam pela tênue fronteira que separa o *repórter de polícia* do universo do crime.

Em Terreno Minado, Trezzi foge do discurso fechado em si mesmo. Não patina também no limbo das obras de viés acadêmico que exorcizam o registro de emoções pessoais, como se uma reportagem pudesse ser descarnada de sentimentos. Como regente de uma orquestra sinfônica que sabe valorizar cada compasso, permite que os diferentes instrumentos dialoguem entre si. Faz inicialmente do leitor um ouvinte para, em seguida, transformá-lo em cúmplice. Em movimentos precisos e elegantes, em que madeiras e metais parecem criar relaxamento e tensão, Trezzi revela extraordinário talento ao promover intervenções no texto original sem alterar o ritmo da narrativa. Depois de fazer do leitor seu cúmplice, ele o transforma também em confidente. Como se o conduzisse pela mão, revela as alegrias e as tristezas da profissão, as excentricidades que cercam seu trabalho e o prazer que sempre teve, como pessoa, em partilhar com o outro sua paixão pela leitura, a mais saudável das compulsões humanas.

Movido pelo desejo de transmitir às novas gerações as lições que empilhou ao longo da vida como repórter, revisitou velhas histórias. Expôs, pela primeira vez, observações descartadas na época em que as matérias foram publicadas, diante da lipoaspiração das redações que exigiam textos secos, objetivos, despidos de ornatos e pendurricalhos verbais.

Nesta obra, os temas se alternam como se estivéssemos diante de um antigo álbum de fotografias. Esmaecidas pelos insultos do tempo, fotos empalidecidas vão adquirindo contornos definidos como fios que se entrelaçam verticalmente nas urdiduras sem rugas. A maioria das imagens recolhidas nos cantos escuros do passado reaparece intocada na memória afetiva de Trezzi. Antigas lembranças que pareciam relutar em voltar à superfície afloram com intensidade incomum. Surpreendem o leitor ao correrem soltas, pelas coxias do livro, em vertiginosa cavalgada, arrastando-o através dos labirintos de um mundo desconhecido.

Nesse incessante trabalho de mover e reconstruir cenários, o autor resgata a atmosfera das ruidosas redações dos anos 1980, quando se iniciou no ofício, territórios predominantemente masculinos, onde as mulheres pareciam proibidas de entrar. Nesses ambientes enevoados pela fumaça dos cigarros, onde todos falavam ao mesmo tempo, não havia preocupação com formulações teóricas que recomendassem impessoalidade e distanciamento dos fatos. Os jornalistas escreviam com a paixão dos amantes. Os leitores choravam com as manchetes dos crimes passionais. Nessas tragédias dolorosas, o público sofria com a desgraça dos casais flechados pelas trapaças do destino.

Apesar de trabalhar a maior parte do tempo ancorado na Editoria Geral, Trezzi sempre manteve um pé na velha *seção de polícia*, onde deságuam as melhores histórias da redação. O hábito de frequentar esse ninho de pássaros de voo curto alargou seus horizontes, ensinando-lhe que as misérias da condição humana eram sempre depositadas numa vala comum, as sombrias delegacias da capital gaúcha, onde as vítimas de condição humilde eram ainda submetidas a outro tipo de flagelo: a lenta e ineficiente burocracia policial.

A sensibilidade e o interesse que sempre demonstrou pelos temas de conteúdo social o acabariam empurrando naturalmente para a cobertura dos grandes conflitos internacionais, onde o pano de fundo era a violência, o crime, a ambição política e a corrupção. Essas matérias de longo curso o levariam dos Andes ao Norte da África e ao Extremo Oriente.

A grande reportagem, cada vez mais rarefeita nos veículos de comunicação, é o fulcro central deste livro que aborda também a origem, significado e consequência dos eventos selvagens que fornecem boa parte do combustível que move a História. "O que há em nós?", indagava com perplexidade o dramaturgo alemão Georg Büchner, na primeira metade do século XIX, diante do ódio cultivado por nações que se julgavam civilizadas. Trezzi, como Büchner, não parece ter encontrado uma explicação convincente para o fenômeno da violência, uma das questões que consome boa parte do livro.

As tormentosas viagens que o autor realizou por diferentes países ampliaram sua percepção de que o homem é capaz de cometer as maiores torpezas contra seus semelhantes. Algumas das matérias que escreveu para *Zero Hora* parecem inspiradas em velhos filmes de Boris Karloff, personagem que encarnava o medo e o horror no cinema mudo. As cabeças cortadas que viu atiradas em cestas de lixo, em Juárez, cidade espetada na fronteira do México com os Estados Unidos, revelam o nível de crueldade das máfias que disputam a hegemonia do comércio de cocaína no país. O denso relato dos confrontos entre os principais cartéis mantém o leitor em permanente tensão, diante dos estragos que a brutalidade produz na alma das pessoas comuns.

No primeiro dia em que desembarcou na capital mexicana, Trezzi contabilizou dezessete assassinatos só em Juárez, cifra considerada modesta diante do elevado número de corpos recolhidos diariamente na periferia da cidade que tem a mesma população de Porto Alegre. A maioria dos cadáveres exibia graves mutilações. O aspecto das vítimas denunciava que foram estripadas ainda com vida, antes de serem executadas com tiros na cabeça e golpes de facão.

É nesse tipo de cenário, desapiedado e hostil, marcado por códigos e álibis destinados a legitimar a violência que o livro se ambienta. Nas matérias que povoam as páginas de *Em Terreno Minado* encontramos relatos dos momentos angustiantes em que ele deixou o campo de batalha levemente chamuscado, como enviado especial de *Zero Hora*, um dos raros jornais que ainda investem tempo e dinheiro na produção de grandes matérias

O livro é também uma espécie de manual de sobrevivência, onde são mapeados os riscos e as condições adversas que os repórteres enfrentam em áreas conflagradas, tanto em Ciudad Juárez como em Kuito, região central de Angola, que Trezzi visitou nos primeiros dias de cessar-fogo, em meio à guerra civil que devastava o país. As situações limite que viveu na Bolívia, Chile, México, Haiti, Paraguai, Líbia e Angola são a correia de transmissão desta coletânea de textos dramáticos, nos quais se constata que a opressão e a violência não se extinguem quando lhes viramos o rosto, mas quando elas saem de dentro de nós.

Velho farejador de manchetes, que se habituou a gastar a sola dos sapatos em busca de boas histórias, o autor sabe que é impossível escrever matérias robustas confinado entre as quatro paredes de uma redação. José Hamilton Ribeiro, uma das lendas vivas do *new journalism* brasileiro, ensinava na extinta revista *Realidade* que "reportagem é a arte de saber ouvir para depois escrever". É na rua, vendo e ouvindo, "olhando olho no olho", como ele dizia, que se consegue captar o perfume, o calor e as emoções que dão vida e densidade às grandes matérias, como demonstra a coleção de troféus deste veterano caçador de notícias que jamais foi para o *front* vestido "com roupa de missa".

Domingos Meirelles é repórter especial da *Rede Globo*, autor de *As Noites das Grandes Fogueiras – Uma História da Coluna Prestes*, e *1930 – Os órfãos da Revolução*.

APRESENTAÇÃO

"**A melhor profissão do mundo**", define o título de um artigo de Gabriel García Márquez, ao abordar o exercício do jornalismo. Carrego esse texto na pasta e sempre o releio com desconfiança. A frase soa pedante, mesmo vinda de um Prêmio Nobel de Literatura — e, não por acaso, jornalista. Ou até por vir dele, que sempre foi mais escritor do que repórter e, por estas características, é dado a arroubos literários. Mas é preciso concordar com o colombiano Gabo Márquez num ponto: se não é a melhor, a arte da reportagem é uma das mais prazerosas atividades humanas.

Jornalismo é ter oportunidade de saber, antes de outros, aquilo que será notícia amanhã. Um prato cheio para curiosos, portanto. É conviver com figuras fascinantes ou pinçar revelações no cotidiano das pessoas comuns. É, sim, tentar desenvolver algo de interesse público e com compromisso social, mesmo que nem sempre sejamos bem-sucedidos. É viajar para lugares diferentes, que nos parecem exóticos. Conhecer outros povos, culturas bem diversas — e ainda ser pago por isso no final do mês. Mas é, também, padecer no pântano da mesmice diária ou das coberturas infinitamente repetidas ao longo de décadas, porque reportagem é, inclusive, mostrar que nada muda em determinadas situações. Lógico que nem tudo é charme e revelação nesse ofício.

Eu nada sabia a respeito dessa atividade fascinante e algumas vezes enfadonha, quando escolhi cursar jornalismo. Apenas queria ingressar em alguma faculdade que não exigisse muitos conhecimentos de física e matemática, os bichos-papões de minha adolescência. Fiz "unidunitê, salamê, minguê" na lista de cursos a escolher, na hora do vestibular, e o dedo recaiu sobre jornalismo. Tinha tudo para dar errado, porque nunca me dei bem com microfones e câmeras de TV. Logo descobri que a reportagem escrita tem lá seus encantos e poderia compensar minha timidez diante da parafernália eletrônica. Algum pendor para as letras eu teria, já que sou filho de uma professora de português plena de humanismo e de um homem erudito.

E, dentro do jornalismo, vi uma oportunidade para exercitar um pouco do gosto por aventura e pela história que trago desde a infância. Das primeiras leituras até a adolescência, cresci embalado nos romances épicos do escritor alemão Karl May, como *Winnetou, o chefe apache... Nas terras do Mahdi* e os muçulmanos no Oriente Médio... *Pelo Curdistão bravio...* Só anos depois vim a saber que May escreveu mais de quinze livros sobre viagens em terras exóticas aos ocidentais sem sair de sua cidade natal, na Alemanha. Viajava na imaginação, apenas.

Li também tudo que pude do italiano Emílio Salgari, este, sim, um navegador de verdade, que descrevia as incursões de Sandokan, o pirata mais famoso da Malásia. E me embriaguei, claro, da literatura de Joseph Konrad e Ernest Hemingway, direto na veia. Muito desse gosto pela leitura é influência do meu pai, o senhor Gentil, que me levava pela mão até a biblioteca de Carazinho (cidade gaúcha onde cresci, conhecida por ser terra natal de Leonel Brizola) para emprestar livros.

Passados trinta e dois anos daquela cruzinha marcada no vestibular, não há espaço para arrependimentos. Viajar foi uma das coisas que mais fiz nas quase três décadas dedicadas ao jornalismo. As primeiras jornadas foram pelo interior gaúcho, de Kombi, carregando a tiracolo máquinas de escrever metálicas e laudas de papel, para redigir notícias de invasões de terra. O material era enviado por meio de telex, um aparelho do tamanho de um armário, com teclado para escrever e conectado a uma linha telefônica que transformava as letras em impulsos, decodificados em outro aparelho-receptor a centenas de quilômetros. O detalhe é que, se você parasse de redigir, a linha caía e era preciso conectá-la de novo. E escrever tudo de novo.

Além disso, não havia como retroceder o cursor: errou, só passando a caneta por cima e entregando material borrado para os editores. Muitas vezes recortávamos o texto rasurado com tesoura e colávamos a nova versão na folha, antes de reenviar a matéria.

Lembro também da chegada do fax e da primeira vez em que passei material por esse equipamento. Vendo aquela folha de papel ser engolida pelo aparelho e enviada em segundos para Porto Alegre, pensei: NADA mais fantástico será inventado pela humanidade. Sensacional. Estupendo... Quanta falta de visão! Menos de dois anos depois surgiu o computador portátil (*notebook*), a me deixar de queixo caído, abismado.

É em decorrência desses saltos tecnológicos que, por vezes, me irrito com colegas que reclamam de ter de pesquisar para fazer uma reportagem. "Perdoai-lhes, Senhor, eles não sabem o que fazem", penso, repetindo mentalmente as palavras de Cristo... É que, quando comecei nesse ofício, em 1984, jornalistas pesquisavam num porão — apelidado "catacumba" — onde ficava o setor de arquivo e arremedo de biblioteca do jornal. Para verificar algo que fora publicado anos antes, tinham de folhear pacientemente pilhas de jornais empoeirados, rezando para encontrar a notícia.

Azar de quem fosse alérgico. Agora, mediante um clique, portais como o Google propiciam teses a respeito de qualquer assunto. É, são tantas recordações e emoções, como diria Roberto Carlos...

Este livro tem como pano de fundo o jornalismo. Mas qual ângulo, dentre tantos possíveis nessa tão diversificada profissão? Como não sou estudioso do assunto e nem professor, optei por relatar bastidores de algo em que sou bastante vivenciado, a cobertura — aquela atividade na qual o repórter é enviado para lugares que muitas vezes desconhece. E, dentro dela, escolhi uma faceta, a da reportagem em áreas de risco. Algo que sempre me fascinou, desde quando apenas observava outros colegas escolhidos para esse tipo de missão.

O primeiro tipo de cobertura que realizei foi criminal. Desde quando era "foca" (novato), trabalhando em semanários da Grande Porto Alegre, os assuntos policiais me fascinavam. Na cobertura de homicídios, tentava fugir do boletim de ocorrência. Descrevia a rotina da vítima e de seu matador. Fazia questão de entrevistar os acusados, ouvir seus motivos, compreender o meio em que os crimes eram gestados. Isso foi explorado pelas chefias e acabei dedicando a maior parte da atividade jornalística ao tema segurança pública. Foi por transitar com facilidade nesse meio que acabei enviado pelo jornal para lugares onde o crime organizado é assunto de segurança nacional, como Paraguai e México. Sem falar no Rio de Janeiro, onde vivi algumas das experiências mais enriquecedoras e assustadoras da vida profissional.

Mas guerras também sempre me fascinaram, por moverem a história e pela situação-limite a que levam os povos nelas envolvidos. Lembro de como levei um choque — no bom sentido — ao ler *A primeira vítima*, a bíblia dos correspondentes de guerra, escrito pelo australiano Philip Knightley. Da Crimeia ao Vietnã, o autor (experimentado repórter de áreas de conflito) analisa dificuldades de campo, dilemas éticos e relatos dramáticos de alguns dos melhores jornalistas enviados para cobrir combates históricos.

Emprestei esse livro para Marcelo Rech, meu colega, repórter em *Zero Hora*, quando ele foi cobrir a Guerra do Golfo, em 1991. Anos depois Rech escreveria sua própria obra, *Enviado Especial — Passageiro da História*, na qual narra como acompanhou a libertação do Kuait ocupado pelos iraquianos, o desmoronamento da União Soviética, a guerra civil na antiga Iugoslávia, os militares brasileiros da Força de Paz em Moçambique e outras peripécias que contribuíram para torná-lo um dos mais experientes jornalistas brasileiros em cobertura internacional.

Quando Rech ganhou encargos de chefia no Grupo *RBS*, um dos jornalistas que o sucedeu em coberturas planetárias foi Rodrigo Lopes. Ele é autor de *Guerras e Tormentas*, um painel detalhado das transformações do planeta nesse começo de milênio, testemunhadas pelas lentes de um repórter aficionado por temas internacionais.

Assim como Rech e Lopes, comecei a tomar gosto pelas viagens internacionais e ainda não perdi o entusiasmo. Mas, verdade seja dita, nenhum de nós é correspondente de guerra. O Brasil praticamente não forja esse tipo de profissional, tão comum na Europa e na América do Norte. Aquele sujeito que migra de conflito em conflito, em busca da mais recente e chocante cena de batalha. Não. As empresas brasileiras até possuem correspondentes fixos em outros países, mas eles costumam atuar em assuntos mais amenos, como economia e política. Vez ou outra são deslocados para cobrir uma guerra, como enviados especiais. É esse tipo de relato, o de enviado para locais de conflito, que consta neste livro.

Algumas narrativas de enviados especiais brasileiros entraram para a posteridade. Joel Silveira cobriu várias batalhas da II Guerra Mundial para o grupo *Diários Associados*. José Hamilton Ribeiro foi ao Vietnã a pedido da revista *Realidade* e voltou de lá sem uma perna (destroçada por uma mina), mas com um relato pungente, um retrato da guerra em toda sua crueldade. Caco Barcellos descreveu a agonia da ditadura de Anastácio Somoza na Nicarágua em seu livro *A revolução das crianças*. Sérgio D'Ávilla e Juca Varela, da *Folha de S.Paulo*, permaneceram em Bagdá durante o bombardeio norte-americano em 2003. Andrei Netto, de *O Estado de S.Paulo*, sobreviveu para contar seus dias como prisioneiro do ditador Muamar Kadafi — e, mesmo sem ter intenção, acabou fazendo história.

A capital iraquiana é também o cenário de dois dos maiores relatos de guerra já escritos, *Ao vivo de Bagdá* (no qual o australiano Peter Arnett relata como fez transmissões ao vivo para a CNN dos bombardeios norte-americanos em 1991) e *A queda de Bagdá*, no qual o norte-americano Jon Lee Anderson detalha os últimos anos do regime de Saddam Hussein e sua derrota final. Ambos correspondentes de guerra que durante décadas fizeram só isso.

Nesse quesito, nenhum deles, no meu entender, se equipara ao britânico Anthony Loyd (que tive a oportunidade de encontrar na Líbia), em narrativas cruas do cotidiano da guerra. Esse ex-oficial do exército esteve em todas as guerras importantes (e até as não importantes) do final do século XX e início do terceiro milênio. Delas resultaram duas obras viscerais, infelizmente não editadas no Brasil, mas que comento no meu livro: *My war gone by, I miss it so* (Minha guerra terminou, sinto tanta falta dela) e *Another bloody love letter* (Outra carta sangrenta de amor).Em termos de Brasil, que não costuma forjar correspondentes especializados em conflitos, existe pelo menos uma honrosa exceção. É André Liohn, fotógrafo e cinegrafista paulista que vive há décadas fora do país e peregrina de guerra em guerra, vendendo seu material para grandes redes de comunicação, como a CNN. Não por acaso, acaba de ser contemplado com um dos maiores prêmios mundiais de fotografia, o *Robert Capa Golden Medal*, pelo registro dramático da guerra civil na Líbia.

Como todos os que mencionei, tive oportunidade de testemunhar alguns eventos históricos. E gostei. É bom ver o mundo se transformar diante dos olhos e poder transmitir isso aos leitores. Do Norte da África ao Extremo Oriente, dos desertos mexicanos às montanhas colombianas, cobri não apenas guerras, mas também conflitos gestados pelo narcotráfico, rebeliões políticas e catástrofes naturais, parte delas relembradas nesta obra.

Este livro não tem por objetivo ser épico, ou didático. É apenas um balanço daquilo que mais me impactou nesses anos de estrada. Um ajuste de contas com a profissão. Uma divertida lembrança de erros e acertos que podem, inclusive, ajudar quem gosta de reportagem — ou de história narrada por um cronista do cotidiano, o jornalista. É um presente que resolvi me propiciar, às vésperas de completar cinquenta anos. Espero que o leitor tenha tanto prazer ao lê-lo quanto tive ao escrevê-lo.

Porto Alegre, setembro de 2013.

PARTE 1

CONFLITOS

Líbia
Angola
Colômbia
Haiti
Timor
Cursos de risco

LÍBIA
Bombas em meio à revolução Líbia

I NA ESTRADA COM OS REBELDES

Líbia, 11 de março de 2011 — A primeira bomba, das tantas que eu veria nesse dia, cai no deserto em frente ao carro, do lado esquerdo da estrada. Nem percebo. Os vidros fechados do veículo e a música árabe a todo volume não deixam perceber qualquer ruído externo. São 11 horas e o velocímetro do Toyota marca 140 km/h. O automóvel é dirigido pelo líbio Khalifa Mohammed, um engenheiro de sessenta e sete anos que morou quatro vezes na Europa, fala inglês com sotaque de Oxford e, por apertos da guerra, ganha dinheiro levando repórteres ao *front*. Ouço apenas gritos nervosos dos três fotógrafos franceses a quem dou carona.

— *Shells, shells*! — gritam os colegas franceses, usando a gíria inglesa para bombas de artilharia (obuses). Só então reparo no cogumelo negro formado pelo torvelinho de pedras, terra e pólvora, oriundo da explosão do projétil. Aquilo se ergue por uns vinte metros, uma altura de quase sete andares. Imagino na hora o que faria com nosso carro, se o atingisse... O motorista, sabiamente, começa a ziguezaguear na estrada. Tenta dificultar a mira dos artilheiros. Consegue.

Alívio geral. Os três franceses são experimentados correspondentes, dois deles com coberturas na Bósnia e no Iraque. Agora cobrem, como eu, a rebelião que acabaria por derrubar o mais antigo ditador árabe, o líbio Muamar Kadafi.

Mais calmos, reparamos que a artilharia pró-Kadafi mira um posto de controle dos rebeldes líbios. Demos azar, porque isso acontece justo no momento em que passamos por esse *checkpoint*. Os tiros vêm direto do mar, o que indica que são provenientes de algum navio de guerra fiel ao ditador líbio. Deduzo que o autor dos disparos não distingue guerrilheiros, jornalistas e civis: quem está naquele ponto da estrada vira alvo. Talvez ele nem tenha notado o carro. Assim espero... Tiro uma foto do cogumelo explosivo, com a maquininha amadora que carrego. Fica ruim, mas serve de recordação.

Estamos em Brega, cidade em poder dos rebeldes, como toda a metade leste da Líbia. Vamos em direção ao oeste, pela costa do Mediterrâneo até Ras Lanuf, a "terra de ninguém". Sede da maior refinaria líbia, e também a cidade onde, naquele início de março, revolucionários tentam resistir a uma contraofensiva de soldados fiéis a Kadafi. Travam uma sangrenta batalha para impedir a rebelião de chegar à capital, Trípoli.

Não sou novato em cobertura de conflitos. Estive em locais de tiroteio mais vezes do que consigo lembrar e fiz dois cursos de correspondente em área de risco, ministrados por militares veteranos de guerra (um na Argentina, outro no Brasil). Mas nada me preparou para o que viria a seguir. Driblar tiros de fuzil é uma coisa, depende de você e suas habilidades. Fugir de balas de canhão é bem diferente, muito mais difícil.

O bom é que, após aquele primeiro cogumelo explosivo, os disparos cessaram. Só reparo que algo está diferente porque o céu, de um azul sem máculas, começa a ficar enegrecido no horizonte. Vejo também clarões semelhantes a raios, e ruído de trovões. Tempestade, em pleno deserto? Difícil.

Logo percebo que o trovejar e os relâmpagos não são provenientes de uma tormenta e, sim, de disparos de artilharia. Que encrenca... Sinto um arrepio, ao mesmo tempo que um misto de curiosidade, orgulho e fascínio mórbido, que me faz seguir em frente. A sensação melhora um pouco quando, chegando próximo à frente de batalha, os relâmpagos e barulhos cessam. Dois dos franceses correm para longe, agradecendo a carona e dizendo "nos vemos por aí". O terceiro fica comigo. Percebo que estou no *front* porque a estrada está bloqueada por centenas de veículos. Por todo lado pululam jipes e caminhonetes com plataformas de artilharia montadas na caçamba.

É... esses rebeldes são diferentes de guerrilheiros convencionais. Começaram em fevereiro a sua revolução da forma usual, com alguns disparos de fuzis. Mas logo receberam a adesão de militares à causa revolucionária, que franquearam seus poderosos arsenais. O resultado é que a rebelião dispõe, em março, de milhares de canhões. Na maioria, armas antiaéreas russas ZU (Zenitnaya Ustanovaka) calibre 23mm, sobras da guerra do Afeganistão. Ou britânicas MK-38 (25mm). Alguns veículos estão aparelhados com modernos e mortíferos Bofors, canhões suecos de 40mm.

O problema é que, no universo dos canhões, o *ranking* que vai dos 20mm aos 40mm seria como as categorias infantojuvenis; como se potência bélica fosse como futebol, coisa de amador. E os rebeldes não dispõem de algo mais poderoso que essas armas. Já as divisões de Kadafi jogam Copa do Mundo em armamento, como logo eu iria perceber.

Um estranho silêncio paira sobre o *front*, quando finalmente chego. Descubro que a batalha sofre uma pausa — impensada em qualquer guerra conhecida no Ocidente — por um importante motivo: é momento de oração. Muçulmanos rezam pelo menos quatro vezes ao dia, e com os homens no *front* não é diferente. Entre 12 e 13 horas, os rebeldes repousam os fuzis ao lado do corpo, descem das caminhonetes artilhadas e se ajoelham, batendo a testa no chão repetidas vezes, em sinal de arrependimento pelos pecados cometidos. Quanto mais calos na testa um islamita tem, mais devoto ele é, ensina a tradição. Eles gritam:

— *Alahu Akbar, Alahu Akbar* (Deus é grande) — recitando a primeira frase do Alcorão, o livro sagrado muçulmano.

E continuam, em árabe: "Com armas eu irei defender minha pátria. Deus está acima dos truques dos agressores... Se eu morrer, Deus me levará com ele...". Repetem e tornam a reproduzir o mantra, vezes sem conta.

Emocionante, é preciso admitir. Até porque, do lado dos kadafistas, os canhões também estão calados, sinal de que igualmente rezam. Uma batalha entre devotos.

Tiro fotos, faço entrevistas. Estou cercado pela nata dos correspondentes. Reconheço Linsey Addario, veterana do Iraque e Afeganistão, fotógrafa que atua para o *The New York Times*. Sei que Jon Lee Anderson, autor do consagrado *A queda de Bagdá* e com quem já trocara alguns *e-mails*, está também pela região, mas não o vejo. Rémi Ochlick, fotógrafo francês, também comparece ali e ganharia o mais importante prêmio fotográfico do ano (o *World Press Photo*) por um retrato tirado nessa batalha. Reparo em colegas de hotel, uns trinta jornalistas, peregrinando pela área. Uma tribo que vive e respira guerras. Que migra atrás delas. Eles se tratam pelo nome ou apelido, se dão tapinhas nas costas, se empurram como moleques no colégio. Só observo. Devo ser, de longe, um dos menos experientes. Sinto uma repentina solidão.

O local aglutina gente de toda parte do mundo. Afora a legião estrangeira de repórteres, os próprios rebeldes são uma miscelânea. Descubro que alguns com pele retinta são guerrilheiros sudaneses, que juram ter aderido à causa apenas para "ajudar os irmãos contra o tirano". Será mesmo idealismo ou vieram por dinheiro? Não tenho como saber. Outro guerreiro, um religioso que veste túnica inteiriça (*sherwal-camiz*) e usa uma longa barba, é afegão, me dizem. Renderia uma boa entrevista, mas percebo que se recusa a falar com um ocidental. Com tantos tipos exóticos, até que essa batalha tem seu charme. Meu pensamento deve soar como blasfêmia aos ouvidos divinos, porque nem sequer tenho tempo de sorrir após o devaneio.

Concluídas as orações, os guerreiros beduínos — parte importante do contingente rebelde — começam a ulular, à moda árabe. Em seguida, disparam para o alto. Primeiro, com fuzis. Depois, com o matraquear barulhento dos canhões antiaéreos, que muitos confundem com metralhadoras. Atiram em direção ao lado oeste da refinaria, onde está o inimigo. Gritam: "Kadafi é o demônio, morte ao infiel". A barulheira é infernal.

Não demoram a receber o troco, em forma de balas de canhão. Nada de calibre pequeno. É um rugido distante, semelhante à trovoada que eu ouvira antes. Os homens de Kadafi dispõem de obuseiros calibres 88mm e 105mm (com o dobro da potência dos usados pelos rebeldes) montados em tanques e também em navios próximos à costa. Eles alcançam até dezesseis quilômetros com um tiro — e estamos a apenas três quilômetros do mar. Podemos sentir a brisa marinha.

O pior, para nós, é que de pouco adianta ter um colete com a palavra *Press* escrita nele. Ao contrário de atiradores de elite com fuzis, os artilheiros de navios não distinguem o alvo. Como estamos misturados aos rebeldes, azar o nosso.

É então que vejo pela segunda vez uma explosão de artilharia. A uns cem metros à minha direita brota outro cogumelo de metal, pedras e areia. Achei que ouviria um barulho... Nada. A detonação é muda. Só depois vem o ruído, um "tuiiimmm" como de um jato voando baixo, seguido do ribombar explosivo. É que projéteis de canhões voam a uma velocidade maior que a do som. Isso torna o perigo maior ainda, já que você não consegue ouvir o disparo, antes que ele rebente algo ao seu redor. Quem disser que não dá medo está mentindo ou é feito de gelo...

Só resta aos repórteres fugir. Não adianta se abaixar, nem ficar atrás de portas ou dentro dos carros. Cada explosão de granada de obus abre uma cratera e solta detritos a uma altura mínima de vinte metros. Calcule essa força centrada contra um ser humano...

Começa uma debandada. O curioso é que os primeiros a fugir são os guerrilheiros. Dão umas arrancadas com os jipes, cantam pneus, vão até o alcance dos tiros, disparam para o ar e voltam, aos gritos. Vão e vêm, vão e vêm. Até que fogem de vez. Curioso, por saberem ter capacidade bélica inferior ou puro medo, os homens armados deixam o lugar antes dos que portam apenas canetas. Ficamos nós, repórteres, para trás. Pior, à mercê das tropas de Kadafi, que chama jornalistas estrangeiros de "cães". Decido que é hora de ir embora.

Assustado com o trovejar dos tiros sobre nós, o motorista Khalifa quase me beija as mãos, agradecido. Entramos, eu e um dos fotógrafos franceses. Pergunto ao francês que me acompanhava pelos seus colegas, ele diz que eles certamente vão se virar. Decidimos não esperar. O condutor arranca e sai ziguezagueando em meio a destroços de veículos atingidos.

Aí começam a chover bombas: uma do lado esquerdo da estrada. Outra, ao lado desta. O artilheiro kadafista usa uma tática clássica de guerra: satura o terreno com explosões. Quando não se enxerga o alvo, se faz disparo lado a lado, corrigindo por aproximação, até o observador (um sujeito de binóculo, que fica num posto avançado) avisar que o objetivo foi atingido. No caso, nós. Por cima, vejo o voo rasante de jatos de guerra, *Sukhoi* e *Mig* da força aérea de Kadafi. Começam a largar bombas, ainda longe. Uma delas explode num prédio, que fica em pedaços. Parece o apocalipse.

O terceiro cogumelo cai bem ao lado direito do nosso carro, provocando deslocamento de ar. Continuamos ilesos. Nervoso, Khalifa acelera mais ainda, olhando para o cogumelo negro ao lado. Não nota que, na nossa frente, um furgão derrapou e está atravessado no asfalto, na tentativa de desviar de uma cratera que fora aberta pela artilharia. Aí nossa sorte, nessa loteria invertida, acaba.

— *Stop*! — grita o colega francês, tarde demais.

Colidimos a uns 80 km/h contra a *van*. Eu, que estou na frente, sou o mais atingido. Bato com a cabeça no para-brisa. O cinto de segurança me salva de fraturas, mas meu olho esquerdo leva uma pancada. Um líquido, que depois descubro ser sangue, escorre pelo meu rosto. Não enxergo direito. Saio pela janela, porque a porta ficou amassada. Gritos vêm do furgão cheio de colegas. Um jornalista italiano está com o braço deslocado e tremelica, em decorrência da colisão. Uma repórter italiana se esganiça... E as explosões chegam cada vez mais perto. Perco a conta depois de oito detonações.

Insisto para que Khalifa me acompanhe, mas ele está desesperado com seu Toyota, destroçado. Quer ficar junto ao carro, em pleno bombardeio. Permanece ali, catatônico e desconsolado, enquanto me esgueiro pela estrada, evitando ser atropelado pela massa de veículos em fuga. Mais tarde ficaria sabendo que o motorista conseguiu carona até Ajdabyia e sobreviveu, mas naquela hora fico torturado de culpa. Apesar disso, tenho de sair dali.

Alguém me pega pelo braço e me joga na traseira de um jipe. Sou embarcado com o jornalista italiano fraturado. Os guerrilheiros não correm, voam pela estrada, a mais de 120 quilômetros por hora. Mergulho num torpor. Na minha cabeça atordoada se confundem a ladainha das rezas, ruído de disparos, colegas do jornal... É como um filme ao contrário. É difícil evitar a dúvida: será que vou morrer miseravelmente nesse deserto? É um chavão, mas às vezes a vida é um chavão. Revivo, na mente, todos os passos até chegar ali.

* * *

A Líbia era, no início de 2011, um dos países menos prováveis para um jornal investir em reportagem, já que estava fora do eixo costumeiro de notícias — repórteres brasileiros, então, dificilmente teriam motivos para se meter lá. Desconhecido para a maioria dos ocidentais, aquele país do Norte da África só era notório pelas *performances* de seu extravagante líder, Muamar Kadafi. Coronel do exército líbio, ele ascendeu ao poder via golpe de Estado em 1969 e implantou no seu país uma ditadura que misturava socialismo de viés stalinista com nacionalismo árabe.

Durante décadas, Kadafi exportou soldados para atuarem em guerras no exterior, ajudando a implantar regimes amigos nos vizinhos países do Chade, Sudão, Argélia, entre outros. O ditador líbio contribuiu também com guerrilheiros para a causa palestina e patrocinou atentados terroristas no mundo, na sua fase revolucionária e antiocidental. Época, aliás, em que se acostumou a dormir em tendas em diferentes pontos do deserto a cada noite, para evitar ser aniquilado em bombardeio.

A grande virada no perfil de Kadafi veio com a Guerra do Golfo, quando — para surpresa de muitos analistas — ele decidiu apoiar a aliança de países ocidentais contra o ditador iraquiano Saddam Hussein. Com esse gesto estratégico, Kadafi voltou às boas com os EUA e Europa, escapou do embargo comercial e passou a vender petróleo também para essas potências. Até colaborou com a CIA norte-americana ao interrogar presos suspeitos de pertencer à rede terrorista muçulmana Al Qaeda. Em 2009, o então presidente brasileiro Luiz Inácio Lula da Silva saudou Kadafi como "meu amigo, meu irmão e líder", num encontro de cúpula da União Africana. Lula criticou o preconceito da mídia contra o ditador africano.

Kadafi começava então a se tornar um parceiro confiável para as potências ocidentais, até que... a Primavera Árabe mostrou sua força. Os dois maiores vizinhos da Líbia, a Tunísia e o Egito, mergulharam em convulsão social e multidões forçaram a queda dos presidentes desses dois países. Como era previsível, a onda de insatisfações chegou ao território líbio. Milhares começaram a protestar, de maneira pacífica e ordenada, nas praças de Benghazi, cidade que nunca foi muito fiel a Kadafi.

O ditador líbio, porém, reagiu de forma diferente de seus vizinhos. Em vez de mandar policiais dissolverem a cacetadas as manifestações, Kadafi ordenou que caças bombardeassem a multidão. Centenas foram mortos em Benghazi durante o bombardeio e, irada, a multidão invadiu as sedes policiais, os cárceres, os prédios públicos e incendiou tudo. Após saquearem quartéis, os opositores de Kadafi iniciaram uma guerra civil, em fevereiro. É nesse ponto da história que o jornal *Zero Hora* decide descrever essa rebelião.

* * *

Tudo começa com um *e-mail* de Altair Nobre, então editor-chefe de *Zero Hora*. É domingo, umas 14 horas e eu curto o efeito dos uísques antes da carne assada no forno. O vício me faz dar uma passadinha no computador antes da sesta. O título da mensagem é *Líbia*. E o conteúdo não pode ser mais claro: vamos para a Líbia?

Na hora, não acredito. Havia pelo menos uma semana o colega Rodrigo Lopes estava na Tunísia, país que recém-derrubara um presidente, o primeiro no dominó de revoltas que entraria para a história como Primavera Árabe. Ele tentara ingressar na Líbia, mas ficara retido na fronteira porque o local escolhido,

Ben Gardene (perto da Ilha de Djerba, um paraíso turístico no Mar Mediterrâneo), estava sob controle dos kadafistas — que não queriam imprensa por perto. Lopes sugere ao jornal que outro repórter procure entrar em território líbio pelo outro lado, via fronteira egípcia, mais permeável.

Ligo para Altair e pergunto se ele tem certeza que eu sou o escolhido. Ele diz que sim. Pondero que minha experiência internacional não inclui países com línguas exóticas como o árabe. Fico inseguro — não pela guerra em si, mas pela possibilidade real de ter enormes dificuldades de chegar ao local da reportagem, já que teria de passar por vários países. Nisso eu tinha muito menos experiência que o colega Lopes, um *globetrotter* acostumado a girar o planeta em coberturas pela *RBS*.

Confidencio as dúvidas para minha mulher, Angélica. Ela mostra entusiasmo e tenta desfazer minha apreensão com as burocracias e fronteiras. Chegamos à conclusão de que ir é a decisão natural. Num bate-papo triangular que inclui, além de Altair, Marcelo Rech (diretor de produto editorial da *RBS*), ele confirma que o escolhido sou eu, mas talvez a viagem seja adiada, se Rodrigo Lopes conseguir entrar na Líbia.

É o que acontece no dia seguinte, segunda-feira. Lopes se desloca 250 quilômetros ao sul de onde estava, até outro posto de fronteira, Dehiba, controlado pelos rebeldes. E lá consegue ingressar na Líbia. Permanece menos de doze horas naquele país, mas faz uma transmissão histórica para a *Rádio Gaúcha*, a primeira ao vivo de um correspondente brasileiro naquela guerra. Sai a tempo. No dia seguinte, os kadafistas retomam o local, com ameaças a jornalistas.

Com o ingresso de Lopes, começo a achar que minha viagem não sairá mais. Refeito da surpresa inicial, até estava curtindo a ideia, mas parece que minha ida será abortada. Tudo se encaminha para isso quando, na terça-feira, Lopes adoece, com fortes dores abdominais. O então editor de Mundo no jornal *Zero Hora*,

Luciano Peres, me pergunta se estou disposto a encarar. Desta vez digo que sim, sem piscar. Foda-se não saber árabe, foda-se que teria trâmites alfandegários por vários países, foda-se... Hora de agir primeiro e pensar depois.

Começo a fazer contatos com colegas da *Folha de S.Paulo*, *O Estado de S. Paulo* e *O Globo*, que já ingressaram na Líbia pelo lado egípcio (o lado contrário ao que Lopes está). Dizem que não é difícil, mas existe um grave problema: a internet acaba de ser cortada em toda a Líbia. Kadafi não estava há quarenta e um anos no poder à toa. Percebeu logo que cortar a comunicação dos rebeldes seria tão ou mais eficaz do que bombas sobre suas cabeças. Como efeito colateral, o ditador diminuiu o poder de fogo de uma das maiores armas que pesam contra sua cabeça, as revelações da imprensa. Repórter sem internet é como radialista sem microfone, uma volta à pré-história do jornalismo.

O problema é que Rodrigo Lopes está mal, com suspeita de cálculo renal. Tem de retornar ao Brasil. E o jornal decide me enviar, mesmo sem garantia de transmissão. A orientação é para que eu alugue um telefone por satélite em algum lugar, se possível. Não tenho a mínima ideia de como se faz isso, mas prometo tentar. Num último *e-mail*, esperança: Deborah Berlinck, correspondente de *O Globo* enviada a Benghazi (Líbia), diz que os guerrilheiros têm um centro secreto onde funciona internet por satélite. Batemos o martelo e decolo voo.

Mais importante que a viagem em si é o preparo para ela. Checo passaporte, vacinas, necessidade de visto (o Egito exige, mas pode ser feito no aeroporto). Arrumo apenas uma mala de mão, com um blusão e várias camisas e meias. Procuro em casa alguma camiseta ou pano com as cores ou bandeira do Brasil, e evito levar roupas com o tom verde de Kadafi. Nessas horas, diplomacias como essas valem ouro. É inverno na África. Faço vinte e cinco horas de voo desde Porto Alegre até o Cairo, com escalas em São Paulo e Frankfurt (Alemanha).

Sou recebido na capital egípcia por um tenente do exército brasileiro que atua como adido (contato) militar da embaixada brasileira, um gaúcho boa praça, a quem tinha contatado previamente. Levamos três horas, de carro, do aeroporto até a casa dele, próxima à famosa Praça Tahir. Isso mesmo: quem acha congestionado o trânsito paulista, é porque não conhece o inferno egípcio. Sou recebido pelo militar e sua esposa com um jantar restaurador. Ele prefere não ser identificado, porque sua ajuda não foi oficial. Mas é o tipo de contato fundamental ao êxito no jornalismo. À noite, troco a maior parte dos dólares que carrego por libras egípcias, num caixa eletrônico.

Na manhã seguinte deveria me esperar um guia previamente agendado para me levar até a fronteira com a Líbia, chamado Ibrahim, um motorista de confiança da embaixada brasileira. Contratar um guia — fundamental num país estranho — é daquelas artes que não domino. E funciona a "Lei de Murphy": dá errado. No lugar de Ibrahim aparece Samir, apresentado como neto dele. Ele responde apenas "*Yes, yes*" às minhas primeiras perguntas e desconfio que nada sabe de inglês. Como estou atrasado para a cobertura e Rodrigo Lopes está voltando ao Brasil, decido seguir com o motorista terceirizado.

Confirmo, depois dos primeiros quilômetros, que o mutismo de Samir é mesmo desconhecimento do idioma inglês. Como meu árabe é tão bom quanto meu grego — inexistente — rodamos sem nos comunicar por impressionantes 680 quilômetros. Só trocamos palavras-chave como Coca-Cola, fronteira, comida, tudo com ajuda de mímica. O preço da corrida é US$ 350 (R$ 585,00).

Samir fuma sem parar, chega a acender um cigarro no outro. Com vidro semicerrado. Difícil suportar, para quem não é fumante. É que faz frio lá fora, algo que ele sintetiza com a palavra "*cold*". O resultado é uma nuvem de fumaça permanente no carro. Ele pergunta se quero fumar. Respondo que não. Ele insiste, inconformado. A cada vez que pita, me oferece. E assim vamos, planície afora. Crente, o motorista leva um Alcorão sobre o painel do carro. Próximo ao meio-dia, para, estende um tapete e reza à beira do asfalto.

A estrada é um consolo, uma *freeway* espetacular, cortando o deserto de leste a oeste, costeando praias do Mediterrâneo. No caminho decido dar uma parada em El Alamein, lugar da batalha mais decisiva na África durante a Segunda Guerra Mundial. Visito ali o Cemitério Alemão, onde estão sepultados mais de 4 mil soldados germânicos. Junto às tumbas há uma sala com homenagens e medalhas de Erwin Rommel, a Raposa do Deserto, o legendário general alemão que comandava o *Afrika Korps*. Ao lado estão os cemitérios italiano e britânico, com mais 7 mil mortos, mas não tenho tempo de conhecê-los. Tiro fotos e só.

Paramos também em Marsa Matruh, cidade-oásis egípcia. Lá, tomo um choque cultural. Todas as mulheres que vejo usam túnicas negras e véus cobrindo o rosto. Andam só entre elas ou atrás de homens, nunca ao lado. Por mais que conheçamos esta cultura, sempre nos causa estranheza e choca nossa sensibilidade. Incauto, tento pedir informação a uma jovem, ela sai correndo, gritando... Um guarda bancário me lança um olhar feroz. Só não sou preso por intervenção do motorista.

O choque cultural prossegue: paro num caixa bancário e começo a sacar libras. Tiro o máximo que o cartão de crédito permite. Afinal, na Líbia, a internet está fora do ar e, sem ela, os bancos não funcionam. Algumas pessoas olham com curiosidade, mas a maioria desvia o olhar, para que eu não pense que são ladrões. Ladrão, no mundo muçulmano, corre sério risco de corte da mão. Logo, é saudável não olhar muito para dinheiro alheio...

Continuamos então até Sallum, um porto pesqueiro na fronteira com a Líbia. O combinado é que ali serei apresentado a pessoas que me atravessarão para território líbio. Assim acontece.

Criança armada, patrulhando as ruas de Benghazi, a capital dos rebeldes líbios

Nas duas imagens acima, canhões antiaéreos usados pelos revolucionários de Brega

© Humberto Trezzi

Primeiro obus que vi, caindo na estrada entre Brega e Ras Lanuf. A bomba explodiu em frente do carro em que eu estava

© Humberto Trezzi

Artilheiro rebelde com canhões antiaéreos, em Ras Lanuf

Revolucionários rezando, minutos antes da batalha em Ras Lanuf

O colega Andrei Neto, do jornal *O Estado de S. Paulo*, e eu, junto a rebeldes líbios na tomada de Trípoli, a capital daquele país

Rebeldes chegando ao avião particular do Kadafi, logo após a tomada do aeroporto de Trípoli

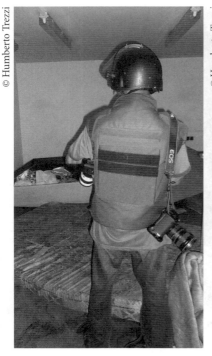

Cama do Kadafi, dentro do avião particular dele

Repórter entrando nos túneis construídos por ordem de Kadafi, em Trípoli, que o levavam do palácio dele até o mar

Bombardeio de Trípoli feito por aviões da OTAN, foto tirada da janela do hotel em que eu estava hospedado

© Humberto Trezzi

© Humberto Trezzi

Rebeldes líbios num jipe, entrando no complexo palacial do Kadafi

Rebeldes líbios celebrando no campo de batalha, em Ras Lanuf

Um médico examina o galpão onde foram incineradas mais de oitenta pessoas por tropas do Kadafi

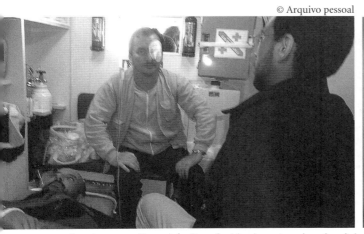 

Eu, de tapa-olho, após ficar ferido durante o bombardeio. E, ferido, sem o tapa-olho (ao lado)

Eu, em frente a um canhão antiaéreo, em Ras Lanuf

Meu novo anfitrião é Wahid, um homem de turbante e longas barbas negras, o que mostra sua devoção ao profeta Maomé. Ele fala inglês perfeito, morou na Inglaterra. Após uma longa conversa em que ele e outros religiosos conferem meu passaporte brasileiro e minha história, concordam em me levar até Tobruk (primeira grande cidade líbia).

O problema é que, ao contrário do que tinham me dito, Wahid não podia entrar na Líbia. Estava com uns "probleminhas" com os militares egípcios, por ter atravessado muitos apoiadores da causa rebelde através da fronteira. Disposto a honrar o compromisso, Wahid tenta me passar e acaba detido pelo exército egípcio, no posto alfandegário. Após uma hora e meia de explicações, gritarias e lamentos, ele é liberado. E encarrega um contrabandista local, Ali, de me conduzir, com ele, num velho Lada russo, até Tobruk. São mais cem dólares gastos. Assim que cruzo a fronteira e ingresso em Msara (Líbia), aproveito a existência de sinal no celular (graças à proximidade com o Egito) e ligo para a *Rádio Gaúcha*. Sou entrevistado por Antônio Carlos Macedo no *Chamada Geral*, primeira edição, anunciando o ingresso em território líbio. A temperatura é de 5º C e uma chuva fina enregela até os ossos. Dali seguimos no Lada pela costa. Ainda em Msara, o sinal do celular some. Voltaria por breves momentos em Tobruk, de onde, após muito esforço, dito ao telefone uma reportagem que sintetizo agora:

UMA INCURSÃO À LÍBIA QUE RENEGOU KADAFI

Veterano de coberturas jornalísticas no Brasil e no exterior, o repórter de Zero Hora *Humberto Trezzi desembarcou ontem na convulsionada Líbia. Trezzi entrou no país pela fronteira com o Egito e mostrará a situação no bastião rebelde do país norte-africano, o Leste.*

EM **TERRENO** MINADO

O jornalista substitui o também repórter de ZH Rodrigo Lopes, que, do dia 24 de fevereiro até domingo passado, expôs o drama na porção oeste da Líbia, na fronteira com a Tunísia. Trezzi é o terceiro Enviado Especial de ZH ao front *do mundo árabe, região sacudida por uma série de revoltas que começaram na Tunísia em dezembro. Antes dele e de Lopes, Luiz Antônio Araújo cobriu a queda do ditador do Egito, Hosni Mubarak, em fevereiro.*

Tobruk, 9 de março de 2011

Quase sem telefonia, sem internet, apenas com a TV pública no ar. Poucos opositores líbios ficaram sabendo ontem do suposto aceno feito pelo ditador Muamar Kadafi sobre uma possível negociação para deixar o poder. Zero Hora *ingressou às 16 horas (11 horas pelo horário de Brasília) no território da Líbia, pela fronteira com o Egito. Sempre prontos para ouvir notícias ruins quando se trata de Kadafi, os habitantes dessa parte do país ignoravam que sua luta pode estar sendo ganha. Comemoraram, sim, ao ver chegar mais um repórter estrangeiro para narrar ao mundo o que consideram os estertores de uma tirania. Mas as celebrações eram baseadas em ideologia e entusiasmo, não em fatos. Ao cruzar o posto da imigração e ser reconhecido como um jornalista, os rebeldes anti-Kadafi começaram a disparar tiros para o alto e fazer poses com seus fuzis e escopetas.*

— Tire fotos. Kadafi não manda aqui — gritavam, em árabe. Só foi possível saber o que exclamavam graças a Wahid, um jovem muçulmano da cidade de Sallum, no lado egípcio da fronteira. Ele é o ímã que aglutina todos os estrangeiros interessados em entrar no território líbio a partir do Egito — a única maneira de ir à Líbia por terra, já que Kadafi fechou a fronteira oeste, com a Tunísia.

No Leste, como ressaltam os rebeldes, o ditador já não comanda mais nada. Nas ruas, é até perigoso vestir verde, cor oficial da bandeira e dos adeptos do regime de Kadafi. Nessa região, a bandeira tricolor dos revolucionários é onipresente, e cartazes com a foto rasgada do ditador são comuns.

Foi Wahid quem providenciou uma caminhonete Lada, russa, caindo aos pedaços e usada por contrabandistas, para conduzir ZH até a primeira grande cidade líbia do lado leste do país, Tobruk. O carro foi juntando chibeiros ao longo do caminho (chibeiro, em gauchês, é o contrabandista de miudezas). Eles são, na maioria, egípcios que levam peixes e tecidos do belíssimo porto de Sallum até a Líbia.

Visto "virtual" custou US$ 10

O mais impressionante para os que cruzam a fronteira é a massa humana que caminha na contramão, tentando ingressar no Egito. A maioria são negros vindos do sul da Líbia, do Sudão e do Níger, que trabalhavam na Cirenaica (o leste líbio) e hoje fogem, com medo de serem confundidos com os temidos mercenários de Kadafi.

Jornalistas são bem-vindos na porção rebelde da Líbia, mas antes têm de passar pelo crivo paranoico dos novos donos da Cirenaica. ZH *passou por quatro diferentes checagens das autoridades de plantão: uma de guardas de fronteira, outra de policiais (funcionários do antigo regime que aderiram à revolta contra o ditador) e duas barreiras de guerrilheiros, com sua miscelânea de uniformes e chapéus que lhes dá a aparência de bandidos — exceto pelo fato de entoarem gritos revolucionários.*

Um dos rebeldes, desconfiado, revirou meu passaporte, duvidou da minha credencial e só deu o OK quando eu disse, em português, o nome do jogador Ronaldinho Gaúcho.

— Desculpa, mas tem muito espião do ditador por aqui — justificou o homem, um cinquentão grisalho, com chapéu camuflado, calças jeans azuis, camiseta branca e um fuzil chinês Norinco a tiracolo.

Paguei o equivalente a US$ 10 por um visto, mas nada foi carimbado no passaporte. É uma licença virtual para ingressar no país, já que o governo não existe mais nessa área. Os guardas sorriem e acenam negativamente com a cabeça quando inquiridos sobre onde foram parar os carimbos de imigração.

ZH *percorreu 680 quilômetros por terra desde o Cairo até a fronteira da Líbia, e, depois, mais 139 quilômetros até Tobruk. Foram três dias de viagem desde Porto Alegre, com escalas em São Paulo, Frankfurt (Alemanha) e a capital egípcia. Um importante porto do Mar Mediterrâneo, Tobruk é passagem obrigatória dos viajantes que desejam ir até Benghazi, a capital dos rebeldes. Tobruk tem cerca de 300 mil habitantes, avenidas amplas, carros relativamente novos e uma importante relação comercial com a Europa (exporta principalmente peixes e petróleo). Toda essa efervescência econômica está paralisada pela falta de internet e pelos telefones com problemas — leva-se uma hora para conseguir uma ligação para o exterior. Não há jornais circulando, e só a TV estatal funciona. Mesmo assim, a revolta sobrevive.*

Devido à falta de telefonia, só vou saber que os rebeldes começavam a recuar na Líbia, à noite, naquela terça-feira. Tropas de Kadafi tinham acabado de retomar a cidade de Al Zawiya, próxima a Trípoli, que há uma semana era atacada por guerrilheiros. No leste, em Bin Jawad, os revolucionários também perdiam uma grande batalha de artilharia.

No quarto, solitário e sem internet, minha maior preocupação nem era comigo, porque estava longe do *front*. Volto o pensamento para meu amigo Andrei Netto — colega que por anos trabalhou no *Zero Hora* —, que agora é correspondente de *O Estado de S. Paulo*, em Paris. Ele está na Líbia desde 23 de fevereiro, e passamos a trocar *e-mails* diariamente, sem saber que eu logo também faria parte dessa cobertura. O problema é que há oito dias Andrei não responde minhas mensagens — nem as da própria mulher, Lúcia, também ex-colega de *ZH*, que com ele reside na França. No último *e-mail*, Andrei dizia que estava "*somewhere* perto de Trípoli. Bem perto". E, como todos sabem: "quanto mais perto de Kadafi, mais perigoso", lembro. O estranho nisso tudo é que ele está acompanhado de um jornalista iraquiano que tem telefone-satelital. Por que então não liga para sua mulher?

Pensamentos premonitórios. Um dia depois, quando me desloco para Benghazi (a capital rebelde na Líbia), fico sabendo que o silêncio de Andrei não é mera falta de internet. O jornal *O Estado de S. Paulo* anuncia oficialmente que ele está desaparecido. No mesmo dia, a rede de TV e rádio britânica *BBC* denuncia que três de seus jornalistas, Ferras Killani, Chris Cobb-Smith e Goktay Koraltan, foram presos pelas forças do governo líbio e submetidos a tortura.

Andrei tinha sido feito prisioneiro e só seria solto após oito dias de cativeiro e passagem por três prisões líbias. No primeiro dia, levou uma coronhada de fuzil e foi obrigado a dormir sem camisa, numa cela, com temperatura abaixo de 10º C. Foi ameaçado de fuzilamento várias vezes. Acabou libertado e expulso da Líbia por pressão do governo brasileiro.

Mas, nesses primeiros dias em que me encontro em território líbio, Andrei ainda está desaparecido. "Barra pesada", penso... Mas não no outro lado do país, onde estou. Toco pra frente... O caminho de 623 quilômetros entre Tobruk e Benghazi é o mais fértil da Líbia. Plantações de melões, tâmaras, tomates e até hortaliças margeiam uma estrada montanhosa. O único sinal de guerra é a presença de armas, armas, armas. Armas de todos os tipos e tamanhos, silenciosas ou não. Essa é a primeira visão de quem chega a Benghazi ou lá tenta chegar pelo único caminho possível, desde o Egito.

Quem se anima deve estar preparado para muitas barreiras. As rodovias são excelentes, graças ao petróleo que jorra abundante na Líbia. Mas os *checkpoints*... assustadores. No lugar de policiais com pistolas, o visitante é revistado por guerrilheiros com fuzis, granadas, lança-foguetes e metralhadoras. Alguns usam capuzes. São os novos donos dessa parte da Líbia, que se recusa a aceitar mais um dia de governo de Kadafi, há quarenta e um anos no poder.

Quase fico mudo ao saber o preço do litro da gasolina na Líbia. Mesmo com guerra civil e caos, custa o equivalente a US$ 0,15 (R$ 0,24), cerca de um décimo do preço no Brasil. É o que me garante o motorista que contratei.

— É o combustível mais barato do mundo — assegura. Não duvido.

Chego a Benghazi com a impressão de que nessa grande cidade — a segunda maior do país, atrás apenas da capital, Trípoli —, a revolução seria mais retórica e menos visível. Afinal, a guerra é travada nas rodovias que cortam o deserto, e Benghazi é um importante porto de exportações para a Europa, com 670 mil habitantes, hotéis de luxo, vias rápidas, trânsito à moda paulista. Mas o primeiro sinal de que se trata de uma era de incertezas é o som de tiros. A cada meia hora, em média, ouve-se o matraquear dos Kalashnikov automáticos.

A versão mais curiosa sobre os tiros vem do gerente do hotel Al Noran, onde me hospedo, por ser o único com internet captada via satélite.

— Comemoram a fuga do Kadafi — diz Mustafá, o gerente.

Fuga? Sim, durante todo o dia as TVs pegas por satélite mostraram a notícia de que Kadafi poderia estar em um avião do governo líbio que aterrissou no Egito. Mesmo sem confirmação (*na verdade, quem estava no avião era um emissário do ditador, o general Abdul-Rahman bin Ali al-Said al-Zawi*), a notícia foi saudada à moda líbia pelos opositores de Kadafi: tiros para o alto e os gritos ululados, típicos das mulheres beduínas.

Mas o ditador teima em aparecer na TV estatal, a única à qual a maioria da população tem acesso. O resultado é que existem duas Benghazi: a dos ideólogos da revolução antikadafista, que pululam nos hotéis e nas empresas estrangeiras, e a das ruas, onde o temor de uma contraofensiva do ditador é cada vez maior. Temor que ganha força com a notícia de que as tropas do exército regular (parte das forças armadas mantém o apoio a Kadafi) danificaram a tiros de canhão e bombas lançadas de avião um oleoduto na região de Ras Lanuf.

Não faltam jornalistas em Benghazi. São, praticamente, os únicos a ocupar os hotéis. Movem-se em hordas. Entre eles, encontro Deborah Berlinck, de *O Globo*. Levo para ela US$ 2 mil, em notas de US$ 100, grudados ao corpo. É que ela entrou na Líbia quando os cartões de crédito funcionavam. Com o corte da internet, os cartões ficaram inoperantes, e ela sem dinheiro até para pagar o hotel.

Decido permanecer dois dias em Benghazi e depois tentar o *front*. Há muito o que descrever na capital rebelde da Líbia. As pessoas, por exemplo. Mustafá, o gerente do hotel, é um jovem de cabelos compridos e com gel, óculos estilo John Lennon, com ares de publicitário. Egípcio, montou uma agência de viagens e mudou-se para a Líbia quando Kadafi se abriu ao Ocidente. Eram meados da primeira década do milênio e nem sinal de guerra à vista. A agência de Mustafá ficava dentro do Al Noran e ele logo se viu gerente do hotel, frequentado por europeus ligados à indústria petrolífera. Ele e outros líbios começaram a aperfeiçoar o inglês, língua que era proibida no auge do regime kadafista (anos 1980). É por isso que nos entendemos.

No *hall* do hotel topo com um homem de terno, gravata e Kalashnikov (fuzil russo) pendurado pela bandoleira no pescoço. É Ibrahim, um homem de negócios que decidiu aderir à revolução e guarnece o hotel "contra atentados a vocês, jornalistas". Ele tem razão. No dia em que chego, alguém dispara de dentro de um carro uma rajada de tiros contra o maior hotel de Benghazi, o Tibesti, cheio de repórteres. Ninguém fica ferido.

Engenheiro, Ibrahim diz que se rebelou ao perceber que só "amigos do rei" (Kadafi) recebem boas oportunidades de contratos no exterior.

— *It's enough!* (Já chega!) — diz, ao resumir porque trocou a caneta pela arma.

Ibrahim é exímio com o AK-47. Lutou no Chade e no Níger como integrante do exército de Kadafi, "nessas guerras que vocês nem devem ter ouvido falar", graceja.

As razões de Ibrahim e Mustafá para apoiarem a revolução não são as mesmas dos religiosos vistos nas ruas de Benghazi, com suas túnicas e barbas longas, seu Alcorão embaixo do braço. Nem dos jovens fãs de *rappers* como Run DMC, usando boné e camisetas com dizeres em inglês. O único cimento a uni-los é o ódio a Kadafi.

Contrato Khalifa, o motorista, e com ele faço um *tour* pela Líbia revolucionária. Visito o coração da revolta em Benghazi. É um prédio virado em escombros, ex-sede policial no centro da cidade, onde funciona o quartel-general dos cérebros anti-Kadafi. O Comitê Revolucionário montou ali, com roteador de satélite, o jornal virtual *Lybia Freedom*, escrito em inglês e destinado a propagandear para o mundo as virtudes da revolução.

Jornalistas ocidentais afluem ali por dois motivos: conseguir acesso à internet por satélite e também obter credenciamento necessário para passar pelas barreiras na estrada. Mediante apresentação do passaporte, cada repórter ganha um crachá no qual se lê, em árabe, Comitê Revolucionário da Líbia Livre. Simples. Ou melhor, não tão simples assim.

Até então eu não sabia, mas cada cidade que aderiu à revolta tem seu próprio Comitê Revolucionário. E nem todos se entendem mutuamente. Descubro, numa barreira de estrada em Ajdabyia, que o crachá de Benghazi nada vale ali. Os rebeldes dali travam sua luta contra Kadafi de forma independente. O resultado é que tenho de obter outra licença, noutro quartel. Uma desunião que ajuda a explicar as derrotas sistemáticas que os revolucionários vêm sofrendo.

Mesmo em Benghazi, descubro que o governo revolucionário é uma ficção. A realidade é que qualquer noção de governo sumiu na Cirenaica, a porção do território da Líbia da qual Benghazi é a capital. Não há serviço regular de limpeza das ruas ou de coleta de lixo. Não há julgamentos nos tribunais. Não há investigações policiais em andamento. Não há internet para sacramentar os negócios. O que há é uma revolução em andamento, com todas as transformações que isso implica. Comitês ao estilo bolchevique decidem tudo, desde a versão sobre os fatos que será passada à imprensa nos boletins diários até como alimentar as multidões de refugiados vindos de outras partes do país.

Faço uma entrevista com um militar da Marinha Líbia, que aderiu à revolta. Veja um resumo, aqui, do bate-papo publicado em *ZH*, dia 12 de março de 2011:

ENTREVISTA
Faraj Mohamed, Comandante da base da
Marinha Líbia, em Benghazi

Com trinta e oito dos seus cinquenta e seis anos de idade dedicados à marinha, o comandante da esquadra naval líbia na cidade rebelde de Benghazi, coronel Faraj Mohamed, não se arrepende de ter se rebelado contra o governo de Muamar Kadafi. Nem após saber que as tropas do ditador avançam cada vez mais em direção à província rebelde onde Faraj é um dos alvos em potencial — ele também faz parte do Conselho Revolucionário, formado por notáveis que se voltaram contra a ditadura kadafista.

— Jurei defender meu país contra o inimigo. E Kadafi agora é o inimigo — justifica o militar.

Humberto Trezzi — Por que o senhor aderiu à rebelião armada contra o ditador?
Faraj Mohamed — Muamar Kadafi sempre prejudicou nossa província. Moro aqui, minha família também, há gerações. Ele é mau para o povo. E eu trabalho para o povo, não para ele.

HT — Mas o senhor é um militar, que deve, em teoria, obediência ao presidente...

Faraj — No juramento que fiz ao ingressar na marinha, jurei matar pelo meu país. Jurei defender a pátria contra o inimigo. E Kadafi agora é o inimigo.

HT — Kadafi diz que vocês são insuflados por estrangeiros e pela organização terrorista Al Qaeda.

Faraj — Quem trouxe estrangeiros foi Kadafi. Trouxe mercenários, de outras partes da África. Distribui dinheiro para quem lutar a favor dele. Que autoridade tem ele para falar de nós, que lutamos pela pátria?

Retomo a peregrinação. Com a debandada de funcionários públicos ligados a Kadafi, a Benghazi oficial, governamental, está entregue às moscas. Muitos fugiram com medo de ser acusados de simpatizantes do ditador. Prédios que funcionavam como sedes nevrálgicas do regime, como a central de polícia secreta e uma cadeia reservada para os presos políticos, foram incinerados por uma multidão de revolucionários enfurecidos.

Calcula-se que morreram mais de duas mil pessoas em Benghazi desde o início dos distúrbios, em 17 de fevereiro. Eis porque aquilo que poderia ser uma revolta civil política, como ocorreu no Egito, virou rebelião armada na Líbia. Armada inclusive para as crianças e adolescentes. Safiq Islam, catorze anos, deveria frequentar as aulas na oitava série do ensino fundamental. Desde o dia em que Benghazi se declarou independente do ditador, o menino patrulha as ruas da cidade. Usa um uniforme militar e, pasmem, uma pistola Beretta 6.35mm no coldre. Velha, mas recheada de balas. Ganhou de presente do irmão mais velho que está no *front*, em Ras Lanuf.

— É para defender o meu país contra ladrões como Kadafi — repete o guri, em um *slogan* decorado em casa, ao mostrar, orgulhoso, a pistola.

Crianças também desempenham outra tarefa fundamental, mais pacífica. Escoteiros recolhem o lixo nas ruas. Uniformizados, são saudados pela população ao passar com sacos gigantes, recolhendo detritos produzidos pelos 670 mil habitantes da cidade. São guiados por líderes como Haittan Annuar, um gari que também é escoteiro.

— Fomos convocados a ajudar o povo e fazemos isso. A escola pode esperar — justifica Mohamed Jamal, catorze anos, escoteiro desde os sete, no seu peculiar conceito de civismo.

As aulas, aliás, estão suspensas, porque os alunos viraram voluntários da revolução. Os maiores, universitários, vão para o *front*, em Ras Lanuf ou cidades próximas. Os menores fazem algum trabalho cívico — como a varrição de ruas e a colheita de frutas cítricas no campo. Parado ninguém está. O povo todo, da infância aos idosos, se une para fazer a rebelião vencer.

No fórum, os julgamentos estão adiados. Nas delegacias ainda existem presos, mas apenas comuns. Os prisioneiros políticos que sobreviveram aos últimos dias de domínio de Kadafi sobre a Cirenaica foram soltos pelos revolucionários. Mas nem todos tiveram essa sorte — muitos foram executados nos calabouços. Centenas estão desaparecidos. Murais com as fotos desses opositores sumidos estão expostos nos principais prédios públicos de Benghazi e são visitados por uma multidão, que ora por eles.

Homenagens aos que morrem na guerra viram catarse popular. Sigo um cortejo fúnebre, no qual o caixão é carregado sobre a cabeça de vários homens. Alguns guerreiros disparam com fuzis para o alto, fazendo ribombar o eco pelas paredes dos prédios. As mulheres ululam e choram desbragadamente, gritam, gritam... Estamos no Oriente Médio, lembro, onde o luto tem de ser lamentado com desespero.

De volta ao hotel, amenidades, um tanto exóticas para mim. Primeiro, a culinária: a comida alterna carne de carneiro — em espetinhos de *kebab* ou cafta — e massa, muita massa. Influência da Itália, situada a pouco mais de cem quilômetros da costa Líbia, e porque foi o país que, por décadas, dominou essa parte do norte da África. Tabule (grão de trigo com picles) e cuscuz (farinha de milho com carne) também são onipresentes.

Peço uma camareira. Ela não existe. Vem um homem, camareiro. Coisas de país muçulmano. Até que Kadafi tinha um discurso de valorização feminina (são famosas suas guarda-costas e enfermeiras), mas o modo de vida islamita ainda predomina. Na Líbia, a maioria das mulheres não pode ter contato com homens alheios à sua família. Nas manifestações de protesto, inclusive, elas têm um lugar reservado no meio da multidão, da qual são apartadas por cordas.

Sabe aquela vontade de beber uma cerveja gelada após engolir poeira do deserto? Nem pensar. Não há sinal de bebida alcoólica na Líbia, pelo menos na região onde estou. Nem nos hotéis, majoritariamente frequentados por estrangeiros. Nada. Talvez no mercado negro, mas até os contrabandistas estão encolhidos, nessa época de incertezas no norte da África. Uma vodca custaria US$ 100 (R$ 167,00). Não creio que *Zero Hora* pagaria... e aguento a abstinência.

Durmo sonhando com cerveja e acordo com uma ladainha que emana por toda a cidade, por volta das 5 horas. Parece um lamento choroso que toma os ares e se prolonga por quase uma hora. São os sacerdotes muçulmanos entoando a prece do amanhecer (bem antes de o sol raiar) do alto de minaretes espalhados por toda a cidade. Para se certificar de que nenhum fiel deixará de cumprir com seu ritual madrugador, a oração é amplificada por alto-falantes. Aos infiéis, como eu, resta grudar um travesseiro sobre o ouvido e tentar retomar o sono. O mesmo ritual de orações monocórdias ocorre quatro vezes ao dia e os devotos, onde estiverem, param tudo e começam a rezar.

Na conversa com o motorista Khalifa, ele me confirma outras peculiaridades muçulmanas. Muitas vezes a esposa é escolhida pelos parentes, num acordo entre famílias do qual o noivo e a noiva ficam de fora. Sexo com a esposa, via de regra, é feito no escuro. Isso, claro, quando as famílias são conservadoras.

É esse tipo de assunto que travamos quando decido ir ao *front*. A hora não é das melhores: as notícias de agências são de que Ras Lanuf foi retomada pelos kadafistas, mas não é o que dizem os colegas correspondentes hospedados no Al Noran. Decido conferir. Khalifa me confidencia que nunca tinha ido ao *front*, está um pouco receoso. Tento outros motoristas, mas cobram muito caro. Acerto com Khalifa uma corrida até a frente de batalha por US$ 300, ida e volta.

Saímos por volta das 7h30 por uma *freeway* espetacular, três pistas de cada lado. Vai assim até Ajdabyia, uns 150 quilômetros adiante de Benghazi em direção ao oeste. Lá, a concentração de tropas é grande e a confusão, maior ainda. Perdemos duas horas atrás de uma permissão dos revolucionários para continuar até o *front*. Topo com o jornalista Marcelo Niñio e o fotógrafo Joel Silva, enviados da *Folha de S.Paulo* àquela confusão. Eles pedem carona, mas meu carro está lotado (dei ajuda a três colegas franceses, em Ajdabyia). Os brasileiros compreendem. Tocamos para frente, já numa estrada com pista simples.

Em Brega, repleta de prédios esburacados por bombas, fotografo um jipão Land Rover com um canhão montado na traseira, disfarçado sob uma palmeira. Um guerrilheiro sai das sombras e pede que eu elimine a foto, aos gritos. Finjo que deleto, mas mantenho a fotografia. Percebo que os rebeldes estão nervosos com a aproximação dos kadafistas, num contra-ataque fulminante. Uma barreira de revolucionários nos para e aconselha a não prosseguir, mas insistimos e eles dão de ombros...

Logo adiante, no caminho para Ras Lanuf, cai aquela primeira bomba — e acontece tudo aquilo que descrevi no início deste capítulo. Estamos em 11 de março e, ferido, na traseira do jipe dos guerrilheiros, recordo toda essa montanha-russa de emoções.

* * *

Então, o veículo que me socorre freia e sou transferido para uma ambulância do Crescente Vermelho (o equivalente muçulmano à Cruz Vermelha), com o colega italiano que está com fraturas. Não posso deixar de reparar que, na ambulância, o rapaz tem convulsões provocadas por uma fratura na cabeça. "Será que estou salvo?" — questiono mentalmente. Ainda não... A ambulância trafega a uns 140 km/h, no asfalto, quando os pneus guincham e o veículo freia de súbito. "Outro acidente?" — cogito, atemorizado.

Ouço um ruído de turbina, um som abafado e o médico que me atende, Osama Jasner, abre a janela para que eu olhe.

Espio e vejo um cogumelo negro brotando, a uns trinta metros de nós. Repugnante. O jato jogou uma bomba contra a ambulância que carregava feridos.

— *Sahafi, sahafi* (jornalista, jornalista), diga a seu povo o que Kadafi está fazendo — apela o médico, em inglês mesclado com expressões árabes.

Retomamos a corrida alucinada até Brega. No caminho, o médico lava meu olho ferido e coloca um tapa-olho. No hospital local, sou entrevistado por televisões árabes. Feridos são excelente propaganda para a causa da revolução. Não lhes tiro a razão. Ao meu lado, guerrilheiros aos pedaços são atendidos. Gritos. Horror.

Marcelo Niñio e Joel Silva, repórteres da *Folha de S.Paulo* que estão ali, me ajudam a conseguir uma carona para Benghazi. Os anfitriões são dois jovens tripulantes de uma caminhonete, que ouvem *dance music* em altíssimo volume e fumam sem parar. Falam bem inglês, pois estudaram engenharia na Europa. Estão de volta para fazer trabalho comunitário e aderir à revolução. Levam-me até o hotel em Benghazi, onde desembarco sob olhar curioso dos correspondentes de guerra. Pela primeira vez, os colegas parecem demonstrar interesse em mim.

À noite ligo para a redação, pelo *skype*, e logo o meu acidente se transforma em notícia. Marcelo Rech e Ricardo Stefanelli perguntam se posso escrever algo. Claro, a adrenalina está em alta. Escrevo duas páginas de um só fôlego, em primeira pessoa, de forma subjetiva e emocionada — fora dos padrões usuais do jornalismo. Mando fotos, que vão para a capa do jornal dominical.

Na manhã seguinte decido ir embora com o primeiro transporte que conseguir. No café da manhã, no hotel, meu tapa-olho chama a atenção de um barbudo de olhos claros.

— *What happened?* — pergunta.

Ele me convida para o *breakfast*, interessado em saber como me feri. O rosto é familiar. Pergunto seu nome. Anthony Loyd, responde. Mal posso crer. Trata-se do mais famoso correspondente de guerra britânico na atualidade. Seus dois livros resumem, no título, a rotina tétrica de Loyd: *Minha guerra terminou, sinto tanta falta dela* e *Mais uma carta sangrenta de amor* (este eu levo na mochila, na Líbia).

Ex-oficial do exército britânico na Guerra do Iraque (1991), ele largou a farda para se tornar um dos mais premiados repórteres do mundo. Cobriu do início ao fim as guerras da Bósnia e da Chechênia. Morou no Afeganistão, de onde narrou o início da invasão norte-americana. Descreveu também o "açougue humano" aberto nas guerras da Libéria, Serra Leoa e Somália.

Depois do café, Loyd iria para Brega, o novo *front*, já que Ras Lanuf foi perdida pelos rebeldes. Sem pressa. E explica:

— Vou escrever algo de fôlego, nada diário.

Sinto uma pontinha de inveja. Feliz com o encontro, retiro de minha mochila de mão meu companheiro de viagem. Sim, coincidentemente — ou não — o último livro de Loyd está ali. Ele me concede o autógrafo, com simpatia.

Para o meu retorno, consigo vaga num ônibus partilhado com outros jornalistas, uma hora depois. É sábado e os rebeldes estão perdendo cidade após cidade. Fico sabendo da queda de Brega e que os kadafistas rumam para Ajdabyia. No rádio do veículo, em árabe, desponta a notícia de que um *cameraman* da *Al Jazira* (a maior rede árabe de TV) foi fuzilado por *snipers* (atiradores de elite) em Benghazi. "Hora de partir", pensamos todos os que ocupam o ônibus. Viajam comigo dois *freelances* a serviço do *The New York Times*, o correspondente do britânico *The Times*, no Cairo, e duas fotógrafas americanas. Exaustos, poucos falam. Sinto um pouco de arrogância no comportamento deles com relação ao colega terceiro-mundista, eu. Formam uma panela, está claro.

Em Tobruk, nosso motorista recebe, de dois barbudos com caras de gângster, duas placas egípcias e documentos novos para o ônibus. Ele joga o documento no chão empoeirado, pisoteia-o um pouco e guarda, para dar aos papéis aparência de usados. Quilômetros depois, troca as placas líbias por egípcias. Pode, assim, passar a fronteira sem ser confundido com líbio fugindo da guerra. Na saída, mal-humorado, um guerrilheiro examina nossos passaportes:

— Fugindo? E como nós, líbios, vamos ficar? — questiona, magoado.

Nada respondemos.

Levamos duas horas para cruzar a fronteira e, assim que ponho os pés no Egito, ligo para minha mulher, Angélica.

— Olha, estou bem. Não te assusta com o que vais ler em *ZH* dominical... — peço. Confiante, sempre apoiando minha viagem, ela não entende o recado. Digo que sofri um pequeno acidente, mas que estou bem. Aí as coisas mudam. Ela chora ao telefone: "Chega, não aguento mais, quando termina a angústia por nosso amigo Andrei, você se machuca? Volta."

Domingo, na casa de parentes, a ansiedade por me ver de volta, agora é clara. O que antes era entusiasmo e apoio ao meu trabalho se transforma em sentimento de emergência. Está certo.

Levamos quinze horas até o Cairo, onde chegamos à meia-noite. O Egito, recém-saído de sua própria revolta civil — que acabou com a queda do presidente Osni Mubarak — está também mergulhado em confusão. Enquanto atravessamos a capital, bandos de homens com porretes percorrem as ruas. São muçulmanos radicais, à caça de seus rivais, cristãos coptas.

— Melhor que não saibam que vocês são ocidentais — avisa o motorista, pedindo que baixemos as cortinas do ônibus.

Por via das dúvidas, uso na cabeça um *kaffie* (manto quadriculado de beduíno) e óculos escuros, para cobrir o tapa-olho. Narigudo como sou, bronzeado pelo sol do deserto, até que passo por árabe.

Busco um hotel próximo à Praça Tahir (palco da rebelião contra o governo) e mal acredito quando peço uma cerveja e ela vem... Na troca de *e-mails* com Marcelo Rech, velho conhecedor do Cairo, ele me aconselha:

— Toma umas Sakuras, é por minha conta.

Tomo logo três. No dia seguinte, tiro folga para visitar as pirâmides, andar de camelo e cavalo, comprar lembranças. Contato minha mulher e o colega Andrei Netto pelo *skype* — ele já tinha voltado a Paris, magro e pálido pelos dias de cárcere, mas salvo. E durmo um sono reconfortante. Enfim, um banho de civilização, mesmo que numa poluída cidade de doze milhões de habitantes.

II TESTEMUNHA DA QUEDA DE TRÍPOLI

Antes mesmo de retornar a Porto Alegre, em março, acompanho as notícias sobre o recuo desmoralizante dos rebeldes líbios. Eles perdem Brega, Ajdabyia e uma contraofensiva kadafista estoura em Benghazi. Tudo isso entre minha saída do Egito e a volta para Porto

Alegre, em meados de março. A revolução só não é derrotada — com um massacre de todos que se rebelaram — porque, em apoio aos rebeldes, a Organização do Tratado do Atlântico Norte (Otan) inicia, em 19 de março, o bombardeio das tropas de Kadafi.

A ação multinacional começa com um ataque de aviões franceses contra blindados kadafistas que cercavam Benghazi, o que força o recuo dos militares fiéis ao ditador líbio. Nos dias seguintes, os principais aeroportos e quartéis ligados ao ditador são bombardeados por jatos norte-americanos, britânicos, franceses, italianos, alemães e até dinamarqueses.

Acompanho tudo de Porto Alegre, onde me recupero do olho. O médico do Banco de Olhos me diz que sofri deslocamento de retina e, com o impacto, a cavidade ocular se encheu de líquido. Tudo isso aumentou a pressão ocular e me deixou com a visão embaçada. Uso quatro tipos de colírio e, com o tempo, começo a enxergar quase como antes.

O semestre passa voando. Vez ou outra sou convidado para palestrar. Há muita curiosidade sobre a Líbia, onde as batalhas continuam. Em abril, a cidade de Misrata, tomada pelos rebeldes, é bombardeada por semanas a fio pelos kadafistas. Um tiro de obus mata dois famosos correspondentes de guerra, o britânico Tim Hetherington e o norte-americano Chris Hondros. O primeiro tinha sido candidato ao Oscar de Melhor Documentário com o curta *Restrepo*, no qual documenta a guerra do Afeganistão. Hondros tinha sido indicado como concorrente ao Pulitzer, mais prestigiado prêmio de jornalismo do mundo. Caras que morrem no ápice. Pelo menos fazendo o que gostam, me consolo...

Quem resgata os corpos de Tim e Hondros e os leva, de barco, à Europa — numa aventura cinematográfica — é o fotógrafo brasileiro André Liohn, um dos maiores correspondentes de guerra da atualidade. A notícia ganha capa de jornais no mundo inteiro e causa comoção no meio midiático. Não sei por que, mas jornalista costuma ter a ilusão de que é invulnerável. Talvez seja herança de Clark Kent, aquele que se transformava em Super-Homem, brinco, ao comentar com os colegas.

Não que Hondros e Tim tivessem sido vítimas de perseguição à imprensa. Longe disso. As últimas fotos deles, resgatadas de suas máquinas fotográficas, mostram que eles foram atingidos enquanto estavam dentro de um prédio, com guerrilheiros que disparavam contra os kadafistas. Creio que quem atirou com um morteiro contra eles nem sabia que eram jornalistas.

Mesmo com essa maré de má-sorte para jornalistas, penso sempre num retorno à Líbia. Não gosto de deixar serviço inacabado. Preciso exorcizar minha passagem por aquele campo de batalha em Ras Lanuf. Vez ou outra mando *e-mails* a Marcelo Rech, perguntando se alguém voltará ao território líbio. "Só se o Kadafi começar a cair", retruca o chefe...

Pois estou em Porto Alegre em 20 de agosto, um sábado, quando Muamar Kadafi começa a ser destronado. Após dez dias de combates, os rebeldes conseguem retomar Al Zawiya (aquela mesma cidade onde Andrei Netto fora preso) e avançam velozes rumo à capital, Trípoli, que fica a apenas quarenta quilômetros do *front*. Leio isso na internet pela manhã e penso: "Será que agora vai?".

Pondero com minha mulher: "Será que me enviariam novamente? Seria prudente?". Lembro do acidente de março. Mas Angélica, prontamente me fita os olhos e pergunta, exclamada: "Você quer ou não quer voltar à Líbia?". "Claro que quero", respondo. E ela continua: "Então escreve um *e-mail* dizendo isso. Caso contrário, ninguém saberá".

Não mando. Mas, ainda naquele sábado, estou no final de um debate sobre drogas, no hotel Plaza São Rafael, quando o celular toca. É o Ricardo Stefanelli.

— Tu terias condições de ir à Líbia, se decidirmos por isso? — questiona.

Desta vez não sinto nem um pingo de hesitação. "Sim, vamos nessa", respondo. Era o que eu esperava havia meses, mesmo sem propor meu nome na roda. Ainda pergunto se o Rodrigo Lopes, que estivera em fevereiro, não estava inclinado a ir. O Stefanelli responde que o Lopes vai cobrir os dez anos dos atentados de 11 de setembro, nos EUA.

Vou para casa. Mesmo sem confirmação, inicio os preparativos para a viagem. Desta vez a bagagem é menor ainda, porque é verão na Líbia. Boto apenas quatro camisetas e uma calça sobressalente, além de meias, numa sacola. Na manhã seguinte, o editor-chefe de *ZH*, Altair Nobre, me liga e confirma: "Vais hoje mesmo, domingo, no primeiro voo disponível". Olho a internet e descubro por quê: os rebeldes estão entrando em Trípoli e combatendo de rua em rua.

Troco *e-mails* com Andrei Netto e descubro que ele também está de malas prontas. Ele vai pela Tunísia, porque dali até Trípoli é mais perto. O único problema é que a entrada mais curta para a Líbia, em Ben Gardene — de onde se vai pela costa até a capital — ainda está em poder dos kadafistas e fechada. Resolvemos arriscar e, tanto ele quanto eu, compramos passagem para a Tunísia. A diferença é que Andrei está na Europa e chegará um dia antes a Túnis.

Vou para o jornal, pego grana, cartão de crédito e mochila com *notebook*. Coloco tudo que é essencial nessa mochila e toco para o aeroporto. A sucessão de voos começa às 14 horas, com passagens por São Paulo e Paris, antes de Túnis. Desembarco em Paris ao amanhecer de segunda-feira e lá fico até a noite. Na hora de pegar o voo da Air France para a capital tunisiana, cai uma tremenda tempestade e o aeroporto cancela voos. "Maldição", penso. Mas em duas horas as aeronaves voltam a decolar. Pego o avião e chego a Túnis à meia-noite de segunda para terça-feira, hora local.

Desta vez ninguém está à minha espera. Um guia turístico, com uma ridícula flor na lapela do *blazer*, se oferece para me arranjar um hotel. Peço um pequeno e barato, apenas para dormir umas cinco horas. Pretendo seguir o quanto antes para a Líbia. Decido evitar a grande aduana de Ben Gardene (ainda nas mãos dos kadafistas) e ir 250 quilômetros ao sul, no deserto, até Dehiba. Dali cruzaria para Nalut, na Líbia, cidade que está em mãos de rebeldes, mais inclinados a receber a imprensa.

Surge então um problemão: o telefone de satélite que a *RBS* me deu para levar (sim, conseguiram um) é confiscado no aeroporto de Túnis. Os militares que tomaram o poder na Tunísia no início do ano consideram telefone satelital equipamento de espião. Mesmo vendo que somos repórteres, tomam o equipamento e prometem devolver apenas quando eu tiver passagem aérea comprada para algum lugar próximo à Líbia. O mesmo confisco acontece com outros repórteres que estão no aeroporto.

Durmo mal, numa espelunca cheia de mosquitos. Antes das 5 horas estou de pé e pego um táxi para o aeroporto. Ao chegar, fico sabendo que o primeiro voo para a Ilha de Djerba (400 quilômetros ao sul de Túnis) sai às 10 horas e não há garantia de lugar. Tento convencer os guardas a me devolverem o telefone satelital, mas estão irredutíveis. Fico numa fila de espera até que consigo um lugar no tal voo das 10 horas. Isso, quinze minutos antes de o avião decolar. Corro até a alfândega e, depois de mil tratativas, me devolvem o telefone. Sou um dos últimos a embarcar no jato. Agora, um pouco mais animado.

Djerba é uma ilha turística muito frequentada por europeus, especialmente eslavos. Mas não estou ali a turismo. No aeroporto local, cruzo com vários repórteres. Eles já sabem que colegas estão trancados na aduana em Ben Gardene e, como eu, decidem fazer uma baita volta pelo sul, tentar contato com os rebeldes. Encontro um argentino, Marcelo Cantergi — editor de Internacional do jornal *Clarín* — e decidimos ir juntos a Dehiba. Com três colegas de uma TV polonesa, locamos um ônibus e nos tocamos para o deserto.

Chegamos a Dehiba no início da tarde. Quase sem perceber. É uma vila, com casas feitas de blocos de pedra ou barro, da mesma cor do deserto. Uma fila imensa de veículos se posta junto à aduana, todos querendo entrar na Líbia. Encostamos e os poloneses correm para a alfândega, prometendo retornar com papéis para preenchermos. O argentino e eu esperamos. Com a demora, resolvemos conferir. Os polacos já estão com os papéis preenchidos e se preparam para carimbar os passaportes. Nem lembraram de nós. A solidariedade entre colegas é emocionante... Recolhemos o dinheiro, pagamos o motorista e entramos na fila burocrática. São duas horas de filas imensas.

Os polacos conseguem uma carona e se despedem. Querem chegar o quanto antes a Trípoli, embora a estrada esteja bloqueada perto da capital pelos combates. O argentino e eu, mais cautelosos, nos contentamos em ir até Nalut, a primeira cidade líbia pós-fronteira. Batalhamos uma carona e conseguimos por intermédio de Ali Aboukaber, um oficial da marinha mercante líbia que trocou tudo pela vida de mecenas da revolução e hoje é o líder guerreiro no posto fronteiriço com a Tunísia.

— Cansei. Cansei de não poder falar, de nem sequer poder pensar em voz alta, de pedir permissão para tudo — resume, ao ser questionado sobre por que abandonou uma vida confortável para aderir a uma rebelião incerta.

É isso. A mais sangrenta das revoluções da Primavera Árabe é feita de homens outrora pacíficos, transformados em guerreiros. É o caso de Aboukaber, quarentão que ganhava dinheiro em navios exportadores de petróleo. Ele morava na Inglaterra e frequentava os Emirados Árabes Unidos, onde fez amigos e uma pequena fortuna. Hoje viaja pelo mundo arrecadando fundos para a revolução. Havia uma semana estava em Abu Dhabi, pedindo donativos para carentes (ou seriam para compra de armas?).

— Sabe a seleção líbia? Os locutores eram proibidos de dizer o nome dos jogadores. Só podiam mencionar os números, para que todos fossem tratados de forma igual pelo povo. Como se o futebol fosse feito de talentos iguais... Esse é o regime de Kadafi. Era... acabou — desabafa Aboukaber.

Entrevisto professores universitários, comerciantes... a classe média que aderiu à revolta. Aí colocam o colega argentino e eu num carro, rumo a Nalut. No caminho, um aparelho de *CD* toca a todo volume o melodioso hino dos revolucionários, recuperado da época anterior a Kadafi. Os anfitriões repetem mais de vinte vezes a música, dando tapas nas nossas costas, entusiasmados com a presença de estrangeiros. Pelo trajeto observo tanques despedaçados e carros estraçalhados à bala.

Nalut é uma cidade construída em torno de um oásis. Oriental, muçulmana, devota. Nas ruas, homens de túnicas, mulheres de véu. Somos conduzidos à prefeitura, onde os rebeldes montaram um comitê de auxílio à imprensa. Graças a um roteador de satélite fornecido pelos norte-americanos, o local conta com sinal de internet. Fraco, mas está ali.

Escrevo rapidamente um texto, resumindo a situação descrita acima, e mando o seguinte *e-mail* aos editores de *ZH*, com cópia para Angélica:

> — *Consegui internet agora. Estou dentro da Líbia, em Nalut, e vou pousar aqui. No chão de um prédio. A apenas 250 quilômetros de Trípoli. Sem banho, sem comer, mas feliz. Tentei entrar por Ben Gardene, na Líbia onde ainda manda o Kadafi. Não deixam entrar lá. Tudo fechado. Viajei 600 quilômetros e vim a Nalut. Não há como voltar agora, as filas de aduana são imensas. Mando o texto. Só não proponho o* Diário da Líbia *porque não sei se encontrarei internet de agora em diante. Me apoderei da única linha de internet da cidade, não existe* wireless *aqui. Ah, o satélite não tá funcionando... nem o celular. A Rádio Gaúcha precisa ser avisada.*

Posso sentir as comemorações do pessoal, após a mensagem.

Naquela noite, o argentino, Marcelo Cantergi, e eu conseguimos abrigo num seminário muçulmano (uma *madrassa*). Apesar de ocidentais, somos bem-vindos, porque viemos retratar o começo da queda do maior perseguidor de religiosos na Líbia, Muamar Kadafi. Não há água para banho, apenas um filete na torneira para lavar o rosto. Comemos pita (pão árabe) com *homus* (pasta de grão-de-bico). Uma delícia. Dormimos em colchonetes no chão. Aproveito para pedir a um fotógrafo japonês, também hospedado ali, que verifique o meu telefone por satélite. Ele olha, retira peças, as recoloca e sentencia:

— Não funciona.

Buenas, palavra de japonês... Me dá um desânimo.

Manhã seguinte, bem cedo, voltamos ao centro de imprensa. Imploramos por um carro para locar, disposto a nos levar a Trípoli. Queremos chegar antes que as batalhas terminem. Mas ninguém quer arriscar. Um sujeito com uma caminhonete Nissan se oferece para ir até Al Zawiya, reduto rebelde a quarenta quilômetros da capital. Chamado Ahmed Jamal, ele parece um pirata: tapa-olho negro no lado direito do rosto, barba pelo peito, braço direito amputado e mancando.

— Um tiro de canhão me pegou em Al Zintan. Tive sorte, os outros morreram — resume.

Seria sensacional um papo com ele, que carrega uma Kalashnikov. Mas cobra demais, cerca de US$ 600. Resolvo tentar outra carona. Por fim, um jovem concorda em ir até Al Zawiya por um preço menor, cerca de US$ 500. O argentino e eu dividimos a despesa.

Vamos num BMW preto e sem ar-condicionado, em pleno deserto. A temperatura é de mais de 40º C. Mesmo com janelas abertas, o vento é tão quente, que não diminui o desconforto. Esvaziamos garrafas de água, uma após a outra, por horas. No caminho, pelo menos uma dezena de barreiras rebeldes. Próximo a Al Zintan nos exigem crachá. Sim, é preciso licença para ir à guerra. Nosso motorista conhece os sujeitos e logo recebe permissão de um comandante para continuar. No caminho, veículos destroçados, uma caravana de ambulâncias repletas de feridos. Eu fotografo.

Temos fome. É Ramadã, o mês sagrado dos muçulmanos. Isso significa jejuar durante o dia, desde o alvorecer ao anoitecer. Mercearias, restaurantes e cafés não abrem — pelo menos, no interior da Líbia. Conseguimos, doados, dois pacotes de bolacha e água. Ah, e algumas tâmaras, saborosas. É o segundo dia com pouca comida. A coisa ficaria pior.

Em Al Zawiya nosso motorista nos deixa num antigo seminário e vai embora. Não adianta tentar convencê-lo, tem medo de seguir adiante. É meio-dia e descansamos um pouco. Aí saímos, o colega argentino e eu, em busca de transporte até Trípoli. Alguns guerrilheiros nos dão carona até um quartel central, que aderiu à rebelião. No caminho faço fotos de crianças brincando num gigantesco tanque russo, abandonado no meio de uma avenida.

No quartel os rebeldes se alvoroçam com a presença de jornalistas estrangeiros. Mostram hospitalidade, mas gritam entre si, nervosos. Um puxa uma pistola e encosta no pescoço de outro, resolvo me proteger atrás de uma pilastra... O que estará acontecendo? Só vou descobrir ao final da tarde, quando me levam a um centro de inteligência rebelde. É uma sala repleta de computadores, com uma luz esverdeada, num *bunker*. Parece coisa da CIA. Talvez seja. Ali me dizem que uns jornalistas italianos sumiram ao sair de Al Zawiya. Ah, tá explicado...

Só por volta das 20 horas consigo convencer os guerrilheiros a nos darem escolta até Trípoli. Vamos com eles, porque nenhum taxista topou nos conduzir. No caminho até o coração da capital passamos por dezenas de barreiras com homens armados com tudo que há de melhor: metralhadoras de pente e de cinturão, lança-foguetes, bazucas.

Passamos pela Gargares, a principal avenida de Trípoli. Difícil ver ali uma loja intacta. Numa mistura de vingança e recalque, os rebeldes destruíram fachadas a tiros e saquearam o que viram pela frente. É possível enxergar vestidos de noiva e roupas diversas pelo chão. Escaparam os que conseguiram baixar as cortinas de metal a tempo.

Somos largados no *Radisson Blu*, hotel que concentra grande parte da mídia ocidental. E como está a cidade, após dias de bombardeio? Melhor reproduzir aqui o texto que enviei ao final da noite de quarta-feira, 24 de agosto de 2011:

UMA INCURSÃO SOB TIROS À
CAPITAL LÍBIA CONFLAGRADA

Zero Hora *desembarcou em Trípoli, a capital da Líbia, sob tiroteio. Os relógios marcavam 21 horas (16 horas, pelo horário de Brasília), e o barulho de disparos de canhão antiaéreo, metralhadoras .50 e fuzis era intenso.*

Riscos vermelhos e amarelos das balas traçantes tingiam o céu da baía tripolitana, uma das mais bonitas da África. Combates, explicou Mohammed Ali, o condutor do Toyota que trouxe o repórter e um colega argentino desde a cidade de Al-Zawiya.

Da janela do quarto do hotel Radisson Blu, *onde estamos hospedados, era possível ouvir o latido estrondoso das armas de grosso calibre. E não se trata de simples comemoração. Há bolsões de seguidores do ditador Muamar Kadafi espalhados por grande parte da cidade. E não só aqui. Em Syrte e Bin Jawad, kadafistas mantêm fogo cerrado sobre os opositores.*

Foi um dia tenso em Trípoli, o que explica a dificuldade para alcançar a capital líbia. Quatro jornalistas italianos foram sequestrados, aparentemente por criminosos fiéis a Kadafi, exatamente na estrada percorrida por ZH, a ligação entre Al Zawiya e a capital. São apenas cinquenta quilômetros, mas com mais de trinta barreiras de rebeldes espalhadas pelo caminho. E tome revista, descer do carro, mesmo estando acompanhado de dois revolucionários.

Ali, que nos conduziu, é um engenheiro eletrônico, mas carrega um AK-47 e usa uniforme camuflado desde fevereiro, quando aderiu à rebelião. Nas barreiras, jovens com aparência de rappers se misturam com muçulmanos em roupas árabes tradicionais.

No frenesi das grandes mudanças que sacodem o país, rebeldes invadiram a maior prisão da Líbia — Abu Salim, situada em Trípoli — e libertaram uma multidão de presos políticos. Seriam 3 mil os que foram soltos, segundo guerrilheiros disseram a ZH.

A cidade está um caos. Nada funciona direito. No lugar das sinaleiras, rebeldes com fuzis. Na chegada, numa avenida que rasga a orla do Mar Mediterrâneo de lado a lado, topamos com vários jipes dos revolucionários, um ônibus metralhado e um corpo estendido no chão. Mandaram avançar e não discutimos.

O hotel, um cinco estrelas, reabriu há dois dias e não tem comida para servir aos hóspedes. Os novos operadores, simpáticos aos rebeldes, não sabem operar o sistema de reservas, que entrou em pane. Os antigos funcionários fugiram, e tudo agora é na base do papel anotado. A saída é dormir sem comer, mais uma vez. Se o barulho incessante de tiros deixar.

Mais tarde, por meio de colegas, fico sabendo que os jornalistas italianos sequestrados foram libertados. Já o motorista deles foi executado.

O hotel *Radisson* é uma balbúrdia. A cada minuto brotam repórteres atrás de um quarto. O argentino Marcelo e eu conseguimos um apartamento, após uma hora de espera. Pagamento adiantado, em espécie, porque os cartões de crédito não funcionam. Outros colegas não têm sorte e acabam dormindo no chão do quarto dos colegas. Eu sei que Andrei Netto está no mesmo hotel e o procuro. Divide um apartamento com Deborah Berlinck, a jornalista de *O Globo* que eu já tinha encontrado em Benghazi, em março.

É um reencontro emocionado, mas sem tempo para muita conversa. Temos de escrever material e enviar aos jornais. É o que faço, aproveitando que o hotel tem sinal de internet por satélite. Pela sacada do décimo primeiro andar, vejo as balas traçantes e o trovejar ininterrupto dos canhões. Tenho a impressão de que estão perto, muito perto. Aí olho para baixo e reparo em dois canhões, um em cada lado do prédio. Os dois se revezam, atirando — aparentemente, em comemoração de uma vitória que ainda não chegou. Gente louca...

Existe uma explicação para tanto tiro. É que, desde o golpe de Estado promovido por Kadafi em 1969, a Líbia é um dos países árabes mais armados. Ciente do enorme apoio popular à sua revolução, o ditador não hesitou em distribuir fuzis para seus conterrâneos — isso, quando o regime era extremamente prestigiado. A impressão é de que cada família líbia guarde em casa pelo menos um fuzil AK-47.

Todo jovem líbio, aos dezesseis anos, é obrigado a fazer treinamento militar. É levado para campos no deserto, onde aprende a desmontar armas, atirar e sobreviver. Isso explica como Kadafi "exportou" seus revolucionários para lutas em todo o Oriente Médio nas décadas de 1970, 1980 e 1990 — o que inclui guerras nos Territórios Palestinos, Jordânia, Iraque, Chade, Sudão e Níger. Alguns desses veteranos agora se voltam contra ele. São eles que fazem barreira em cada esquina de Trípoli, numa ordem que bem poderia se chamar desordem. Esse aparato bélico, sonhado por Kadafi para exportar seu modelo de socialismo pan-arábico, ajuda a entender porque a revolução líbia é a mais letal da chamada Primavera Árabe.

Medito sobre tudo isso enquanto tento dormir, mas os tiros continuam madrugada adentro. Gravo seu som com a câmera de vídeo, bem como as imagens das traçantes. No dia seguinte, tresnoitado, desço até o térreo do hotel e descubro que não há café da manhã. Para beber, só água. Para quem já estava com fome, má notícia. O jeito é encontrar algum mercado na rua, mas sei que o comércio está fechado pela guerra. Saco...

Marcelo e eu tentamos locar algum carro em frente ao hotel. Ninguém se oferece. Os poucos motoristas disponíveis já estão a serviço das grandes redes de mídia. Elas contam também com guias que falam árabe e cobram caro, os chamados *fixers* (quebra-galhos). Por meio de um deles, Mustafah (um tunisiano que morou em Florianópolis), descubro os preços e me apavoro. Um bom *fixer*, que fala inglês e francês fluente (como ele), cobra US$ 500 da *CNN*. Os repórteres norte-americanos contratam também dois guarda-costas. Circulam em *vans* blindadas, com Kalashnikovs para fora das janelas. Todo o pacote sai, em média, por uns US$ 800 diários (R$ 1,3 mil).

Trabalho para um jornal regional do Brasil e os preços soam estratosféricos. Decido caminhar. Marcelo e eu vamos a pé até a Praça Verde, onde Kadafi costumava dar discursos — agora rebatizada Praça dos Mártires, pelos revolucionários. É uma visão apocalíptica. Carros destroçados, restos de canhões, cápsulas de balas por toda a parte, buracos de tiros nas paredes. Caminhonetes com canhões estão ali, paradas, fazendo disparos a todo o instante contra bairros ainda fiéis a Kadafi. Faço fotos e vídeos.

Aí decido pedir carona. O colega argentino fica meio contrariado, mas estico o polegar e logo um cidadão numa Mercedes para.

— *Sahafi?* — questiona, querendo saber se somos jornalistas.

Confirmo e ele fica feliz em nos levar. Pedimos que toque até Bab al-Aziziyah, o conjunto de palácios de Kadafi. Ele pisa no acelerador, sem comentários. Sabe pouco inglês, mas não necessitamos de palavras. Chegamos nas cercanias do complexo governamental do ditador e ouvimos muitos tiros, ponteados por rolos de fumaça negra. Deduzimos que ainda há resistência kadafista, já que os bairros contíguos ao palácio são povoados de gente simpática ao tirano.

O palácio é um misto de área residencial e fortim militar, que se estende por quarteirões, cercado por um muro com quatro metros de altura e guarnecido por guaritas de concreto. Entramos e nos deparamos com o outrora luxuoso mundo de Kadafi, agora reduzido a ruínas. Tendas armadas pelo ditador para dormir nos jardins agora estão rasgadas e queimadas, algumas ainda fumegantes (Kadafi mantinha o costume beduíno do nomadismo, até por questões de segurança). Uma caldeira arde, em chamas. Os múltiplos prédios contíguos ao palácio estão esburacados por tiros de canhão e metralhadora. O chão de asfalto está juncado de cápsulas de fuzil. Alguém poderia passar um dia juntando com uma pá, sem conseguir reunir tanta sucata bélica.

Rebeldes de todas as partes do país, que se uniram no cerco a Trípoli, fazem questão de tirar fotos ali, sapatear sobre retratos do ditador, saquear, destruir. Deitam nas camas que eram de Kadafi, mergulham na piscina de sua filha caçula, rasgam obras de arte e tapeçarias. É um festim macabro.

De repente, ouço um ruído, parecido com o sopro de um vento no ouvido. Shshshhhhh... E todos começam a se jogar no chão: jornalistas, guerrilheiros, motoristas, curiosos. A gritaria é intensa. *Sniper!*, grita um colega inglês, ao avisar que o som é provocado pela bala de um franco-atirador (*sniper*), que dispara contra repórteres e rebeldes. Corro agachado, me esquivando entre os prédios. No contra-ataque, os revolucionários usam os fuzis e, apelando para a ignorância, giram a torre de um canhão montado numa picape e disparam salvas de tiros contra o prédio de onde supõem estar o atirador de precisão. Eles nem sequer sabem em quem atirar, já que os kadafistas de Trípoli abandonaram os uniformes e agora usam roupas árabes convencionais, misturados ao povo. Após uns dez minutos de fuga, os tiros param.

Incidente semelhante se repete à tarde. Um grupo de milicianos kadafistas faz uma série de disparos contra um dos hotéis de renome em Trípoli, o *Corinthia*. Situado à beira-mar, ele hospeda a maioria dos correspondentes internacionais que cobrem a guerra civil. O hotel fica a dois quilômetros de onde estou hospedado. Os tiros causam confusão e pânico entre os hóspedes. Não são registradas vítimas.

A verdade é que o cenário bélico na Líbia se inverteu. Encurralado pelos rebeldes desde março, o exército de Muamar Kadafi parte para uma desesperada tática, a guerrilha. Postados no alto de prédios ou em fazendas nas cercanias de Trípoli, soldados kadafistas fazem emboscadas contra os militantes oposicionistas. Fico sabendo, nesse dia, que os fiéis a Kadafi explodiram um jato comercial no aeroporto da cidade, usando mísseis *Grad* (versão moderna dos lançadores de foguetes *Katyusha*, russos).

Militares leais a Kadafi também expulsaram os rebeldes — mais uma vez — de Bin Jawad, situada 300 quilômetros a leste de Trípoli. E mantêm posição em Syrte, terra natal do ditador. No oeste, a principal fronteira com a Tunísia (Ben Gardene) é mantida pelos kadafistas. O colega da *Rede Globo*, Marcos Uchôa, tenta há dois dias sair dali para ir a Trípoli, sem sucesso.

Como um fantasma, de algum buraco, Kadafi fala por ondas de rádio e convoca seus partidários a reagir.

— É preciso resistir a esses ratos inimigos, que serão derrotados pela luta armada. Saiam de suas casas e libertem Trípoli — exorta o ditador, em gravação divulgada pela cadeia de rádio *Arrai*, com sede na Síria.

É a troca de papéis na guerra: guerrilheiros tomando o poder, o poder virando guerrilha.

Em meio aos escombros do palácio de Kadafi, ouço uma expressão em espanhol.

— *Asesino, hijo de puta...*

Descubro que o autor do xingamento é um jovem argentino de Córdoba, José Emanuel Piagesi, vinte e três anos. Como ele veio parar ali, com uniforme camuflado e um AK-47 na mão, Deus do céu?

A história parece coisa de filme. Emanuel lecionava mecânica em uma escola técnica cordobesa. Aventureiro, rebelde e entediado, conheceu uma estudante que milita na corrente trotskista Convergência Socialista. Enamorado, passou a devorar livros sobre o revolucionário russo e concluiu, como o bolchevique fizera havia um século: a revolução tem de ser mundial e permanente. Só que, ao contrário de muitos colegas sonhadores, Emanuel decidiu ser prático. Começou sem armas, reunindo economias e comprando passagem só de ida para a França. De lá rumou para os Territórios Palestinos, onde ficou seis meses. Aprendeu um pouco de árabe.

Confiante no domínio do idioma oriental, dirigiu-se a Benghazi (leste da Líbia), quando estourava a revolta contra Kadafi, em fevereiro. No centro de imprensa, conseguiu crachá de jornalista e acesso à internet. Quando a cidade estava sob ataque dos kadafistas, decidiu agir de vez. Aderiu aos revolucionários, treinou como voluntário em um quartel e aprendeu a atirar com o Kalashnikov. Concretizou o sonho de juventude, mas não sem um preço. Foi ferido em Ras Lanuf, quando estilhaços de uma bomba penetraram no rosto, braço e tornozelo esquerdos.

Típico argentino, não desistiu. Agora passeia entre os restos do palacete de Kadafi em Trípoli, xingando e sorrindo. Não quer parar. Ruma para Syrte, último bastião do ditador.

— Manda um abraço aí para os vizinhos gaúchos — graceja, antes de sair de cena.

Meses depois, fico sabendo que o argentino continua vivo.

Volto exausto para o hotel e, mais uma vez, com fome. Estou no terceiro dia só com bolachas. Encontro azeitonas e café num mercadinho. Levo para o hotel, preparam para mim, com leite em pó. Um banquete. Carne faz dias que não vejo — e isto porque estou hospedado num hotel cinco estrelas. Não é questão de dinheiro.

Numa praça topo com Mustafah Elman, arquiteto graduado em Ohio (EUA), dono de um chamativo Mercedes-Benz. Ele também luta para encontrar comida. É que, na incerteza sobre quem vencerá a guerra, os comerciantes preferem manter vendas fechadas.

Ao abastecer o carro, reparo na inflação galopante. Quando a rebelião começou, em fevereiro, o litro de gasolina custava US$ 0,03 (R$ 0,04). Agora está em US$ 3 (R$ 4,8). Incrível isso num país exportador de petróleo. É que não há o que exportar, pois as refinarias estão acossadas por grupos armados e trocam de mão a toda hora.

Bom, o jeito é se conformar com a fome. Só não contava com um problemão: a falta de internet. Estava até acostumado com o *wireless* do hotel, viabilizado por antenas de satélite. Mas a tecnologia falha e ficamos sem comunicação. Justo na sexta-feira, quando tenho que mandar material para as edições de sábado e domingo. Escrevo tudo, espero oito horas e... nada. Só me resta apelar para colegas que possuem o *Began*, uma parabólica que é acoplada ao computador e funciona como receptor de ondas de satélite. Copio o material num *pen drive* e envio tudo pelo computador do colega. É isso aí, solidariedade em tempos de guerra é tudo.

Por volta das 23 horas de sexta-feira nos reunimos, um grupo de repórteres brasileiros, no jardim do hotel. No horizonte, clarões e ruído surdo de explosões evidenciam que a Otan está bombardeando algum ponto da capital. Conseguimos um pouco de café e assistimos ao bombardeio, de camarote. De repente, um estouro e a mesa de vidro onde se apoia o repórter da *Folha de S.Paulo*, Samy Adghirni, se estilhaça. Saímos correndo. Retornamos cautelosos e verificamos que um projétil rachou a parte superior da mesa. Mais tarde verifico que outros dois disparos atingiram uma janela no terceiro andar, o mesmo onde fica meu apartamento. Sinistro.

Mesmo assim, no dia seguinte retornamos ao jardim. E nos outros dias, também. Guerra acostuma...

Tão ruim quanto a fome é a falta de banho. O hotel está sem água há quatro dias. Usamos o esverdeado líquido acumulado na piscina para fazer "banho de gato", com lenços. Jogo duro. Na noite do quarto dia dois caminhões-pipa encostam no prédio e começam a descarregar água. Assim que abastecem o hotel, tomo o melhor banho da minha vida. Com minutos contados, mas excelente. Uso a água do banho para lavar camisetas e cuecas. Me sinto humano, novamente.

No sábado, 27 de agosto, saio cedo do hotel, em companhia de Samy e Apu Gomes, repórteres da *Folha de S.Paulo*. Vamos ao aeroporto de Trípoli, onde ainda acontecem combates. Uma barreira nos para, um religioso diz que ocidentais não são bem-vindos, mas os guerrilheiros mais jovens abrem passagem para nós. Acompanhamos um pelotão de rebeldes na reabertura do terminal principal do aeroporto, que está fechado há seis meses, desde o início dos bombardeios da Otan. Os guerrilheiros avançam pela pista, enquanto estouros de morteiro acontecem nas cabeceiras. São kadafistas remanescentes, disparando para retardar o avanço dos rebeldes. Temos minutos contados para fazer fotos e escapar.

Na pista, um espetáculo terrível: cinco jatos, três deles de passageiros, atingidos por foguetes, mísseis e tiros de fuzil. Dois deles estão reduzidos a cinzas. Os demais, rasgados pelas balas, ficarão inoperantes. São Airbus A-320 e Antonovs russos, cargueiros.

— Ontem à noite, entre sessenta e oitenta carros do batalhão de Khamis Kadafi (um dos filhos do ditador), abandonaram a região — lamenta Moktar Lakder, rebelde responsável pela tomada do aeroporto.

Reparo num grande quadrimotor Airbus A-340 num canto da pista. "É o avião particular de Kadafi", diz um dos guerrilheiros. Eu e Samy pedimos para entrar. Relutantes, os rebeldes concordam e abrem a porta. O que vejo dentro é impressionante. Para um homem que prega o ascetismo dos beduínos, o luxo da aeronave de

Kadafi espanta. O ditador tem, na sua aeronave de voos intercontinentais, uma suíte presidencial com cama *king size*, coberta com lençóis de seda. No banheiro, perfumes Dolce&Gabbana e Chanell. As poltronas são anatômicas, quase camas. O avião apresenta apenas um dano, um rasgo provocado por tiro de fuzil. Fotografo tudo e voltamos para o hotel. Ganhamos capa com o material.

No domingo surge comida. Via contrabando, o hotel consegue disponibilizar um grande jantar para os hóspedes. Macarrão, carne apimentada, pasta de grão-de-bico, suco de manga, tâmaras de sobremesa. Um banquete. Mais tarde, a água volta e tomo meu segundo banho em cinco dias. E a internet continua funcionando... Vida maravilhosa. Gravo um vídeo pelo *Skype*, que faz sucesso no *site* zerohora.com ao mostrar a situação precária na capital líbia.

Na manhã seguinte, ouço falar que descobriram locais de chacinas em Trípoli e me desloco para lá, onde já estão outros repórteres. É uma execução em massa, aos moldes nazistas. Ocorreu em uma fazenda atrás do quartel da 32ª Brigada, tropa de elite comandada por um dos filhos de Kadafi no subúrbio de Khilit Al-Ferjan, zona sul da capital. Ali foram descobertos 150 corpos de prisioneiros. A maioria estava enterrada em valas comuns na área onde eram plantados legumes e hortaliças. Cerca de 150 presos, porém, tiveram destino pior. Foram fuzilados dentro de um galpão com teto de zinco e, depois, incinerados. Há suspeita de que alguns estivessem ainda vivos, quando foram queimados.

Visito o local. No galpão, os corpos carbonizados deixaram marcas no chão. Ossos incinerados aparecem em alguns pontos. O cheiro é insuportável. Testemunhas dizem que o massacre ocorreu há uma semana, praticado por mercenários leais a Kadafi, quando os rebeldes já avançavam Trípoli adentro. Uma vingança e um recado aos opositores. Sobreviventes contam que disparos dos rebeldes já eram ouvidos em Trípoli, quando os kadafistas realizaram o massacre.

Entrevisto um sobrevivente do campo da morte, Abu Bakr Tabis, vinte e um anos. Ele foi preso por militares kadafistas e obrigado a permanecer sentado dentro de um camburão que serve de presídio ambulante. O veículo tem celas nas quais só é possível ficar sentado. Ele permaneceu no camburão, acorrentado, por quatro dias, fazendo suas necessidades ali mesmo. O crime: espalhar pichações anti-Kadafi.

Saio mal dali, deprimido. E logo descubro que os inimigos de Kadafi não são tão bonzinhos assim, também realizaram execuções. Em uma rotatória próxima ao aeroporto, corpos de dezoito homens negros, alguns em uniformes, jazem de bruços em um gramado. A maioria está com as mãos-atadas às costas e com marcas de tiros. Conforme testemunhas, são mercenários kadafistas, chacinados pelos rebeldes anti-Kadafi assim que foram presos. Teriam sido recrutados no Mali, no Níger e no Chade, mediante promessa de dinheiro.

Um terceiro massacre é revelado pela mídia, no mesmo dia. É numa clínica médica próxima ao QG do ditador. Ali jazem vinte e nove corpos, alguns com mãos-atadas, prisioneiros do regime fuzilados e abandonados junto a feridos leais a Kadafi.

Esta é a última reportagem que mando desde a Líbia. No dia seguinte, a conselho de Marcelo Rech, decido voltar. O gasto diário está elevado e não há sinal de que Kadafi esteja perto de ser capturado. Racho lugar num caminhão com dois repórteres holandeses e vamos para a Tunísia. Desta vez, pela costa, já em poder dos rebeldes. Após uma demora de duas horas na fronteira, ingressamos num país em paz. O celular volta a funcionar. Paraíso. Decido me hospedar na Ilha de Djerba, antes de retornar. Fico num hotel espetacular, um *resort* à beira do Mediterrâneo, com praia particular. À noite, só penso em duas coisas: cerveja e comida. O bufê é composto de comida árabe típica. Adoro. Durmo um sono só e, na manhã seguinte, alugo um carro para ir até Túnis, de onde retorno ao Brasil, após escala em Paris.

Volto preocupado. Vai que o Kadafi é preso justo quando estou a caminho do Brasil... Isso não acontece e agora sabemos por quê. Durante os dois meses que se seguem à queda de Trípoli, o ditador se esconde em sua terra natal, Syrte. Em 20 de outubro ele finalmente é capturado e executado em frente às câmeras, pelos vingativos rebeldes. Numa cena chocante, guerrilheiros enfiam baionetas em Kadafi, sangrando-o devagar, até matá-lo com um tiro na cabeça.

Uma vingança à moda de Talião, muito distante das promessas de restaurar democracia, feitas pelos novos donos do poder na Líbia. Não é a única vendeta praticada pelos rebeldes. Em Syrte são descobertos, em 24 de outubro, cinquenta e três corpos de kadafistas, executados num hotel logo após serem presos pelos rebeldes. Outras três chacinas ocorrem até o final de 2011.

Em fevereiro de 2012, milícias anti-Kadafi, outrora aliadas, trocam tiros entre si nas proximidades do porto de Trípoli. É um racha entre os rebeldes, divididos por ideologia (uns querem uma democracia ocidental; outros, um governo teocrático), por fidelidade (uns são ex-kadafistas, outros sempre lutaram contra Kadafi) ou por grupos étnicos (existem 140 tribos na Líbia). Nenhuma surpresa nessa desunião. Ficaram gravadas na história as últimas palavras do revolucionário francês Pierre Vergniaud, pouco antes de ser guilhotinado por seus ex-companheiros, em 1793: "Como Saturno, as revoluções têm o hábito de devorar seus filhos".

Um péssimo hábito, diga-se.

A guerra da Líbia foi o maior cemitério de jornalistas em 2011. Cinco morreram durante a cobertura, mas os números de violência contra a imprensa foram muito maiores. Além do meu amigo Andrei Netto, outros três repórteres britânicos e quatro norte-americanos foram presos pelas forças de Kadafi. Linsey Addario, a fotógrafa do *The New York Times* que encontrei em Ras Lanuf, foi capturada pelos kadafistas um dia depois do bombardeio e molestada sexualmente. Rémi Ochlick, o francês que ganhou o maior prêmio de fotografia do ano, justamente com uma foto da Líbia, começou 2012 consagrado, mas morreu em fevereiro, ainda no Oriente Médio, quando um morteiro despedaçou a ele e à jornalista norte-americana Marie Colvin. Os dois estavam na Síria, na nova guerra civil de uma Primavera Árabe que teima em não acabar.

ANGOLA
Embedded *em Angola*

Kuito, região central de Angola, abril de 1996 — O bimotor espanhol Casa, a serviço da ONU (Organização das Nações Unidas), desce na pista de chão batido, levantando uma nuvem de pó. Soldados do MPLA (Movimento Popular para Libertação de Angola), facção dominante na guerra civil angolana, formam fileiras de um lado da pista, para cumprimentar os visitantes brasileiros.

Apertado, louco para urinar, fujo do protocolo. Foram apenas duas horas de viagem desde Luanda, mas o ar-condicionado gerou uma friagem e preciso me aliviar. Corro para o lado oposto ao do terminal de passageiros, adentrando num mato baixo contíguo ao campo de aviação. Um terminal que é, na realidade, uma casa, um galpão. Sabe-se lá se tinha banheiro ali... Na cabeceira da pista, uma cena incrível ajuda a entender a precariedade do cenário: um avião Antonov russo, cauda empinada e nariz enterrado no chão, hélices destroçadas por explosivos. Cena que lembra a todos o que é um país em guerra...

Avisto, em meio aos arbustos, uma turbina destruída e, depois de urinar, vou lá conferir. Começo a bater fotos quando reparo no cartaz preso no gigantesco objeto metálico, decorado com uma sugestiva caveira com ossos cruzados: *Perigo. Minas* — avisa o estandarte.

O frio, que antes estava na bexiga, passa para a espinha. E agora? Como retroceder nesse campo minado? Numa fração de segundos a imaginação voa, tragicômica... Pedaços de meu corpo, voltando numa caixa de chumbo lacrada, para desgraça e desgosto dos meus familiares. Ouço então uma voz vinda de longe. Seria Deus me alertando?

— Gaúcho!

Não, Deus tem voz grave e poderosa... Essa era comum, embora com chiado. A voz continua, mais perto:

— Gaúcho... Olha para trás e volta exatamente nos mesmos passos que você deu, bem devagar...

Reconheço um sargento carioca da Força de Paz que supervisiona o tênue cessar-fogo entre a guerrilha e o governo angolano — uma trégua violada duas vezes por dia entre janeiro e março de 1996. Apenas quinze dias antes, um tenente-coronel inglês e um major do Zimbábue tinham morrido metralhados, apesar de usarem distintivos da ONU. Ou até por causa disso, vá saber...

Faço como o sargento brasileiro diz. Um passo de ré, exatamente na grama dobrada que marca meu trajeto até ali. Outro. Outro mais... e... sobrevivo! Melhor ainda, com uma historinha para contar aos colegas.

Lição da história: jamais percorra terrenos desconhecidos e mexa em objetos numa zona de guerra. Nunca se sabe o tipo de armadilha plantada ali. São regras básicas em qualquer treinamento para repórteres em área de risco, mas até então eu não tinha feito cursos do gênero.

É bom retroceder alguns dias para o leitor entender. Éramos pelo menos quinze jornalistas brasileiros em visita à cidade mais devastada de Angola, Kuito, apelidada "Stalingrado da África", não sem motivos. Pérola de comerciantes portugueses quando Angola ainda era colônia de Portugal, nos anos 1970, Kuito viveu um ensaio do apocalipse em meados dos anos 1990. Foi sitiada pela Unita (União Nacional pela Libertação Total de Angola), grupo guerrilheiro marxista pró-chinês que combatia os também marxistas do MPLA, estes pró-soviéticos, e o governo. O dilúvio de tiros dos dois lados, disparados por obuseiros russos de 105mm, os chamados Cães de Stálin, devastou a cidade de tal forma que, de 250 mil habitantes, ela foi reduzida a 70 mil.

Um ano antes de mim, *ZH* enviara a Angola os prestigiados Carlos Wagner (repórter) e Luiz Armando Vaz (repórter fotográfico). Pegaram a guerra no auge. Agora eu tinha o desafio de relatar a rotina, mas cerceado pelos militares, num tipo de cobertura que anos depois viria a se tornar comum, a dos jornalistas *embedded* (embebidos, infiltrados) numa força militar.

Nós éramos o primeiro grupo de repórteres estrangeiros a pisar ali durante o cessar-fogo. Entre eles, Leandro Fortes, hoje colunista da *Carta Capital*; André Rohde, agora na *Record*; e Carlos de Lannoy, atual correspondente da *Globo* no Oriente Médio. O exército brasileiro fazia, em nome da ONU, a primeira tentativa de estancar uma guerra que já durava vinte e um anos. Fomos do Brasil a Angola após nos inscrevermos numa seleção do Ministério da Defesa. Afora a demora em conseguir vistos, que levou um mês, tudo correu sem contratempos. Tivemos de adquirir também pílulas profiláticas contra malária, que ajudam a diminuir sintomas, embora não afastem a doença (para a qual não existe vacina).

Para garantir a carona com os militares, douramos a pílula. Dissemos que mostraríamos na mídia o valor do nosso pessoal de farda em ação. Os milicos adoraram. Não sabiam que pensávamos também em mostrar o lado dos africanos, os horrores de um conflito no continente mais assolado por guerras no planeta — por óbvio que isso seja, em se tratando de jornalistas.

Voamos vinte e cinco horas num barulhento quadrimotor turboélice Hércules, da Força Aérea Brasileira. Para quem não conhece: parece um trator com asas. Barulhento e forte, foi concebido para levar carga ou paraquedistas, que vão sentados lado a lado em macas dispostas ao longo da fuselagem (não há poltronas no avião). No lugar deles, fomos nós. Acabei deitando no chão, em meio às malas, para espichar os ossos.

Os sustos começaram no voo: ao ver uma aglomeração perto de uma janela, espichei o olho e constatei com os demais que uma das hélices parara em pleno ar. Rimos muito, pois sabíamos que restavam ainda três motores em funcionamento. Pouco antes de pousar em Luanda, um segundo motor, do outro lado, parou. Ninguém mais riu. Quando retornamos ao Brasil, o avião ainda estava lá em conserto. De herança, a aeronave, cuja calefação não funcionava, me deixou uma dor de garganta que durou quinze dias.

Logo tomamos alguns choques de realidade. Em Luanda, nos hospedamos num hotel cinco estrelas. Um sargento, cinegrafista do exército, depositou as duas malas no chão enquanto preenchia a ficha de hóspede. Ao virar para o lado, uma das malas tinha sumido. Fora furtada. O resultado é que ficou quinze dias vivendo com roupas emprestadas.

Meu andar era o décimo segundo. Exausto, fui pegar o elevador. O ascensorista avisou: não tem luz. Tive de subir os doze lances de escada com a mala nas costas. Entrei no quarto, um calor de 38º C, e nada de a luz voltar. Sem ar-condicionado, portanto. Abri a janela e deitei para dormir. Uma nuvem de mosquitos invadiu o recinto. Fui picado dezenas de vezes. Lembrei da malária, mas o cansaço era tamanho, que dormi. Não fui atingido pela doença.

Antes que me perguntem, respondo: não, o cessar-fogo mediado pelo Brasil não deu certo. Mal os brasileiros se retiraram, em 1997, e as batalhas recomeçaram, durante mais cinco anos. Foi a mais longa guerra da África. Matou cerca de 350 mil pessoas, produziu mais de 50 mil mutilados e quatro milhões de refugiados. Os soldados brasileiros estavam ali para desarmar os guerrilheiros, enquanto ONGs tentavam pacificar o país. Sem êxito.

Mas naqueles dias ainda não sabíamos que a paz iria naufragar. Tudo era diversão para os repórteres, emocionados por relatar um ato de nobreza do seu país, a tentativa de interromper uma carnificina. Enxergávamo-nos como uma espécie de juízes, entrevistando os dois lados com equidistância, exercitando as lições de isenção recebidas na faculdade de jornalismo. Os dois lados da questão disputavam seus pontos de vista armados, numa longa faixa entre Kuito e Chitembo, ao sul. Governo e guerrilha dividiam, ali, o país ao meio. Do centro para o litoral, mandavam os governistas. Do centro para o interior da África, a leste, os rebeldes dominavam.

Em dois dias pegamos o voo até Kuito. Nosso guia lá era o jornalista Antônio da Rocha, formado na Universidade de Luanda e funcionário da agência governamental *Angola Press*. Meses antes, ele fora enviado pelo governo para cobrir a batalha naquela cidade. Mal desembarcou de helicóptero, recebeu um fuzil Kalashnikov e a ordem de combater. A isenção aprendida na faculdade virou lenda…

Rocha nunca tinha atirado, nem sequer empunhado uma arma. Teve de disparar contra gente que desconhecia, mas que também falava português. O próprio soldado acidental… Pior situação enfrentava o colega dele, Aniceto dos Santos, que trabalhava para o MPLA e tinha um tio na Unita. Nunca tinham se cruzado em plena guerra… Até aqueles dias.

Mas as minas, do tipo daquelas que quase abreviaram minha vida, eram de longe o maior temor de todos em Angola. Ainda são, passados dezesseis anos. Pudera, a ONU calcula que até 1996 tinham sido semeados naquele país nove milhões de explosivos subterrâneos como estes. E a guerra continuou por mais cinco anos. Essas armas subterrâneas jamais foram desenterradas. E, pior, inexistem mapas de onde estão plantadas. E quem as colocou está morto.

Existem pelo menos oitenta tipos de minas. A maioria delas explode com uma pressão de cinco quilos (um simples pisão), num milionésimo de segundo. Empresas brasileiras produziam as desse tipo. Outras são detonadas pelo rompimento de um fio de náilon atado entre duas touceiras de grama, por exemplo. Uma fiação invisível. Existem minas de plástico, de fabricação francesa, não perceptíveis por detectores de metal — apenas cães sabem farejá-las. Os sul-africanos inventaram uma que é detonada quando exposta à luz do sol. As chinesas explodem com apenas um toque. Armadilhas que garantiram a perpetuação de Angola como uma nação de mutilados.

Os pracinhas brasileiros até que tentaram fazer sua parte para contrabalançar os efeitos nefastos da indústria bélica. Toda sobra de legumes do batalhão de Angola era destinada a um sopão para alimentar os mutilados do asilo Cangalo, o maior de Kuito. Estive lá. Panelas na mão, braços estendidos, centenas de pessoas sem pernas, cegas ou deformadas por explosivos, imploravam por comida.

— Fome, tenho fome, brazuca! — gritavam para os brasileiros.

Os mais velhos, resignados com a falta de força, esperavam para não serem atropelados pelos jovens a caminho do panelão fumegante. Cego de um olho e rosto dilacerado por uma bomba, o ex-guerrilheiro Cipriano Tudinka caiu na minha frente. Um soldado brasileiro o ajudou a se levantar e estendeu a ele a caneca de sopa, empurrando os demais. Não pude conter as lágrimas.

Era meu terceiro dia na África e tomava contato com uma das suas faces mais terríveis, a fome advinda da guerra. Naquela noite, custei a dormir... Nunca mais esqueci aqueles olhares. Tive remorso por estar inteiro e bem alimentado. No aeroporto de Luanda, um rapaz implorou para ir comigo ao Brasil. Nem que fosse como escravo, disse... Não aguentava mais miséria.

Guerrilheiro da Unita com metralhadora antiaérea numa estrada em Angola

Foram doze dias que valeram por cem. Passei frio de 10º C em pleno coração da África, em março (verão!). Sim, o amanhecer nas florestas é friorento. Tomei banho frio em duchas de latão, com três minutos de água contada para cada um. Passei um dia no mercado Roque Santeiro, um feirão à beira-mar, em Luanda, que vendia desde carros usados a metralhadoras, passando por legumes e roupas multicoloridas. Circulamos por tudo, sempre com escolta armada.

Numa base improvisada na savana, driblamos os relações-públicas do exército e escapamos até uma aldeia dominada pela guerrilha. Entrevistamos o general guerrilheiro Antonino Tehyulo (que significa Liberdade) e falamos com os "Comissários do Povo" (ideólogos comunistas que regulavam o moral nas vilas). Conversamos com aldeões que tinham até quatro esposas (a poligamia é comum em grande parte da África). Aprendemos que os negros bantos, povo de Angola, se dividem em pelo menos cinco grupos, cada um com seu dialeto.

O material foi recebido com entusiasmo em Porto Alegre. *Zero Hora* deu capa e abriu série de três dias, algo surpreendente, já que ninguém tinha maiores expectativas com relação a uma viagem que poderia se resumir a meras relações públicas dos militares. A ideia geral é que os jornalistas voltariam com um material oficioso, róseo. Acho que não ficou assim. Para que o leitor julgue, aqui vão trechos do material publicado no primeiro dia da série de reportagens, um domingo, 28 de abril de 1996:

BRASIL SUFOCA A GUERRA EM ANGOLA
Humberto Trezzi
Enviado especial/Angola

Convencer 60 mil guerrilheiros a entregar armas é a delicada missão dos 1.200 militares brasileiros que estão em Angola desde setembro de 1995. As tropas do Brasil foram enviadas pelas Nações Unidas para pôr fim a trinta e cinco anos de conflito armado, com um saldo de 350 mil mortos e 50 mil mutilados. Nesta reportagem, que começa hoje e termina terça-feira, Zero Hora *mostra as sequelas da guerra e a busca da paz, num país africano com alma brasileira e sotaque lusitano.*

O comboio militar das Nações Unidas percorre a 70 km/h o asfalto esburacado que leva a Chitembo, cidade de uma região montanhosa no centro de Angola. Numa curva, surge a barreira erguida com troncos de palmeira. Os veículos freiam. Tensos, os militares brasileiros agrupados nos caminhões engatilham os fuzis FAL. Do meio da mata surge um Rambo negro e descalço, pescoço curvado sob o peso de uma metralhadora antiaérea belga Browning *calibre ponto 30, junto com um cinturão de 250 balas. Veste camisa militar e calça civil. Com ele está outro jovem, baixo e forte, portando um lança-granadas norte-americano M-79 e uma cartucheira recheada de explosivos. São guerrilheiros da Unita (União Nacional para Libertação Total de Angola) — grupo que controla grande parte do território angolano e há vinte e um anos luta contra o governo social-democrata de Luanda. O guerrilheiro observa os caminhões e só então enxerga a palavra BRASIL nas divisas coladas nos ombros dos militares do comboio.*

— Amigo brasileiro! Romário, Bebeto... —, comenta o soldado da Unita, ensaiando um sorriso. De imediato, outro guerrilheiro, de óculos escuros e com um fuzil Kalashnikov russo pendurado nas costas, liga um toca-fitas e começa a dançar o kuduro. *É uma dança que se assemelha a um* rap, *mas também uma paródia de quem não sabe mexer os quadris. A* performance *faz os "amigos brasileiros" devolverem o sorriso. Os fuzis são desengatilhados, a tensão se esvai.*

Os guerrilheiros de Chitembo obedecem ao general Antonino Tehyulo (Liberdade, no dialeto ovimbundo), comandante da guerrilha no sul do território angolano. O general Liberdade não conhece a paz. Empunhou pela primeira vez um fuzil aos doze anos de idade, em 1966. Nunca mais largou a arma. Dorme cada noite em uma residência e não vê a mulher há três meses. Matou portugueses na guerra pela independência de Angola. Combateu russos e cubanos quando estes apoiaram o governo socialista de Luanda. Negro, não hesitou em lutar ao lado dos racistas sul-africanos quando estes o ajudaram a guerrear contra os comunistas pró-russos angolanos. É sem surpresas que ele assiste, agora, à chegada dos militares brasileiros a seu país. "Não tenho medo de estrangeiros, podemos vencer todos", diz, entre gargalhadas, ao ser recebido no quartel-general dos fuzileiros-navais do Brasil em Chitembo.

Os "capacetes-azuis" brasileiros são os primeiros militares estrangeiros que o general Liberdade encontra numa missão de paz. Está nas mãos deles terminar com a mais longa guerra da África, um conflito iniciado há trinta e cinco anos, que matou 350 mil pessoas, produziu 50 mil mutilados e quatro milhões de refugiados. É a maior missão militar do Brasil desde que os pracinhas separaram árabes e israelenses em conflito na região de Suez (Egito), em 1956. As tropas brasileiras desarmam a guerrilha, constroem pontes, desmontam minas em estradas e prestam auxílio de saúde em todos os pontos cardeais de Angola: Calamboloca (Nordeste), Kuito (Centro), Chitembo (Sul) e Luena (Leste).

Até pelo idioma em comum e por sua afinidade cultural com os angolanos, os brasileiros formam o maior contingente entre os sete mil militares de trinta e oito países recrutados pela ONU para forjar a paz. Isso explica por que nenhum brasileiro foi ferido na delicada tarefa de fiscalizar conflitos, aquartelar e recolher as armas dos 60 mil guerrilheiros da Unita. As três mortes de brasileiros ocorreram em virtude de um inimigo comum a todos no país: a malária.

Brasileiros se identificam com a música e a miséria

Fazer amigos e derramar lágrimas é a rotina para os 1.200 militares do Brasil que atuam em Angola desde setembro de 1995. O Brasil é o Valhala *dos guerreiros angolanos, uma terra de mel, fartura e mulheres bonitas. E os soldados brasileiros carregam um pouco desse sonho.*

Natural que os pracinhas brasileiros simpatizem com um povo que está na raiz do Carnaval e da musicalidade brasileira, e chorem por sua miséria incomparavelmente maior. Os pracinhas brasileiros retribuem distribuindo comida à população local, víveres reunidos de sobras do rancho dos quartéis.

Angola tem todos os problemas que o Brasil teve, agravados pela guerra. Quase 50% da sua população é analfabeta. Na época em que era colônia de Portugal, o país tinha 90% de analfabetos. A esperança de vida para um angolano, em média, é de quarenta e dois anos. Metade da população tem menos de quinze anos. As mulheres em idade fértil têm, em média, oito filhos cada.

A ONU gasta US$ 1 milhão por dia para manter a paz em Angola. A Unita arrecada o mesmo US$ 1 milhão na extração de diamantes e com isso mantém sua guerrilha. Dos dois mil quilômetros de ferrovias existentes na década de 70, restam apenas 36 quilômetros. O restante foi destruído. De cada mil crianças, 170 morrem antes de completar um ano, por doenças (desnutrição, cólera) que significam um recorde em mortalidade infantil.

A inflação angolana lembra os tempos do governo Sarney no Brasil. É galopante: 3.000% ao ano. Para desespero dos angolanos, eles suportam ainda um fenômeno raro na economia mundial: desemprego de 25% nas grandes cidades, como Luanda.

"Djambo, *amigo brasileiro*, djambo" — gritam meninos na porta de hotéis de luxo na capital angolana, oferecendo maconha. Policiais que ganham US$ 10 mensais vendem suas pistolas russas Makharov, calibre 9mm, por US$ 100. No Brasil, uma arma similar custa dez vezes mais. Nada que espante os calejados soldados brasileiros.

Angola tem um território de 1,2 milhão de quilômetros quadrados — sete vezes menor que o Brasil — e uma população de nove milhões de habitantes, equivalente à do Rio Grande do Sul. Lembra aos pracinhas um Brasil com sotaque lusitano, com uma miséria ainda maior, imposta pela guerra. A capital, Luanda, tem geografia e favelas no estilo carioca, com clima e população semelhantes a Salvador.

O interior é radicalmente inverso. Kuito e Chitembro, sedes dos principais contingentes brasileiros em território angolano, estão numa região de matas e savanas situada a 1.900 metros de altitude. Com campos a perder de vista, se assemelham ao pampa gaúcho. Inclusive no clima. As noites frias desta época do ano registram menos de 8º C de temperatura — e podem chegar a 0º C, no auge do inverno. "Perfeito para matar a saudade de casa" — comenta o sargento Marcos Aurélio Pereira, fuzileiro naval gaúcho, que saiu de Rio Grande para experimentar tensão e aventura em território africano.

O soldo compensa. Um soldado brasileiro recebe até R$ 1.500,00 para servir de voluntário em território angolano. Um oficial superior pode receber R$ 5 mil. Mais que o dobro do normal. Difícil mesmo é passar seis meses longe de mulher. Os brasileiros chegaram a realizar um estágio em Bicas, Minas Gerais, onde ficaram um mês em concentração — proibidos de receber visitas femininas. Mas para tudo há um jeitinho. Os militares costumam realizar patrulhas próximas aos rios de Angola. Descobriram que as mulheres de tribos angolanas lavam roupa de topless.

Humberto Trezzi viajou para Angola a convite do Estado-Maior das Forças Armadas

Dezesseis anos se passaram desde então. Angola não tem mais guerra, nem disputas entre facções comunistas. As últimas batalhas foram travadas em 2002 e se encerraram após a morte do líder máximo da Unita, Jonas Savimbi, encurralado pelo exército do MPLA.

O governo do MPLA abandonou o marxismo que propugnava no início e se diz social-democrata. Continua vencendo eleição após eleição. Os maiores projetos de mineração, extração de petróleo, construção civil, fornecimento de água e abastecimento de comida em Angola são tocados por empresas brasileiras (isso desde a época da guerra).

Estive duas outras vezes em território angolano, de passagem, as duas em 2004. O país progride, de forma lenta. Kuito — fiquei sabendo há pouco — já tem um moderno terminal aéreo e recebe voos regulares de jatos numa pista asfáltica normal.

Mas não esqueço o voo de volta daquele meu batismo de guerra. Espremido entre quatro soldados e dois jornalistas que vomitavam por causa da malária, percebi o quanto tinha amadurecido em menos de duas semanas. E envelhecido. Pode ser um clichê, mas, de fato, é o que se sente.

COLÔMBIA

A guerra ao lado do Brasil

Eu mal podia conter o entusiasmo. Naquele dia 31 de outubro de 2003, com o fotógrafo, pulei para dentro de um jipe e fomos até uma pista repleta de helicópteros norte-americanos Sikorsky S-70 Blackhawk, aquelas joias bélicas celebrizadas no filme *Falcão Negro em Perigo*. Subimos num deles, atrás de uma fila de militares carregados de armas, e embarcamos. Era aquele tipo de aventura que você pensa que pode lhe acontecer desde criança — e quase nunca se concretiza. Mas agora estava ali, palpável. Tratei logo de me focar: é tudo realidade e não tem nada de brinquedo nisso. Começava para nós um mergulho nas entranhas da Colômbia, num local em que integrantes do exército e guerrilheiros tinham se enfrentado naquele dia.

Era o ápice da tentativa de fazer uma reportagem que retratasse um pouco do pesadelo vivenciado pelos colombianos em sete décadas de guerra civil. A Colômbia era, na época, uma exceção conturbada no universo que se convencionou chamar Terceiro Mundo. Afinal, a América do Sul é, há algum tempo, o quinhão mais tranquilo dentre as regiões que ainda não são líderes em economia. É a porção do planeta que menos tem sido sacudida por rebeliões militares e convulsões sociais que geram derramamento de sangue, pelo menos nos últimos trinta anos. A maior instabilidade estava justamente em território colombiano, desde 1948 envolvido numa guerra ideológica entre comunistas e anticomunistas.

Quando estive naquele país, em 2003, não se passava uma semana sem que fossem registrados pesados combates entre militares e alguma das duas guerrilhas marxistas colombianas, as Forças Armadas Revolucionárias da Colômbia (Farc) e o Exército de Libertação Nacional (ELN). Em grau menor, também aconteciam escaramuças envolvendo grupos paramilitares de extrema direita, os anticomunistas das Autodefesas Unidas de Colômbia (AUC).

Essas forças à margem da lei desencadeavam dois tipos de violência. Uma delas, escancarada, em ataques frontais e uniformizados contra as autoridades. Emboscadas na selva, bloqueios de estradas, tomadas de prédios governamentais por guerrilheiros (ou paramilitares) fardados, que não escondiam suas intenções.

Outra forma de atuação desses grupos clandestinos, no meu entender bem pior, era a dissimulada. Naquele ano, um carro-bomba postado em frente ao luxuoso clube El Nogal, em Bogotá, matou dezenas de pessoas. O governo culpou as Farc. Já os paramilitares tinham o desagradável costume de sequestrar políticos ou sindicalistas suspeitos de simpatia com partidos de esquerda. Em alguns casos, os reféns eram torturados e mutilados até a morte. Com relação a outras vítimas, contra as quais a revolta ideológica não era tão grande, a intenção era apenas cobrar uma quantia pelo resgate.

O Brasil sempre esteve surdo, mudo e de costas para essa guerra nas suas fronteiras, embora porções do nosso território amazônico sejam por vezes atingidas por respingos dos combates. Foi para dar aos leitores gaúchos (e brasileiros) uma noção do que se passava na Colômbia beligerante que *Zero Hora* me deu a chance, em outubro de 2003, de conhecer Bogotá.

Fui acompanhado do caxiense Roberto Scola, fotógrafo de renome no *Diário Catarinense*, também do Grupo *RBS*. Viajamos a convite de um *pool* de empresas de transporte para cobrir o lançamento, em território colombiano, do Transmilenio, um plano de transporte coletivo semelhante ao que modernizou Curitiba. A intenção era aproveitar o tempo livre para relatar algo sobre o crime organizado (outra chaga colombiana) ou a guerra civil daquele país.

Lógico que, estando num país tão interessante como a Colômbia, eu não me contentaria em relatar somente problemas de transporte. Logo mergulhei num assunto bem mais atrativo. Entre uma e outra matéria sobre o sistema de ônibus em Bogotá, Scola e eu conseguimos levantar como viviam, presos na Colômbia, os brasileiros dedicados ao tráfico internacional de drogas.

Um desses prisioneiros era o gaúcho Nei Machado, surpreendido em plena selva colombiana, num acampamento das Farc, com o carioca Fernandinho Beira-Mar — na época, considerado o maior traficante brasileiro. Graças a um contato da Polícia Federal, tivemos acesso a documentos sigilosos da diplomacia dos dois países, relatórios contábeis da guerrilha com um balanço das droga e das armas compradas pelos brasileiros dos guerrilheiros.

Os dois, Nei e Fernandinho, tinham tentado se transformar em mafiosos de alto quilate. Entraram na Colômbia pelas mãos da guerrilha e moravam acampados numa região dominada pelos rebeldes. Não contavam que o exército monitorasse sua presença e lançasse um ataque fulminante, em 2001. A dupla brasileira de traficantes fugiu pela mata, em desespero e sem saber por onde andava. Nei foi pego primeiro. Fernandinho, dias depois. Ao ser capturado, o bandido carioca levou um tiro de fuzil no braço esquerdo. Acabou transferido para presídios brasileiros em poucas horas e até hoje está encarcerado, migrando de prisão em prisão.

Os bastidores da vida deles no acampamento da guerrilha e também da que o gaúcho Nei levava na prisão colombiana, dois anos depois, me renderam uma reportagem de capa em *ZH*. O material foi editado pela entusiasmada editora Clarice Speranza, hoje dedicada ao mundo acadêmico. Aqui, um trecho da reportagem:

O capo *do tráfico gaúcho no cárcere*

Cinco muros, valas com a profundidade de um homem em pé e cercas de arame farpado separam da liberdade o homem acusado pela Polícia Federal de chefiar o tráfico de drogas no Rio Grande do Sul, Nei Machado.

Ex-patrão de CTG em Passo Fundo, o gaúcho Nei está trancafiado há mais de dois anos na Colômbia, migrando entre presídios.

Os detentos colombianos dizem que existem cinco infernos penais na Colômbia. Nei alterna sua vida entre dois deles: Combita, no departamento de Boyacá; e Acacias, no departamento de Meta. Ambos estão classificados como máxima segurança e ficam longe da capital, Bogotá.

Nei é o único dos quatro brasileiros acusados de ligação com o megatraficante Fernandinho Beira-Mar a permanecer numa prisão de segurança máxima. Isso ocorreu porque ele era apontado pelo exército colombiano como chefe de segurança da quadrilha, o homem responsável por homicídios. Os outros três estão numa prisão de segurança média, La Picota, situada em Bogotá.

Combita, para onde Nei foi levado há um mês, é a mais inexpugnável das fortalezas colombianas e tem apenas um ano de funcionamento. Fica a 200 quilômetros da capital colombiana, em meio a montanhas. É totalmente monitorada por câmeras de vídeo e guardas armados com fuzis e metralhadoras. Nunca ocorreram fugas dali.

Nei está isolado em relação aos presos comuns. Está numa ala destinada a estrangeiros, estelionatários e criminosos de colarinho--branco, embora tenha sido preso por acusação de envolvimento com guerrilheiros de esquerda — que costumam ficar em bloco separado, na prisão colombiana. Recebe apenas uma visita por mês, enquanto nos presídios comuns as visitas são semanais. A visita pode ser de parentes ou então de advogados, nunca dos dois na mesma ocasião. Tem direito a uma hora de sol por dia — ou, então, nenhuma, conforme a vontade dos carcereiros. É considerado um dos detentos com melhor comportamento no presídio.

Outro trecho da reportagem mostra as relações dos brasileiros com a guerrilha Farc:

Chovia torrencialmente na tarde de 22 de fevereiro de 2001, quando mais de 300 integrantes do exército colombiano cercaram um acampamento em Barrancominas, na Selva Amazônica. Sem disparar tiros, prenderam dezenas de pessoas, entre elas quatro brasileiros. Um deles era Nei Machado.

Os militares estavam atrás de Tomás Medina Caracas, o Negro Acácio, comandante da Frente 16 das Farc. Ele escapou, mas alguns dos presos confessaram que o acampamento era base da esquerda armada colombiana. Nei teria resistido à prisão e por isso foi processado por lesões corporais. Com ele foi preso Ronaldo Alcântara Moraes, que os colombianos apresentaram como cunhado de Fernandinho Beira-Mar, o maior traficante brasileiro. A mulher de Beira-Mar, Jaqueline Alcântara Machado, havia sido presa em Bogotá, dias antes.

Beira-Mar acabou cercado, baleado e preso um mês depois na fronteira da Colômbia com a Venezuela. Foi transferido para o Brasil, onde está encarcerado na prisão de segurança máxima de Presidente Bernardes (SP).

No acampamento onde Nei foi preso, o exército encontrou documentos e agendas que comprovariam a relação dos traficantes brasileiros com as Farc. Zero Hora teve acesso a esses documentos, que somam mais de 250 páginas. Eles são a base do processo que pede a condenação de Nei e Ronaldo na Vara Especializada de Narcotráfico em Villavicencio.

Nos documentos são relacionados nomes e telefones de mais de 150 brasileiros, grande parte deles indiciada em inquéritos da Polícia Federal. É o caso de Leonardo Dias Mendonça, goiano condenado por remeter toneladas de cocaína ao Brasil e processado recentemente por tentar subornar um juiz do Supremo Tribunal Federal (STF). Existem ainda centenas de nomes que seriam de traficantes ou guerrilheiros radicados em Cali, Medellin, Bogotá, Villavicencio e outras cidades colombianas.

O dossiê inclui recibos de centenas de remessas de dinheiro da Colômbia para agências no lado brasileiro da Amazônia. Essas remessas superariam US$ 5 milhões (R$ 14,5 milhões) em 2000. Conforme os procuradores colombianos, parte desse dinheiro era oriunda da venda de cocaína, pelas Farc, para os traficantes brasileiros. Eles pagavam em dólares ou em armas.

Os militares encontraram com os guerrilheiros colombianos — conforme um trecho do dossiê mostrado a ZH — uma contabilidade do armamento enviado pelos traficantes brasileiros. São 543 fuzis, 2.417 pistolas, sessenta e oito carabinas (fuzis), dez revólveres e três submetralhadoras. Parte desse material teria vindo de contrabando do Uruguai, por avião. Um esquema que, segundo a PF apontou na CPI do Narcotráfico, era administrado por Nei Machado.

A acusação colombiana, de tráfico de armas e drogas por aeronaves, fazia sentido. Nei acabaria condenado pela Justiça Federal pelo lançamento de trinta e sete quilos de cocaína, de avião, em lavouras de Passo Fundo (interior do RS).

A reportagem era bem maior, mas reproduzi aqui os trechos principais. Ela me trouxe grande retorno, porque revelava os bastidores da vida de criminosos brasileiros no exterior — delinquentes gaúchos, ainda por cima.

EM **TERRENO** MINADO

O GENERAL COLOMBIANO QUERIA A REDE GLOBO

A primeira reportagem nos deixou alegres. Mas queríamos bem mais. Nosso plano era acompanhar alguma operação militar. Tentamos obter contato com os guerrilheiros, mas fomos malsucedidos. Ariscos, o que é mais do que compreensível, eles faziam mil exigências antes de qualquer aproximação. Buscamos então o outro lado, o exército colombiano. O meio-campo foi feito pela jornalista Jineth Bedoya, que dentro do jornal *El Tiempo* (o maior da Colômbia) cobria a área militar. É uma mulher mais do que experiente no tema: fora prisioneira da guerrilha durante dias, sofrera maus-tratos e conseguira fugir, num episódio notório da história recente colombiana. Aliás, aqui é necessário abrir parênteses: os principais jornais colombianos possuem setoristas para cada uma das forças em conflito. No caso do *El Tiempo*, existe um para os militares, um para as Farc e ELN, e outro para a AUC.

Enquanto as conversações para uma carona militar avançavam, anotávamos aspectos da vida numa sociedade em guerra maldisfarçada. Para entrar em qualquer prédio público era necessário passar por detectores de metal. Até mesmo num teatro era assim. Em *checkpoints* nas principais avenidas de Bogotá, cachorros farejavam tudo e todos, em busca de explosivos e pacotes suspeitos. A capital colombiana era, de longe, a mais vigiada que conheci até então. O curioso é que a maioria das barreiras era feita por militares e não policiais.

O temor de atentados era constante. Nas imediações da embaixada dos EUA, o quarteirão do prédio norte-americano tinha acesso bloqueado por arame farpado e casamatas com toneladas de concreto armado. Nada disso impedia que Bogotá fosse moderna e cativante, uma charmosa locomotiva a tocar a economia dos Andes.

Esperamos uma semana, ansiosos, por algum retorno dos fardados. Nada. Quando faltavam dois dias para nosso voo de volta, encontro um bilhete, embaixo da porta, no hotel.

Atirador do Exército colombiano na porta de um helicóptero Blackhawk, em La Palma, Colômbia, em 2003

Militares colombianos observam cadáveres de guerrilheiros das Farc na cidade de La Palma, Colômbia, em 2003

— Estejam às 7h30 na Base Aérea do Exército. Poderão acompanhar operações na região de La Palma.

Mal contive a euforia. Dormi com dificuldade e, antes mesmo do horário definido, lá estávamos, Scola e eu, na porta da base (o exército tem aviação própria, na Colômbia). Fomos conduzidos para dentro de um antiquado avião Avro, um bimotor a hélice. Estavam lá os representantes dos maiores órgãos de imprensa colombianos. A chuva parecia um dilúvio e desconfiei que a aeronave não decolaria. Acertei. Entupidos do excelente café colombiano, passamos a manhã à espera... e nada. O clima não dava uma trégua. Os colegas foram desistindo, desistindo... Por volta das 14 horas, só permanecíamos nós e uma equipe do *El Espectador*, o diário de Bogotá.

De repente, ainda de forma tímida, o sol surgiu. E foi então que um jipe blindado Humwee freou no pátio, cantando pneus. De dentro saltou o general colombiano Hernando Ortiz, comandante da Fuerza de Despliegue Rápido (Fudra), unidade de cavalaria aerotransportada, treinada pelos norte-americanos. O general era integrante da Cavalaria Aerotransportada, o que, para os militares modernos, significa helicópteros. Ele fumava e batia com um rebenque nas botas de montaria, impaciente. Parecia uma caricatura daquele oficial norte-americano que gostava de "sentir o cheiro de carne queimada no café da manhã", retratado no filme *Apocalypse Now*. Perguntou quem eram os jornalistas estrangeiros que se encontravam ali. Scola e eu demos um passo à frente.

— *Ustedes trabajan para la Rede Globo?* — questionou.

Sem vacilações, eu disse: "mais ou menos". Expliquei que o jornal em que trabalho é de uma empresa associada à *Rede Globo*. E que havia chance do material produzido ser veiculado no jornal *O Globo*. Falei ainda: "Sou do Rio Grande do Sul", sem a mais remota esperança de que tivesse ouvido falar da região onde moro. Me enganei.

— Ah, gaúcho? Fiz um curso em Santana do Livramento! Vamos, vamos. Os demais ficam — declarou o general, dispensando de forma sumária os colegas do *El Espectador*.

Mais do que ser brasileiro, ser gaúcho me ajudara na empreitada.

MERGULHO NO VIETNÃ SUL-AMERICANO

Melhor do que reescrever é publicar aqui um trecho da reportagem que fiz na época, intitulada *Colômbia: o Vietnã Sul-Americano*:

Sexta-feira, 31 de outubro de 2003 — *O helicóptero Blackhawk do exército colombiano se esgueira entre os cumes verdejantes da cadeia Oriental da Cordilheira dos Andes. As pás cortam a mais de 260 quilômetros por hora o vento frio de uma das regiões mais perigosas do planeta. Fortaleza voadora — com suportes para mísseis, canhão de 20 milímetros embutido no nariz e duas metralhadoras de 7.62 milímetros nas portas laterais, o Blackhawk voa baixo para escapar dos mísseis terra-ar da guerrilha. Por baixo do capacete, o piloto adorna a cabeça com um lenço nas cores da bandeira americana, como era usual no Vietnã. Por trás dos óculos de visão noturna, que dão aos atiradores nas portas a aparência de astronautas, é possível ver seus rostos crispados de nervosismo, dedos presos ao gatilho.*

O aparelho traz no ventre uma carga valiosa: o segundo homem em importância no exército colombiano, o general Reynaldo Castellanos (que responde pela área de Bogotá), outro general, cinco coronéis e mais alguns capitães. Os únicos civis a bordo são os repórteres da Agência RBS, *testemunhas de uma operação militar de cerco à guerrilha.*

É mais uma ação na rotina de cinco décadas da mais longa guerra civil da América Latina. Apenas nos últimos seis anos, o confronto deixou dez mil mortos, entre eles 452 sindicalistas e quarenta e quatro ativistas de direitos humanos.

Os militares seguem mudos. Só sorriem quando desembarcamos em La Palma, 150 quilômetros a leste de Bogotá. Se dão tapas nas costas, abraços. Comemoram um dia de boa caça. Os homens da Fuerza de Despliegue Rápido (Fudra), tropa de elite treinada pelos americanos, acabam de matar dez guerrilheiros das Farc, o mais antigo grupo rebelde de esquerda no continente, que mantém negócios com narcotraficantes brasileiros, como Fernandinho Beira-Mar. Outros cinco guerrilheiros foram capturados, após dois dias de combates em que um soldado do exército perdeu as pernas ao pisar em uma mina e outro foi ferido com um tiro de fuzil.

As armas ainda estão quentes quando o helicóptero, que decolara de Bogotá vinte e sete minutos antes, pousa em uma clareira na montanhosa La Palma. Por terra, o vilarejo fica a cinco horas de carro da capital, por uma tortuosa estrada de chão batido, na qual passa apenas um veículo por vez. Com a chegada dos generais, o estresse aumenta. Atiradores de elite postados em telhados cuidam cada copa de árvore, cada cume de morro, cada telhado, cada carro, cada mulher que passa. Temem emboscada dos dez guerrilheiros das Farc que conseguiram escapar nesse dia. O comboio com os militares percorre as ruas, cruza a frente de igrejas com 300 anos de história e para junto a uma praça, diante do pequeno hospital da cidade.

A cena é macabra. Estirados lado a lado no chão, em poses grotescas, jazem os corpos dos dez guerrilheiros abatidos. Alguns têm a cabeça estourada por tiros de fuzil. Três cadáveres são de mulheres, com pernas diliceradas por explosões de granadas. A maioria dos guerrilheiros veste roupas camufladas, com braçadeiras onde se lê Farc-EP (Ejercito del Pueblo). A população se aglomera para olhar os mortos. Alguns cospem nos corpos, murmurando palavras como "bandidos". Outros permanecem em silêncio.

Corto aqui o trecho da reportagem, para voltar às memórias do fato. Lembro como se fosse hoje da mistura de sensações que enfrentei, ao ver tantos corpos estirados na praça. Parecia uma cena medieval, mas ao mesmo tempo ilustrava como poucas a crueza das lutas ideológicas. A falta de piedade. Horrorizado, o fotógrafo Scola hesitou por um instante, mas logo começou a focar, registrar. Era sua primeira experiência num cenário de guerra.

NO DIÁRIO, GUERRILHEIRO PREVIU A PRÓPRIA MORTE

Assim que os guerrilheiros foram mortos, suas posses foram recolhidas e analisadas pelos militares. Um dos mortos era Marco Aurelio Buendía, comandante do Bloque Oriental das Farc. Tive acesso ao diário dele, confiscado pelo exército no dia dos combates. Cinco meses antes de morrer com um tiro na cabeça em La Palma, o líder rebelde anotou, em tinta azul, um recado premonitório: *3 de junho. O exército começou hoje a operação Liberdade 1. Na verdade, é a operação Extermínio 1. Estão nos caçando e será difícil sobreviver* — registrou.

Buendía, que usava uma boina negra adornada pela estrela vermelha comunista, estava na guerrilha desde 1985. Foi o responsável por um feito que marcou época na Colômbia: a tomada da cidade amazônica de Mitú, capital do departamento de Vaupés e situada a apenas trinta quilômetros do Brasil, na Amazônia. Foi em novembro de 1998. Mil rebeldes das Farc dinamitaram as torres de comunicação da estatal Telecom e mataram oitenta militares e policiais colombianos, num combate que durou três dias. Muitos militares colombianos se refugiaram na base aérea brasileira Iauaretê, pegaram emprestado combustível e de lá organizaram um contra-ataque, inclusive com aviões. A guerrilha perdeu cinquenta homens e foi expulsa da cidade, no quarto dia de combate.

Ele também estava denunciado criminalmente pelo sequestro do bispo de Zipaquirá, em novembro de 2002, pelo qual foi pago um resgate de 76 mil dólares (cerca de R$ 120 mil). Desde então, estava na mira para ser morto.

O princípio do fim se desencadeou quando os militares colombianos estouraram dois "aparelhos" (esconderijos) das Farc em Bogotá. Nos computadores das casas foram apreendidos disquetes que continham o organograma da guerrilha, com fotos dos principais integrantes. Começou então uma caçada. Todos os que apareciam no croqui foram mortos pelo exército. Na realidade, os militares vinham fazendo mais mortos do que prisioneiros, naqueles idos de 2003. A Fudra matou 136 guerrilheiros em um ano. Prendeu apenas sessenta.

Os militares perseguiram Buendía por três meses. Nesse período, afirmam ter matado trinta e oito guerrilheiros (além de dois paramilitares da AUC), prendido vinte e nove rebeldes de esquerda, dois de direita, e apreendido setenta e quatro fuzis, 35 mil cartuchos e 160 granadas. Parte desse arsenal foi franqueada a mim e a Scola para que fizéssemos fotos.

Apreenderam também 10 mil cartilhas das Farc. Nas capas delas, sorridentes guerrilheiros desfilavam faixas louvando as revoluções russa e cubana.

Mas faltava o troféu maior, Buendía. Ele passou meses se escondendo no mato, dormindo em valas, tomando água de cacimba, comendo frutas e insetos, conforme pude ler em seu diário.

A sorte o abandonou duas semanas antes da ofensiva final do exército. Um batalhão com 900 militares da força de elite (Fudra) desativou três campos minados perto do município de Topaipí, próximo a La Palma. Um soldado perdeu as pernas ao pisar numa mina, o que ajudou a despertar mais fúria entre os militares. Na quinta-feira, 29 de outubro, a tropa de elite do exército rastreou os passos de Buendía e de Javier Gutierrez, outro líder das Farc. Entre sexta e sábado, os militares atacaram o morro. Os dois chefes guerrilheiros escaparam, deixando para trás 40 mil cartuchos de fuzil e granadas de lança-foguetes RPG.

E veio a batalha decisiva. Conforme descreveu o soldado Carlos Polido, que entrevistei:

— Javier saltou de um buraco e deu uma sequência de tiros. Senti uma fisgada no joelho esquerdo e caí. Me arrastei sangrando uns cem metros, até ser acudido por companheiros — relatou.

O cabo Pablo Lopes, que nunca tinha atirado em ninguém, deu um tiro e acha que atingiu alguém. Depois viu as mulheres mortas e ficou com pena.

Contribuiu para o sucesso da missão do exército colombiano o duro treinamento que a Fudra recebe de conselheiros militares norte-americanos. O leitor talvez não saiba, mas os EUA possuem seis pistas de pouso conjuntas com a Colômbia (três delas, bases aéreas de consideráveis dimensões), em território colombiano: Tres Esquinas, Letícia (fronteira com o Brasil), San José del Guaviare, Maranduá, Riohacha e ilha de San Andrés, no Caribe. As estruturas fazem parte do Plano Colômbia, a aplicação de sete bilhões de dólares pelos EUA num projeto de contenção do narcotráfico na região andina. Os colombianos aproveitaram a maior parte da verba, claro, para neutralizar o avanço das guerrilhas comunistas.

Passamos dois dias e duas noites em La Palma, cidade situada num vale a 2,5 mil metros de altitude. Visitamos barricadas e peregrinamos por áreas de selva minadas. Desta vez, decidi não entrar no mato para urinar... Entrevistamos uma guerrilheira capturada — que afirmou ter sido raptada para ingressar na guerrilha — e soldados feridos.

Estou certo de que só tivemos acesso franqueado porque interessava ao governo colombiano mostrar ao Brasil o que estava sendo feito para acabar com a guerra — ou com os guerrilheiros. Pedi para pousar no quartel de La Palma, mas o exército recusou. Temia um atentado e nada seria pior para sua imagem que a notícia de dois jornalistas estrangeiros mortos quando estavam sob sua guarda. Pernoitamos numa pousada, da qual éramos os únicos hóspedes. Até por sermos únicos, éramos encarados com estranheza por moradores que vivem a paranoia da guerra. Éramos estranhos nos ninhos das Farc e de seus inimigos da AUC.

Um soldado aconselhou que bloqueássemos a porta do quarto. Argumentei que éramos brasileiros e não ianques, cheios de dinheiro. "Vocês são cofres ambulantes. Podem não ter dinheiro, mas sua empresa tem" — contra-argumentou o militar. Pelo sim e pelo não, trancamos o quarto, bloqueando a porta com armários.

A cautela do militar é explicada em números. Em 2002, aconteceram 2.526 sequestros na Colômbia. Nossas noites em La Palma foram insones, um olho na porta, outro fechado. À espera dos sequestradores, que felizmente não apareceram. Voltamos a Bogotá de carona, em outro helicóptero militar.

A reportagem só foi publicada quando voltei ao Brasil. Graças a convênios que *Zero Hora* mantinha com jornais sul-americanos, ela foi publicada de forma simultânea em sete países, incluindo a Colômbia, no jornal *El Tiempo*. Com esse trabalho ganhei o primeiro lugar no Prêmio ARI (Associação Riograndense de Imprensa) em 2004.

JORNALISTA FRANCÊS NÃO TEVE A MESMA SORTE

Colegas sempre me perguntam se sofri censura por parte dos militares colombianos, já que estava *embedded* com eles. Não. Creio que é mais difícil para qualquer militar coagir estrangeiros. Desconfio que, se eu fosse de um jornal colombiano, talvez o exército deles tentasse impor seu ponto de vista. É preciso confessar também: será que eu teria toda a liberdade da qual desfrutei, de locomoção e escrita, se os militares tivessem perdido naquele confronto com a guerrilha em La Palma? Duvido. A experiência dos jornalistas em áreas de conflito ensina que muitos militares, quando perdem, se tornam maus companheiros de viagem. Começam a enxergar a imprensa como inimiga...

A Colômbia mudou bastante desde aquela minha viagem, em 2003. Impulsionados por dinheiro e armas norte-americanos, dois sucessivos governantes — Álvaro Uribe e Juan Manuel Santos — infligiram às Farc suas maiores derrotas em seis décadas e meia de existência. Os traficantes brasileiros que se abasteciam de droga na Colômbia tiveram a carreira arruinada: Fernandinho Beira-Mar foi recambiado ao Brasil e hoje peregrina de prisão em prisão, sempre contido em unidades de segurança máxima. O gaúcho Nei Machado cumpriu pena em território colombiano e depois foi transferido para a Penitenciária de Alta Segurança de Charqueadas (Pasc, a mais inexpugnável do Rio Grande do Sul).

Na Colômbia, a guerra continua. A mostrar que a luta não respeita território nem fronteiras, o exército colombiano bombardeou e matou em 1º de março de 2008 o comandante Raul Reyes, o segundo em importância na guerrilha. Detalhe: ele estava escondido num acampamento dentro do Equador. Mesmo assim, os militares colombianos não hesitaram em atingi-lo.

Ainda em março de 2008, outro comandante, Iván Rios, foi morto por rebeldes do seu próprio grupo, que cortaram uma de suas mãos e a entregaram ao governo, como prova de sua morte. No mesmo ano, em maio, as Farc perderam seu líder máximo, Manoel Marulanda, o *Tirofijo* (Tiro Certeiro), por doença.

A onda de más notícias para as Farc continuou 2008 afora. Em julho daquele ano, um comando militar disfarçado libertou a candidata a presidente da Colômbia Ingrid Betancourt, que era mantida refém na selva desde 2002. As imagens do resgate, feito de helicóptero, correram mundo e minaram a confiança interna na guerrilha.

Em setembro de 2010 foi a vez dos militares aniquilarem Jorge Briceño, o *Mono Jojoy* (Macaco *Jojoy*), que havia trinta e cinco anos liderava um bloco das Farc. Ele morreu num bombardeio que matou outros vinte guerrilheiros. *Mono* era apontado como o responsável pelo sequestro da candidata presidencial Ingrid Betancourt.

A última baixa ilustre nas Farc ocorreu em 4 de novembro de 2011, quando o exército colombiano caçou e matou o antropólogo Alfonso Cano, professor universitário que aderiu à guerrilha e se tornou um de seus líderes máximos, na realidade tinha como nome de batismo Guillermo Saenz.

O ano de 2012 começou com recrudescimento de combates. Em março, os guerrilheiros mataram dezoito soldados e perderam trinta e um combatentes, num fim de semana sangrento. Em maio, as Farc colocaram uma bomba num teatro em Buenos Aires onde deveria estar o ex-presidente colombiano (e seu inimigo mortal) Álvaro Uribe. O petardo foi desativado por policiais antes de explodir.

As Farc chegaram a anunciar a disposição de acabar com os sequestros, seu ganha-pão há décadas. Mas não cumpriram. Em 28 de abril, transformaram em prisioneiro o jornalista francês Romeo Langlois, um *freelancer* que trabalha para TVs e também como correspondente na Colômbia para o jornal conservador *Le Figaro*.

Quando soube da história dele, lembrei de imediato da experiência que o fotógrafo Roberto Scola e eu tivemos em território colombiano. Langlois, assim como nós, acompanhava uma patrulha do exército colombiano em plena selva. A diferença é que ele teve azar e os militares que o escoltavam foram emboscados pelas Farc. Vários morreram, ele ficou ferido num braço e acabou sequestrado. No momento em que escrevo estas linhas, ele continua refém da guerrilha, apesar da pressão internacional para que seja libertado[1].

---

[1] Felizmente este sequestro teve um final feliz. O jornalista Romeo Langlois foi libertado no dia 30 de maio de 2012.

HAITI
O Haiti é aqui

Visto de cima, o Haiti é um dos mais lindos países do belíssimo complexo de ilhas que forma o Caribe, aquela região de mar verde-esmeralda que engloba a América Central e o norte da América do Sul. Visto de cima...

Basta abrir a porta do avião para que um cheiro nauseabundo invada as narinas. É o duro contato com uma das mais chocantes e emblemáticas tragédias haitianas: o lixo. Porto Príncipe e as principais cidades do Haiti estão envoltas em lixo, soterradas por detritos secos e molhados, naufragadas em esgoto que corre pelas ruas de chão batido ou pelas escassas avenidas asfaltadas. A falta de uma economia de escala e de interesse do mundo nesse país paupérrimo gerou um ciclo vicioso: não há indústrias, os empregos são poucos, o dinheiro é escasso e, portanto, os serviços públicos carecem de verba para atuar. Até mesmo o básico do básico — o recolhimento do lixo —, é sazonal. Sem falar nas legiões de pessoas que passam o dia catando detritos, atrás de sobras que podem significar o alimento para a próxima refeição.

Pois foi com esse tipo de cena que me deparei ao aterrissar em Porto Príncipe, em dezembro de 2005. Desembarquei lá num antiquado avião Hércules C-130 da Força Aérea Brasileira (FAB), a convite do Ministério da Defesa, que fazia periódicos convites à mídia brasileira para conhecer a ação da Força de Paz da ONU no Haiti. Os soldados brasileiros tinham desembarcado em junho de 2004 naquele país, o maior contingente na missão multinacional a serviço das Nações Unidas. Desde então, a cada seis meses a tropa era trocada. E, em cada troca, jornalistas eram chamados a retratar o cotidiano dos pracinhas brazucas na ilha caribenha.

Saí de Porto Alegre até Brasília, onde peguei o avião para o Haiti, com escala de uma noite em Manaus. Foram apenas dois dias na ilha negra do Caribe, mas decidi incluir o relato neste livro porque descobri que a missão da ONU não era tão pacífica assim.

Por meio de incursões com os soldados nas ruas, patrulhas noturnas e muita entrevista com os oficiais, tomei consciência de que, àquela altura dos acontecimentos, a missão de paz multinacional no Haiti se tornara aquilo que no meio bélico é conhecido como guerra de baixa intensidade. As tropas do Brasil que atuavam no país mais pobre das Américas sofriam, em média, um ataque a cada dois dias, desencadeado por gangues e grupos rebeldes que apoiam o ex-presidente Jean Bertrand Aristide, deposto em 2004.

Aristide, um ex-padre, tinha sido muito popular por ter sido o primeiro presidente haitiano após três décadas de ditadura da família Duvallier. François Duvallier, o Papa Doc — um médico, daí o apelido — governou o Haiti desde 1957 até 1971. Tinha o desagradável costume de mandar estripar vivos seus adversários políticos. Governava alicerçado numa milícia, os Tonton Macoute (bicho-papão, em *crèoule*, idioma nativo do Haiti) que ganhou fama mundial pelo terror imposto aos opositores políticos.

Papa Doc morreu em 1971 e seu filho, Jean-Claude, se alçou sucessor. O rapaz logo ganhou o apelido de Baby Doc.

Prometeu distensão política, mas governou tal e qual o pai, com mão de ferro e mandando assassinar opositores. Não contava com uma severa crise econômica e o desgaste político, que levou à perda do apoio norte-americano. Fugiu do país em 1985 e no seu lugar, após cinco anos de caos político, assumiu o popular padre Jean Bertrand Aristide, o Titide, com ajuda de fuzileiros norte-americanos. Ele se reelegeu em 1994 e, depois, mais uma vez em 2001.

Mas Titide também enfrentou crise econômica e não conseguiu cumprir a meta de unificar os haitianos. Além disso, foi acusado de mandar dinheiro de suborno de multinacionais para uma conta no exterior. Em 2004, foi derrubado por um levante que uniu militares saudosos de Baby Doc e opositores civis. Para acabar com as matanças políticas que dominaram o Haiti naquele ano, a ONU enviou tropas, comandadas pelo Brasil.

Os brasileiros chegaram como força de paz, mas logo tiveram de se confrontar com a dura realidade de uma guerra civil. Entre julho e dezembro de 2005, os brasileiros mataram catorze haitianos. Todos criminosos armados, todos liquidados porque atiraram primeiro, assegurava o comando das Forças Armadas Brasileiras. O confronto mais recente fora em 5 de dezembro do mesmo ano, e resultara em uma menina haitiana ferida e em um haitiano preso.

O Haiti foi o batismo de fogo dos Batalhões de Infantaria Leve (BIL), forças especializadas em guerra urbana. Foram brasileiros desses batalhões, apoiados por blindados e por comandos jordanianos e peruanos, que mataram na noite de 6 de julho de 2005 o líder haitiano Dread Wilmé (o apelido vem das tranças rastafári que o rebelde usava) e outros sete homens armados. Nessa operação, denominada Punho de Aço, o exército brasileiro atuou aos moldes da PM nas favelas cariocas. Bloqueou o acesso ao bairro Cité Soleil (onde os rebeldes mantinham reféns) e depois tomou quadra por quadra, casa por casa.

Na conversa com os soldados que atuaram nesse cerco, fiquei sabendo por que os brasileiros têm conseguido combater sem serem mortos. Cada militar da ONU usa o capacete conectado a um rádio, para se comunicar sem alarde. Cada pelotão (que reúne de oito a trinta homens) possui dois caçadores (atiradores de elite) munidos de lunetas e óculos de visão noturna. O capitão brasileiro Fábio Cordeiro Pacheco comandava um esquadrão de Urutus do Rio de Janeiro e participou dos combates de 6 de julho.

— Cheguei dia 2 e no dia 4 já estava levando bala por cima do blindado. Atiramos de volta e tivemos melhor sorte — recordou ele, ao me conceder um depoimento.

A Missão Haiti tem sido, de longe, a mais arriscada das vinte vivenciadas pelos brasileiros a serviço da ONU desde a Segunda Guerra Mundial. Empoleirados no alto dos "puxadinhos" de dois andares da imensa favela que, na realidade, é a capital haitiana, Porto Príncipe, os *chemères* (como são chamados os rebeldes) transformaram durante muito tempo os brasileiros em alvo. Foi assim que o cabo carioca Marcelo Monteiro da Silva acabou atingido na testa por estilhaços de uma bala de fuzil que ricocheteou contra o blindado Urutu no qual estava, em 7 de junho de 2005. O militar sobreviveu.

Os *chemères* — se intitulam guerrilheiros pró-Aristide, mas são chamados de "bandidos" pelas tropas de paz — brigam entre si, mas possuem identidade ideológica. São ligados à Família Lavalas (avalanche, em crioulo, uma língua local), movimento político de apoio ao ex-presidente Aristide.

O mistério é como — apesar da pobreza — conseguem contrabandear armamentos.

Os rebeldes atacam de emboscada. Mataram desde o início da missão de paz oito integrantes das forças da ONU, nenhum deles brasileiro. Isso pode ser competência ou pura sorte, mas os militares do Brasil pressentem que a primeira baixa fatal é questão de tempo. Quando lá estive, os brasileiros acumulavam dezoito soldados feridos desde junho de 2004, início da missão. Foram 111 ataques contra os brasileiros nos últimos seis meses de 2005, muito mais que a média dos dez anos de missão de paz em Suez, no Egito (onde um brasileiro morreu), e nos três anos de Angola (onde outro brasileiro morreu).

A Missão Haiti é também a maior entre as realizadas pelo Brasil desde a década de 1940. Os 1,2 mil militares no Haiti formam a maior tropa do contingente da ONU, que inclui outros seis mil militares de treze países. Dispostas a fugir do papel de pato no estande de tiro, as tropas do Brasil reagiram de forma sistemática aos ataques dos *chemères*.

Em um ano e meio de intervenção, as tropas da ONU mataram quarenta haitianos. Fogem assim ao cotidiano de missões da ONU, criticadas pela inoperância. Mas são muito questionadas por essas mortes. Inclusive dentro do Brasil: a cada ano se avolumam as vozes contrárias à permanência do contingente militar brasileiro no Haiti.

— Nos deram uma missão. Temos tolerância, fazemos ações sociais, mas não estamos aqui para brincadeira — resumiu o general gaúcho Urano Bacelar, comandante dos 7,2 mil capacetes azuis da força multinacional deslocada para o Haiti, em entrevista que me concedeu em 1º de dezembro de 2005.

É provável que tenha sido a última entrevista a um brasileiro. Bacelar foi encontrado morto, com um tiro de pistola, no hotel onde morava, no Haiti. Uma extensa investigação cogitou até que um franco-atirador tivesse acertado o comandante brasileiro, mas a conclusão oficial dos peritos foi a de que ele se suicidou.

Bacelar se somou, assim, a uma legião de notáveis que tiveram morte violenta no Haiti. O derramamento de sangue e a miséria impregnam os dois séculos de história daquele país. De trinta e oito chefes de Estado que o Haiti teve em dois séculos, vinte e cinco foram assassinados ou derrubados. Até pelas condições ambientais e instabilidade política, a expectativa de vida dos haitianos é de cinquenta e dois anos. O analfabetismo atinge 48% da população. O desemprego atinge 70% da população economicamente ativa. Cerca de 60% das pessoas vivem da economia informal. A falta de luz afeta 70% das residências. Nenhuma surpresa, portanto, ao ser informado que o PIB haitiano, de US$ 2,7 bilhões, é o mais baixo das Américas.

Os brasileiros da missão de paz no Haiti são todos voluntários. Além de patriotismo e espírito de aventura, os soldados contam com um incentivo financeiro. Em dólares. Um capitão, por exemplo, recebe uma verba de US$ 3,2 mil mensais, reembolsada pela ONU ao exército brasileiro. Cada praça recebe US$ 972. Como passam seis meses sem qualquer despesa em território haitiano, a disputa é grande para ver quem será enviado. A maioria poupa o dinheiro para investir em casa ou móveis.

A presença da ONU no Haiti desagrada parte da população, mas não tenho dúvidas de que, do contingente da Força de Paz, os brasileiros são os mais bem-vistos. Jovens disputam a tapa *souvenirs* distribuídos pelos pracinhas, como bonés ou peças de uniformes. Sem falar na possibilidade de arranjar um "bico" como ajudante das tropas.

Quem vê Brice Jude com uniforme brasileiro em meio às tropas da ONU jamais desconfia que ele não é nem militar, nem brasileiro. Haitiano nascido em Miragoane, ele migrou para o Brasil na década de 1990 e se formou engenheiro agrônomo pela Universidade Federal Rural do Rio de Janeiro — fato raro para um haitiano. Em cinco anos no Rio, aprendeu a dominar o português quase sem sotaque. Lá, conheceu um capitão do exército brasileiro, que o convidou a servir de intérprete nas tropas que se preparavam para desembarcar no Haiti, oferta aceita na hora.

Cursar faculdade foi possível a Jude porque ele é filho de um abastado ex-prefeito, indicado nos anos 1980 pelo famoso ditador Baby Doc para governar a cidade de Le Cae.

Jude evita opiniões políticas quando na presença de haitianos, por dois motivos. Primeiro, para não dar a impressão de que os brasileiros têm lado ideológico na complicada política haitiana. Depois, para que os próprios haitianos contrariados não caiam na tentação de se vingar dele. Usa farda para não se tornar alvo de franco-atiradores, quando em meio à tropa brasileira. Todos os dias se comunica em *crèoule* (idioma local, mistura de francês com dialetos africanos) para aproximar a comunidade haitiana dos brasileiros:

— Retornei para ajudar meu país. Se tudo der certo, fico. Senão, volto ao Brasil, que é o melhor país do mundo e onde tinha uma namorada — confidenciou a mim.

Não só os haitianos adquirem costumes dos brasileiros que lá estão em patrulha. Os brasileiros, impregnados de religiosidade, levam a sério as crenças de origem afro dos haitianos. Além do medo de serem capturados, os militares brasileiros temem ser decapitados em ritual vodu.

"Não permita Deus que eu morra", diz a velha Canção do Expedicionário, mantra na cabeça dos pracinhas no Haiti. E morrer decapitado é o maior temor dos brasileiros. É que arrancar cabeça ou coração do inimigo é tradição de alguns praticantes do vodu, a religião de origem africana que se tornou símbolo haitiano. Segundo algumas crenças haitianas, o inimigo — mesmo quando atingido à bala — só morre mesmo se tiver cabeça e coração arrancados. Isso aniquilaria o seu espírito. Alguns dos 400 mortos nos combates entre haitianos de várias facções, no início da crise de 2004, estavam mutilados desta forma.

Desde 2004, nenhum brasileiro foi feito refém, muito menos torturado. Os rebeldes se limitaram a atirar nos *buzungas* (homens brancos, em crioulo), o que não é pouco. Os antídotos dos brasileiros contra pensamentos sombrios são cautela, colete à prova de balas nível III (que protege até contra tiro de fuzil) e muita reza. O soldado Tiago Rodrigues Lima, por exemplo, é evangélico. Enquanto estava no Haiti, em 2005, toda manhã fazia um minuto de reflexão e pedia, em nome de Deus, que nada lhe acontecesse. Outros, como o comandante de Urutu Fábio Pacheco, um major, homenageavam silenciosamente São Jorge, padroeiro da Cavalaria.

Integrante de um batalhão de infantaria paulista, Rodrigues Lima realizava patrulhas a pé no bairro de Bel Air, que até meses antes era reduto rebelde. Desde o final de 2005, é um local teoricamente pacificado, graças a serviços de relações públicas dos militares brasileiros com os líderes comunitários locais, além de obras como a pavimentação de ruas. Os brasileiros mataram em combate alguns membros de gangues (nunca gente desarmada, asseguram os generais, refutando denúncias de ativistas de direitos humanos). E, depois de oito meses de presença constante em Bel Air, conseguiram reabrir um posto de saúde, uma delegacia de polícia e três postos de registro eleitoral.

Muito da simpatia conquistada pelos brasileiros se deve à sua ação contra os sequestros. O médico haitiano Erold Joseph, por exemplo, nunca gostou de ver tropas estrangeiras em seu país. E por isso era contra a presença dos brasileiros no Haiti. Até 21 de julho de 2005. Naquele dia a mulher de Erold, Karine Dominique, foi sequestrada. Um bando de *chemères* a levou sob a mira de pistolas desde a residência no bairro Delmas 24 até o bairro de Solino. Exigiam resgate que variava de US$ 10 mil a US$ 50 mil.

Moradores de Solino informaram o sequestro ao exército brasileiro. Em menos de vinte e quatro horas, uma companhia liderada pelo capitão carioca Leônidas Carneiro Júnior localizou o cativeiro e libertou a dona de casa, que foi enviada posteriormente, com dois filhos, para o Canadá. O médico mudou radicalmente de opinião. Virou fervoroso defensor da presença dos brasileiros, que resgataram doze reféns nos últimos seis meses de 2005.

Militares brasileiros das tropas da ONU patrulhando as ruas de Porto Príncipe, em 2005

Tropa brasileira ajudou na reconstrução do país após o terremoto

— Amante da história nacional, sempre condenei a presença de tropas estrangeiras no país. Mas tenho assistido à morte na alma, a uma nova forma de violência de caráter político. E devo a vida de minha mulher aos oficiais brasileiros — relatou a *Zero Hora* o médico.

Quando lá estive, sequestros eram o pesadelo do momento em Porto Príncipe. Aconteciam em média três por semana e serviam de sustento à luta dos rebeldes. Atingiam até os pobres — resgates de cinquenta dólares também são exigidos. O ódio dos cidadãos haitianos ao sequestro foi uma oportunidade para os brasileiros mostrarem a que vieram. Essa atividade continua, fiquei sabendo. Com ajuda de informantes locais, policiais e militares brasileiros mapeiam locais de cativeiro, bloqueiam o acesso a estas residências e invadem os cárceres, libertando os reféns. Os brasileiros sempre acabam aplaudidos pela comunidade.

Em 2005, um gaúcho estava por trás desse trabalho de inteligência contra o crime. Era o capitão Tales Américo Osório, da Brigada Militar (a PM do Rio Grande do Sul) e ex-comandante do Batalhão de Operações Especiais (BOE) em Porto Alegre, que participava da missão pela ONU no Haiti.

— Temos uma rede de informantes haitianos, que vêm direto aos quartéis nos passar dicas sobre sequestros. Ninguém gosta de bandido — resumiu Osório.

A seguir, um balanço dos primeiros dois anos de presença militar da ONU no Haiti:

- — As tropas multinacionais da ONU mataram quarenta haitianos e sofreram oito mortes (nenhuma de brasileiro) desde o início da missão de paz, em junho de 2004. Dezoito brasileiros ficaram feridos.
- — Apenas no último semestre de 2005 foram catorze mortes em confronto com militares brasileiros.

— A média é de um ataque contra brasileiros a cada dois dias.
— Os brasileiros efetuaram escoltas diárias para comboios de autoridades ou ajuda humanitária, o que dá mais de 400 em um ano e meio. Realizaram dez patrulhas diárias nesse período.
— Os brasileiros montaram 3.100 *checkpoints* (barreiras para revistar suspeitos).
— As tropas brasileiras libertaram doze reféns de sequestro.
— Os brasileiros dispararam 49 mil tiros, entre adestramento e combate real.

No momento em que redijo estas linhas, as tropas brasileiras continuam no Haiti. Duas foram as grandes provações dos pracinhas brazucas naquela ilha caribenha. A primeira, nos anos iniciais da missão de paz, se defender dos rebeldes. A outra, o grande terremoto de janeiro de 2010, que matou dezoito militares e três civis brasileiros — entre eles, Zilda Arns, a conhecida pacifista, que lá estava para ajudar crianças carentes. A missão, desde então, é menos militar e mais de reconstrução. Batalhões de engenheiros têm substituído gradualmente a Infantaria e Cavalaria, numa nítida tentativa de ajudar a reerguer o Haiti, já que a confusão política diminuiu e as eleições se tornaram rotina naquele país. Só uma coisa não muda: a miséria. Ela é endêmica e onipresente entre os haitianos, que migram aos magotes para qualquer país que os receba. Entre esses, um dos mais procurados — e receptivos — tem sido o Brasil.

TIMOR
O Extremo Oriente que fala português

Rosemeri Martins Sena, missionária da Igreja Assembleia de Deus, limpa a garganta e narra, pausada e moduladamente, a notícia pela 89,5 FM, a Rádio *Voz*:

— *Presiden* RTL Kay Rala Xanana Gusmão entrega *ofisialmente dokumentus* rua konaba Antigos Combatentes *no* Veteranos das Falintil, *ba meja* do Parlamento *Nasional*, terça-feira.

O leitor entendeu tudo? Não, claro. Pudera, esta língua é o tétum, mistura de malaio e português, a mais comum dentre as trinta línguas faladas em Timor Leste, uma das mais novas nações do mundo.

Então lá vai outra tentativa. Rose repete a notícia, agora em língua bahasa (a mais popular da Indonésia):

— *Hampir dua tahun, lalu Presiden Republik Demokrat* Timor Leste Xanana Gusmão *telah dirikan* Comissão Antigos Combatentes da Associação dos Veteranos *das Falintil untuk mendata berapa yang masih...*

O leitor ainda não entendeu? Claro, ele não mora no Extremo Oriente... Então vamos à nova tentativa, com a ajuda da sorridente

Rose, uma das cinquenta locutoras da cadeia de rádios evangélicas *Voz*, dedicadas a pregar ensinamentos cristãos em Timor Leste:

— O presidente da República Democrática do Timor Leste, Xanana Gusmão, entregou oficialmente à mesa do Parlamento Nacional documentos do projeto de pensão para Antigos Combatentes Veteranos da Falintil (guerrilha nacionalista timorense) — narra a locutora.

Ah, agora sim!

Pois é, tive a mesma surpresa que todos vocês, ao entrar nos estúdios, em junho de 2004. Além de tétum, bahasa e português, as transmissões são feitas em inglês, para que a Austrália, situada a apenas 800 quilômetros de Timor, possa acompanhar a luta do país asiático vizinho para consolidar sua independência.

E o que *Zero Hora* fazia em Timor Leste naqueles meados da primeira década do século XXI? Acontece que os cristãos timorenses frequentavam o noticiário mundial havia pelo menos cinco anos. Era o quinto ano de tentativas de firmar sua separação da Indonésia, país muçulmano que dominava o Timor Leste (cristão) desde 1975. Até aquele ano, Timor *Lorasae* (onde nasce o Sol, numa tradução poética da língua tétum) era uma colônia portuguesa. Desde 1520, no tempo de Pedro Álvares Cabral, para ser preciso...

Timor, ilha asiática cujos habitantes têm olhos oblíquos e pele morena, foi conquistada pelos portugueses na Era dos Descobrimentos. Até hoje muita gente quebra a cabeça tentando entender como um país diminuto como Portugal, do tamanho do estado do Rio de Janeiro, fez para dominar tantos locais e se tornar um dos reinos mais poderosos do Renascimento cultural pelo qual a Europa passou entre os séculos XV e XVI. Mas foi isso que aconteceu. Rivalizaram com ingleses e espanhóis em número de colônias conquistadas pelo planeta, naquela época.

A bordo de diminutos barcos de madeira movidos a vento — as caravelas —, os lusitanos se lançaram ao mar e desbravaram países continentais como o Brasil. Montaram fortes e escravizaram os habitantes de imensas regiões africanas, como os territórios onde hoje estão situadas Angola, Moçambique e Guiné Bissau, além das ilhas de Cabo Verde e a cidade de Ceuta (onde hoje é o Marrocos). Colonizaram Açores e Madeira. Foram pioneiros, entre os ocidentais, na circunavegação da África e dali rumaram para a conquista de importantes portos na Ásia, como Goa (na Índia), Nagazaki (Japão) e Macau (na China). Numa dessas aventuras além-mar, toparam com a diminuta Timor Leste, no Extremo Sul da Ásia, próximo à Austrália.

Talvez o mais curioso seja que a maioria desses territórios foi mantida pelos portugueses, a ferro e fogo, até meados dos anos 1970 do século XX! É o caso das colônias africanas e daquela nação que, desde o século XVI, era conhecida como Timor Português.

Em 1975, quando os moradores asiáticos da ilha cansaram da dominação portuguesa, declararam independência. A recém-conquistada liberdade durou apenas três dias. Quando as tropas portuguesas deixaram o país, os vizinhos indonésios aproveitaram a confusão política e invadiram a ilha. Bombardearam os cristãos resistentes, inclusive com napalm (gasolina incendiária), e massacraram quem tentou se opor a eles. Unificaram o Timor sob a bandeira da Indonésia, embora a parte leste falasse português e fosse cristã. Os indonésios, sob controle de uma ditadura militar, obrigaram os cristãos a falarem a língua indonésia (o bahasa) e puniram quem os desobedeceu.

Mas a brasa cristã continuou a arder, mesmo sob o autoritarismo dos muçulmanos indonésios. Em 1999, os cristãos timorenses cansaram do controle muçulmano, organizaram manifestações de rua e ganharam apoio da Organização das Nações Unidas (ONU) para proclamar sua independência. A Indonésia não gostou. Da irritação dos generais indonésios partiu o sinal para que milícias muçulmanas realizassem um dos maiores massacres do final do século XX. Como nos tempos romanos, cristãos — só que, agora, de olhos oblíquos — foram perseguidos, queimados e chacinados a golpes de facão.

O toque surreal nesse massacre é que esses cristãos timorenses falam português. É a única nação importante da Ásia a ter a língua de Camões como idioma oficial. Aí é que entra a participação brasileira no caso. Quando se criou uma Força de Paz para conter a violência em Timor, o escolhido para liderar a missão foi o Brasil, maior país de língua portuguesa no mundo.

Muito antes que eu, alguns repórteres tiveram oportunidade de relatar ao mundo o que se passava nesse lugar longínquo. É o caso da jornalista brasileira Rosely Forganes, que escreveu *Queimado queimado, mas agora nosso!*, livro de 507 páginas, fartamente ilustradas com fotografias sobre os massacres perpetrados pelas milícias pró--Indonésia em 1999 e o esforço da ONU para reconstruir o país.

A primeira frase foi traçada por Rosely quando ela desembarcou no Timor, com corpos calcinados de eleitores favoráveis à independência ainda ardendo nas ruas de Dili.

— Dili cheira a queimado, morte, destruição — descreveu a jornalista, correspondente da revista *IstoÉ* e da *Rádio Eldorado*, em Paris.

Impactante. A obra, editada pela Labortexto em 2002, vem acompanhada de um *CD* com os principais boletins de rádio enviados pela jornalista no auge da guerra no Timor. Foi inspirado no trabalho de Rosely que pensei em ir a Timor, mesmo sem jamais alimentar a pretensão de me igualar aos relatos dela.

Batalhei para ir porque o maior contingente da ONU naquele país passou a ser o brasileiro, com 125 militares, de um total de 465 (eram 12 mil militares, no início da Força de Paz, a maioria australianos). E onde vão os brasileiros, vai *Zero Hora*. Daí que fui o primeiro repórter do sul do Brasil e um dos primeiros brasileiros a acompanhar essa missão de paz na Ásia.

Não foi fácil engrenar a viagem. Primeiro tive de convencer o Ministério da Defesa brasileiro de que valia a pena autorizar uma carona à imprensa nos aviões de transporte de tropas do exército. Após algumas semanas de troca de *e-mails*, tive êxito. É que as Forças Armadas descobriram, recentemente, que é vantajoso mostrar suas ações internacionais aos jornalistas brasileiros e, nessa política de boa vizinhança — uma tentativa de contrabalançar a animosidade mútua surgida durante a ditadura militar — os milicos têm inclusive permitido o embarque de repórteres nos seus aviões.

Antes de pegar o jato da Força Aérea Brasileira (FAB) para a ex-colônia portuguesa na Ásia tive de solucionar um problema, a vacinação. Nada menos que dez vacinas contra seis doenças diferentes são exigidas para quem vai a Timor Leste. Além das usuais hepatites A e B, era necessário se inocular contra difteria (mesmo que já tivesse se imunizado quando criança), tétano, febre amarela e... encefalite japonesa. Não sabe o que é? Pois é, eu também não sabia. É uma rara doença transmitida por um mosquito hematófago que só prolifera nas ilhas indonésias e região. Contaminou invasores japoneses durante a II Guerra, daí o nome...

A vacina não existia em Porto Alegre e tive de encomendá-la a um laboratório que o exército mantém em Brasília, justamente para esses casos. A então editora-chefe de *ZH*, Marta Gleich, em viagem ao Distrito Federal, trouxe uma caixa com vacinas congeladas dentro de um isopor. Tomei três doses — duas antes de ir e outra, na volta. Fiquei livre de morrer, literalmente, de dor de cabeça por causa de um mosquito exótico.

Acabei embarcando em Brasília num avião da FAB que levava soldados pernambucanos. A aeronave era um antigo Boeing 707 de quatro turbinas, fabricado em 1963, um ano depois de eu nascer. Atemorizante... Não por acaso o bicho ganhara o apelido de Sucatão quando servia à Presidência da República. Agora fora repassado à aeronáutica para missões no exterior. Quando embarquei, vazava óleo de um dos trens de pouso e ele ficou algumas horas no Rio, para o conserto do problema. Dentro até que era confortável, espaçoso. Fizemos escalas em Angola, Ilha Reunión (junto a Madagáscar) e na Base Aérea de Diego Garcia, no Oceano Índico. Aterrissamos ao lado dos gigantescos bombardeiros Boeing B-52 norte-americanos que decolavam rumo ao Iraque.

Cheguei a Timor com alguns oficiais superiores do exército, marinha e aeronáutica. Fomos hospedados num navio-hotel, já que os poucos hotéis de verdade em Dili estavam ocupados. Esses navios-hotéis são comuns na Ásia. Ficam atracados de forma permanente em meio às águas esverdeadas do Índico, como acontece em Timor. Confortáveis, têm salão de jogos, internet, restaurante e quartos com TV. Não que fosse grande vantagem para mim: a televisão só captava canais em línguas asiáticas.

Um dos primeiros lugares que visitei foi a *Rádio Voz*, que transmitia em português (além das três outras línguas). A questão linguística é importante para os leitores perceberem a importância da presença brasileira no Sudoeste Asiático. É que, durante a dominação indonésia, o português foi proibido. As escolas eram obrigadas a lecionar bahasa (língua mais falada na Indonésia). O resultado é que, em Timor, só as pessoas com mais de quarenta anos (ou seja, 10% da população) falavam português naquele ano de 2004, além da novíssima geração, com até quatro anos. Os demais falavam bahasa e o tétum, língua nativa mais popular.

Descobri a barreira idiomática tarde demais, quando já tinha chegado ao país. Cheio de otimismo, tentava entabular conversa nas ruas e não era compreendido. Nem me fazia compreender. Era mais bem-sucedido falando inglês do que português. A nova língua oficial era apenas isso, oficial, mas não exatamente popular... No cotidiano, os timorenses usam bahasa indonésio (entre si) e inglês (com os forasteiros).

Meu objetivo era mostrar o que faziam os militares enviados pelo Brasil. E faziam muito. Foram brasileiros e australianos que retiraram feridos e funcionários das Nações Unidas nos dias de maior matança, em 1999. Foram brasileiros e australianos que mantiveram tropas ininterruptamente nos oito anos seguintes, para garantir a paz frágil entre timorenses e indonésios.

Foram brasileiros que, em 2000, 2001 e 2002 — em círculos concêntricos a partir de Dili — consolidaram o controle da ONU sobre o território do Timor Leste e conseguiram expulsar as milícias pró-Indonésia, que ameaçavam gerar novos banhos de sangue no país. Eram brasileiros os soldados que caçavam, em 2004, os remanescentes dos esquadrões da morte pró-Indonésia Aitarak e Cat 9, que permaneciam entocados no Timor Oeste, ameaçando voltar a qualquer momento. Como sei os nomes dessas milícias? Porque cartazes com fotos dos principais líderes delas, procurados por massacres, estavam colados nos muros de Dili e nos quadros-negros das seções de inteligência dos quartéis das Nações Unidas.

Os dez contingentes brasileiros enviados desde 1999 ao Timor eram da polícia do exército. Coube a oitenta militares brasileiros estabelecidos no extremo oeste de Timor, em uma base partilhada com australianos, patrulhar a Zona da Morte, a violenta fronteira entre o Timor Leste e a Indonésia (no caso, a província indonésia do Timor Oeste).

Acompanhamos durante uma semana a rotina desses militares. Munidos de fuzis e pistolas e carregando mochilas, os soldados embarcavam na base de Moliana em helicópteros russos da ONU e se dirigiam às montanhas, onde fica a linha divisória dos dois países. Ali, realizavam operações conjuntas com policiais do Timor Leste e australianos da Força de Paz. Fomos com um grupo de pernambucanos. Pura tensão. A começar pelos helicópteros, uns Mig barulhentos, daquele tipo que vive caindo na África. Íamos em silêncio sepulcral, sem a mais remota perspectiva de conforto: não existem poltronas e sequer cadeiras nesses helicópteros. O sujeito vai sentado em macas de lona estendidas ao longo da fuselagem, de frente um para o outro. Alguns vão sentados no chão mesmo, dependendo da lotação da aeronave.

A patrulha do exército era feita em mata fechada, propícia a emboscadas. Casas abandonadas na linha divisória contribuíam para piorar o clima. Lembra um pouco aqueles filmes sobre a zona de ninguém entre as duas Coreias, do Norte e do Sul. Difícil perceber quando se está de um lado ou outro da fronteira, já que é uma zona campestre. Muito semelhante à fronteira gaúcha com o Uruguai, diga-se de passagem, cheia de trilhas para contrabando — inclusive de armamento.

Os próximos militares da Força de Paz acabariam sendo de Porto Alegre, em viagem acompanhada pelo meu colega Marcelo Fleury. Entre as missões da tropa de choque do exército figurava, na época, o treinamento de policiais e militares timorenses, patrulhas na fronteira e nas ruas da capital, organizar o trânsito e fazer escolta de autoridades. Até um ano antes do meu desembarque em Dili, cabia aos brasileiros escoltar o então presidente timorense Xanana Gusmão e o advogado José Ramos-Horta, Prêmio Nobel da Paz (Horta depois virou presidente). Quando cheguei lá, a tarefa já era de timorenses, treinados pelos brasileiros.

Foi ao visitar um quartel timorense que conheci o general Taur Matan Huak, na época comandante das Forças de Defesa do Timor Leste (FDTL) e homem que viria a liderar o país. Ele passou vinte e cinco anos escondido no mato, combatendo os indonésios. Mas não esqueceu um hábito: ouvir Teixeirinha, especialmente as músicas *Gaúcho de Passo Fundo* e *Coração de Mãe*.

— Sempre gostei muito dele e do Roberto Carlos, sem falar do futebol brasileiro — disse, em português com sotaque lusitano, Matan Huak, cujo nome significa "olhar vigilante", no idioma tétum.

Huak dava um sorriso tímido e se esquivava, quando inquirido sobre sua fama de cortador de cabeças. Admitiu ter matado muitos indonésios desde que entrou para a guerrilha, em 1975.

Ficou com fama de "caçador de cabeças", por motivos óbvios. Gostava do apelido...

Os guerrilheiros, que chegaram a ser 36 mil, foram reduzidos a 650 no início da década de 1990, depois de eliminados sistematicamente pelos indonésios. Os remanescentes formaram, após a independência, a espinha dorsal da FDTL, que conta com apenas 1,7 mil soldados. É muito pouco! Para se ter uma ideia, os indonésios possuem três batalhões apenas na metade oeste de Timor (a que permanece fiel à Indonésia), o que equivale a 3 mil homens. Sem contar os mais de 200 mil militares de seu exército principal.

A chegada de 12 mil militares e 4 mil civis a serviço da ONU ajudou a salvar o Timor Leste, em 1999. Não só por garantir segurança em um país dilacerado por uma guerra civil, mas por movimentar a combalida economia timorense. Quando lá desembarcaram, os capacetes azuis encontraram um país destruído. Nem água encanada tinha restado. Alimento, só por ponte aérea desde a Austrália, já que a Indonésia se recusava a fazer trocas comerciais com a ex-colônia, a quem procurava destruir.

No primeiro ano de missão, a ONU injetou US$ 600 milhões (R$ 1 bilhão) no país com 14,6 mil quilômetros quadrados. Quando lá desembarquei, eram funcionários das Nações Unidas que circulavam nos poucos carros do país, usavam os táxis, frequentavam os restaurantes e hotéis e compravam bugigangas eletrônicas e suvenires no comércio.

Passei uma semana me entrosando com a população, praticamente por mímica. O português deles era quase inexistente. O inglês, paupérrimo em vocabulário, assim como o meu (na época). Mas a simples emoção dos timorenses em ver brasileiros, país que para eles representa uma miragem paradisíaca, fazia com que minha presença virasse acontecimento. Ganhei presentes em todos os locais que visitei, de xales a chapéus, de bebidas típicas (aguardentes de arroz) a cigarros de palha.

Alguns hábitos timorenses se assemelham aos do interior brasileiro. Rinhas de galo, por exemplo. Os habitantes de Timor são loucos por brigas de aves. E abusam da crueldade: colocam esporas de prata nos bichos, para que os cortes durante a briga sejam profundos e mortais. Outra variante é a briga de besouro. Sim! Eles colocam aqueles grandes besouros negros a bater antenas uns contra os outros, até que um seja expulso de um tabuleiro. E briga de aranha caranguejeira, ou seja, os timorenses gostam mesmo de uma briga!

Uma cena exótica aos padrões ocidentais, que presenciei, é a de homens timorenses andando de mãos dadas. Não se trata, para eles, de uma atitude homossexual. É manifestação de carinho, assim como os homens russos beijam seus amigos na boca.

Lá como aqui, ir à praia é rotina. Inclusive à noite. Só que todos passam o tempo todo de olho nas marolas em busca de movimentos suspeitos. Duas feras costumam aparecer nas baías timorenses em busca de comida: tubarões brancos e crocodilos. Sim, crocodilos de água salgada, quase tão perigosos quanto tubarões e, inclusive, de maior porte que os crocodilos de água doce. O curioso é que, em Timor, crocodilos são sagrados. Isso significa que é proibido matá-los. Para quem deseja tomar um banho de mar, a saída é confiar na sorte, porque nenhum salva-vidas vai atirar nesses bichos pré-históricos para salvar um humano.

O dinheiro movimentado pela ONU em Timor propiciou a reforma dos seis aeródromos do país, a reconstrução de parte das casas destruídas (metade das residências fora incendiada pelas milícias em retirada) e comida para os desabrigados — mais de 200 mil, em uma população de 1,1 milhão. Bem mais da metade é composta de jovens com menos de vinte anos. Emprego? Só para os que sabem inglês (na iniciativa privada) ou português (no serviço público). A renda *per capita* no Timor Leste equivale a US$ 600 (R$ 1 mil) anuais, contra os R$ 7,7 mil no Brasil.

EM **TERRENO** MINADO

O dilema para os governantes timorenses é que o reforço propiciado pela ONU não vai durar para sempre. Os militares das Nações Unidas, que chegaram a ser reduzidos a 460, voltaram a ser 1,5 mil a partir de 2006, quando as Forças Armadas Timorenses sofreram uma série de motins. O atual contingente de paz é composto por tropas australianas.

A ajuda da ONU foi reduzida para algo em torno de US$ 100 milhões anuais e diminui a cada ano, à medida que o fantasma da guerra se torna cada vez menos ameaçador. O orçamento governamental do Timor é de US$ 75 milhões anuais, mas a Presidência garante apenas US$ 20 milhões com recursos próprios. O restante vem de organismos internacionais.

Os timorenses praticam, no interior do país, a agricultura de subsistência e a pesca. Nas cidades litorâneas, o turismo pode ser uma alternativa, apesar da forte concorrência que a ilha sofre da mundialmente famosa Bali, situada a poucas centenas de quilômetros de distância. Praticamente não existem indústrias. A grande esperança de dividendos futuros é o petróleo. O subsolo do mar que separa o Timor da Austrália é rico em petróleo. A exploração já dá um retorno anual de US$ 5 milhões ao Timor, uma ninharia, mas a perspectiva é que a renda chegue a US$ 12 bilhões nos próximos dezoito anos, caso um tratado entre os dois países seja acertado — a Austrália questiona a faixa de domínio marítimo estabelecida pelo Timor.

Em recente entrevista, o presidente timorense, Ramos-Horta (que agora se prepara para deixar o cargo), se queixou do abandono a que o país está relegado por parte da comunidade internacional, passados os anos de conflito. Voltou a ser uma minúscula ilha no Índico, sem importância geopolítica. Menos mal que o Brasil acaba de emprestar *know-how* para Timor numa área que conhece bem. Como 42% da população timorense está na faixa de pobreza, o governo daquele país enviou técnicos governamentais ao

Brasil para estudarem o bem-sucedido Bolsa Família. O programa de renda timorense, chamado "Bolsa Mãe", beneficia hoje 9.739 pessoas. Têm direito ao benefício — pago em dinheiro — famílias chefiadas por mulheres cujas crianças possuem frequência e desempenho escolar satisfatórios. O dinheiro é garantido pelo retorno nas explorações de petróleo.

Saí de Timor já com saudades e sensação de que não voltarei àquele país. Para um brasileiro, é uma viagem aos confins do mundo, daquelas difíceis de se enquadrar num roteiro turístico.

Desde 2004, pouca coisa mudou. Lembram de Taur Matan Huak, o caçador de cabeças que mencionei neste capítulo? Pois acaba de ser eleito o novo presidente de Timor Leste, com 61% dos votos. Derrotou Ramos-Horta, aquele Prêmio Nobel que chegou a ser presidente logo depois que estive em Timor. Huak conseguiu vencer com apoio do ex-presidente Xanana Gusmão. É o racha nas forças que lutaram pela independência do país. Como se vê, lá como aqui, a política é uma atividade de poucas e conhecidas cartas.

CURSOS DE RISCO
Aprendendo a sobreviver

Repórteres são inevitáveis como baratas. Aparecem em todas as guerras e sobrevivem. A piada foi feita por um militar argentino enquanto um grupo de jornalistas, incluindo eu, rastejava como inseto dentro de um túnel escuro, lamacento e pegajoso, no qual mal cabiam os ombros.

— Que buraco asqueroso! Meu Deus, como vim parar aqui? — reclamou, em voz alta, uma jornalista uruguaia.

De livre e espontânea vontade, lamentei, em pensamento. Sim, fazíamos todos o "Curso para jornalistas em zonas hostis", ou treinamento para correspondentes de guerra. Quase sadomasoquista, o treino ocorria no Centro argentino de treinamento conjunto para operações de paz (Caecopaz), local onde vinte e cinco jornalistas de dez países sul-americanos se concentraram, na terceira semana de fevereiro de 2004.

Esse tipo de capacitação começou a se firmar justamente porque o militar argentino está errado na sua piada: nem todos os jornalistas sobrevivem em guerras. Entre 1998 e o curso (em 2004), apenas

nas Américas 280 jornalistas foram mortos no exercício da profissão. Um mês antes do nosso curso, três tinham morrido na Colômbia, um na Costa Rica e outro na Nicarágua.

Fui escolhido por *Zero Hora* para participar do primeiro curso do gênero promovido pela Sociedade Interamericana de Imprensa (SIP), que congrega 1,3 mil jornais do continente. O laboratório no qual fomos inseridos é o Caecopaz, uma das unidades do Campo de Mayo, maior instalação militar argentina, situado a vinte quilômetros de Buenos Aires. O local já foi famoso como campo de prisioneiros durante a guerra suja promovida pelos militares da Argentina contra organizações de esquerda, nos anos 1970. Hoje abriga um moderno local de treino para missões de paz da Organização das Nações Unidas (ONU).

Na área de quatro mil hectares do Caecopaz foram treinados, por exemplo, os 20 mil militares argentinos enviados em missões pacificadoras ao redor do planeta desde 1992. E milhares de soldados de outros países. Todos os jornalistas que compareceram lá em fevereiro de 2004 eram voluntários e por isso ficava difícil reclamar. Mas que dava vontade, dava...

Um dos pesadelos foi o túnel com cheiro de excrementos, que simula a claustrofobia de quem se vê repentinamente dentro de um prédio desabado, por exemplo. Ali é proibido acender isqueiro para iluminar, por temor de vazamento de gás. A saída teve de ser encontrada no tato, entre substâncias gosmentas que ninguém sabe o que são, através de um labirinto de portinholas trancadas e grades. Tudo ponteado por tiros (de festim) e gritos estridentes, o que irrita ainda mais o aprendiz de sobrevivente.

— Poderíamos jogar gás dentro, mas não fazemos isso com jornalistas, apenas com nosso pessoal — amenizou o tenente-coronel Juan Baleiron, o Kiko, treinador-mor do Caecopaz, ao receber os repórteres enlameados e cobertos de fuligem, na saída do túnel. Grande consolo... mas é preciso reconhecer que ele falou a verdade. Não só na Argentina, mas também no Brasil, é rotina no adestramento de militares trancar os recrutas em túneis ou salas e atirar gás dentro desses ambientes. A diferença é que não somos milicos.

Nesse primeiro curso para jornalistas, a maioria dos alunos era composta de diretores de jornais. Por algum desses mistérios da vida, vários deles, com barrigas avançadas e peso além da conta, imaginaram que o curso seria algo mais acadêmico. Tanto que, na primeira noite de apresentação, exageraram no excelente vinho argentino do coquetel de boas-vindas. O engano custou caro. Em poucos dias estavam resfolegando, acordando cedo e dormindo tarde, pulando, mergulhando, rastejando. Não me dei mal porque procuro manter o corpo em forma, com corridas ou bicicleta. Mas três colegas desistiram no terceiro dia.

Foram dezessete horas de aula por dia. Teóricas, pela manhã, práticas à tarde — incluindo caminhadas de até cinco quilômetros em matas recheadas de espinhos e aulas de como aplicar injeções em si mesmo. E surpresas à noite.

Na primeira noite, fomos obrigados a marchar no mato em meio a explosões de granadas e tiros (tudo de mentirinha, mas barulho real). Na segunda noite fomos retirados do alojamento aos empurrões e "resgatados" por soldados da ONU em meio a tiroteio de festim, para dormir em barracões cheios de mosquito — dormir, força de expressão, porque as explosões eram constantes. Isso me serviria muito, no futuro, em guerras de verdade, mas naquela hora soava apenas como fonte constante de irritação.

Na terceira noite fomos feitos "reféns" por um grupo rebelde. Dois dias depois tivemos de pernoitar no mato, tendo apenas uma fogueira para nos aquecer. A lista de "brincadeiras" incluiu se deitar no chão e deixar as lagartas de um blindado passarem a centímetros da cabeça. Sacolejar a sessenta quilômetros por hora nesse mesmo blindado (um M-113 de transporte de tropas), batendo o capacete contra as partes metálicas, tentando enquadrar algo na objetiva da câmera fotográfica, entre pulos do veículo no lamaçal.

Os instrutores não eram dados a brincadeira. Argentinos, uruguaios, bolivianos, franceses, britânicos e até brasileiros, todos tinham no currículo passagem por alguma área de conflito: Angola, Bósnia, Kosovo, Malvinas ou Iraque, entre outras.

A quebra de rotina era constante. A terça-feira, por exemplo, começou com um passeio de barco. Com mochila pesando mais de quinze quilos, capacete de aço de 1,7 kg, mais colete salva-vidas, eu me sentia um astronauta. Sentado num bote de borracha, remava num lago, enquanto um lanchão de desembarque, recheado de militares, fazia ondas ao lado dos nossos barcos, tentando virá-los. De súbito, o coronel que liderava os soldados jogou granadas ao lado do nosso bote. Elas explodiram com um ruído amedrontador.

Mas ainda tínhamos ânimo para sorrir. Até que uma onda jogou as bombas dentro de um dos botes e um dos artefatos explodiu ao lado dos repórteres. Apesar de ser de festim, a granada arrebentou o fundo do barco — uma boia salva-vidas — e feriu levemente o jornalista paraguaio Candido Figueredo, do jornal *ABC Color*, numa perna. O repórter chileno Hugo Soto também ficou ferido na mão esquerda. Sangrando, os dois continuaram o treino.

— Sobrevivi a dois atentados, não posso deixar de lado essa brincadeira — justificou Candido, que vive no Paraguai sob escolta policial permanente, em razão de ameaças de morte.

Alguns jornalistas não levaram na boa os "atentados" no lago. Ameaçaram abandonar o curso. Lembrados de que todos tinham sido voluntários, se acalmaram. Até a noite. Por volta das 22 horas, fomos levados para um passeio em *vans* militares. De súbito, no meio da mata, o trajeto foi bloqueado por um grupo de homens vestindo lenços ao estilo árabe (*kaffie*) e rosto coberto. Portavam fuzis e lança-granadas.

EM **TERRENO** MINADO

A brincadeira parecia divertida, até o momento em que nos retiraram dos veículos e cobriram nossas cabeças com um capuz de couro apertado por cordões na nuca. Sensação desconfortável... As coisas pioraram quando amarraram minhas mãos atrás das costas com corda de náilon, abaixo da mochila. E o problema é que a maldita mochila escorregava e todo seu peso recaía sobre a corda, que começava a cortar meus pulsos.

Os mascarados nos xingavam, falavam coisas como "estrangeiros de merda". Fiquei quieto, como ensinava o curso. Alguns colegas, maldormidos, retrucaram os xingamentos e foram levados para a mata. Me obrigaram a deitar com rosto colado no chão e me revistaram, encontrando meu passaporte e documentos de jornalista. Fui apartado, para explicar o que fazia naquela região.

Os colegas que não carregavam documentos foram vendados, levados a uma clareira e "fuzilados" com balas de festim. Os documentados foram liberados, com recomendações que não voltassem àquela área.

— É assim que serão tratados, como espiões, caso não portem credenciais — explicou Kiko, o chefe militar do Caecopaz, na rodada de cerveja que se seguiu ao susto daquela noite.

Na quinta-feira fomos acordados às 6h30, como de costume no curso, mas após o café nos obrigaram a marchar no campo, ensinaram a olhar a bússola e, por meio dela, localizar pontos no meio da mata. Em cada sinal localizado (um lenço, uma bandeira, um entalhe num tronco), encontramos coordenadas geográficas para o próximo ponto que tínhamos de alcançar. E assim transcorreu o dia. Só comeríamos quando chegássemos ao destino final, fomos avisados.

Meu grupo foi o último a chegar, o que me lembrou mais uma vez como sou um fracasso em matemática e disciplinas afins... O ponto de encontro era uma clareira e a comida estava lá nos esperando. Viva! Galinhas e coelhos caminhando. Corremos atrás deles, não conseguimos pegá-los. Bateu o desespero, até que um militar nos indicou outras galinhas e coelhos, pendurados em árvores próximas. Teríamos de matá-los, para nos alimentar.

Um sujeito degolou o coelho com uma só facada. Cara frio, penso. Me animei e decidi matar o galo, que tinha uns quatro quilos de peso. Peguei o bicho pelas pernas e pescoço. Uma repórter paraguaia sacou um canivete e começou a cortar o pescoço do animal. O sangue esguichava para todo lado, mas nada de o galo morrer... Outras mulheres começaram a chorar, até os soldados franziam a testa com o sofrimento do animal. Fiquei nervoso e pedi o canivete para a moça.

— Me dá isso — disse.

Peguei o canivete e dei umas cinco punhaladas no galo, até que ele parou de se mexer.

Aprendemos em seguida a depenar a ave com água quente e estripá-la. Para isso, tivemos de fazer fogo sem fósforo ou isqueiro, apenas esfregando gravetos. Leva longos minutos.

Surgiu então um conflito cultural: como assar o bicho? Usei um galho como espeto e botei inteiro o galo ali. Os argentinos reclamaram que estava demorando. Decidiram partir o animal ao meio e grelhá-lo. A paraguaia disse que só comeria o galo se fosse em pedaços. Ela vence e finaliza o assado. Por volta das 20 horas — treze horas e meia após a última refeição — comemos o galo e o coelho, meio crus.

Para dormir nos aproximamos da fogueira, a única permitida, para não chamar a atenção do "inimigo". A temperatura era de cerca de 10º C, porque estávamos em plena mata de araucárias. As barracas improvisadas no mato tinham apenas um teto plástico, sem chão. O vento açoitava pelos lados e cada dois de nós dividíamos um cobertor curto. Resolvemos nos revezar: um dormia um pouco enrolado na coberta, o outro ia para perto da fogueira. Passamos a noite contando causos, tomando mate e mastigando restos do galo.

Por volta das duas horas, me entrosei num grupo de quatro repórteres que decidiu "fugir" do acampamento. Com uma lanterna, percorremos trilhas na mata. A intenção era dar um susto nos milicos. Demos de cara com um quartel e guardas armados. Recuamos. No retorno, o tenente-coronel Kiko nos esperava, atrás de uma moita. Nos repreendeu, com um sorriso. No fundo gostou da ousadia dos recrutas-repórteres.

O curso terminou no dia seguinte, com uma grande festa. Exaustos, almoçamos como leões. Eu só queria saber de comer, comer. Tomamos vinho e o Kiko tirou as gurias para dançar tango e vanera, no ritmo de um bandoneon tocado por um major. À noite voltamos a Buenos Aires, onde passamos o sábado entre *parrilladas* e visitas a livrarias. Magnífico.

Nos anos subsequentes vários colegas da *RBS* fariam o curso. Entre eles, Rodrigo Lopes, o mais experiente viajante de *Zero Hora*; Giovani Grizzoti, especialista em jornalismo de infiltração; e Letícia Duarte e Andrei Netto, que comigo iriam partilhar guerra de verdade anos depois, na Líbia.

Achei que já tinha vivenciado o suficiente de guerras de mentirinha, até que nova oportunidade surgiu. Em março de 2008, após me inscrever no Ministério da Defesa, consegui vaga na primeira turma do curso de Correspondente em Área de Risco, ministrado no Rio de Janeiro pelo exército brasileiro. O treinamento foi realizado em parceria com a ONU e a Cruz Vermelha. Além de *Zero Hora*, estiveram representados ali quinze outros veículos de comunicação, entre eles o jornal *Le Figaro* e a agência noticiosa britânica *Reuters*, por meio de seus correspondentes no Brasil.

De certa forma, o curso no Rio foi mais desgastante que o da Argentina. Para começar, o sol: na zona norte carioca, no Campo de Gericinó, enfrentamos temperatura de 37º C e céu sem nuvens. Bom para bronzear e também para dar dor de cabeça, agravada pelos quase vinte quilos de equipamento obrigatório: colete à prova de balas nível III (nove quilos, resistente a tiro de fuzil), capacete de aço e mais oito quilos de bagagem na mochila, incluindo cobertas, roupas, água e bolachas. Até que seria suportável, se não tivéssemos de carregar isso durante o dia inteiro e à noite, por caminhadas infindáveis.

A situação poderia ficar pior? Sim. Em meio a uma trilha na mata, enxergamos dois clarões emanados das sombras de um morro. De imediato, o sargento que cuidava do nosso grupo gritou: Cuidado!

Jornalistas e soldados se atiraram no mato e rolaram no barro, com equipamento e tudo. Só depois é que ouvimos os sons e confirmamos: eram tiros de fuzil, de festim. Sim, para quem não sabe: tiros são antes vistos — quando isso é possível — e só depois ouvidos, já que as balas superam a velocidade do som.

Como era treino, ninguém morreu. A emboscada se destinava a orientar os jornalistas a agir sob fogo. Três jornalistas foram "atingidos" por atiradores de elite (*snipers*). Como soubemos? Porque colocaram sensores infravermelhos nos nossos coletes, que indicavam cada vez que a pessoa era "visada" pela lente do atirador. Como num jogo de *paintball*, só que, no lugar da tinta, apenas a mira era assestada contra os repórteres.

O treinamento foi realizado bem longe das praias douradas da zona sul carioca. Primeiro, num quartel do bairro militar de Deodoro, zona norte. Os jornalistas dormiram em contêineres e se submetiam a quinze horas de aulas por dia, entre palestras e atividades físicas. Depois, o adestramento foi transferido para Gericinó, ainda mais ao norte da capital fluminense. Lá, pernoitamos em barracas de campanha e enfrentamos chuvas torrenciais, que inundaram nossos colchões e roupas.

Numa das fases do treino, "morri" de mentirinha. Foi quando tentei desativar uma mina explosiva, enterrada. Um sargento especialista pediu que eu colocasse de forma errada, propositalmente, a vareta metálica usada por soldados para detectar o explosivo abaixo do solo. Assim foi feito. Uma sirene tocou, avisando a todos, num raio de quinze metros, que estavam mortos. Foi menos impactante que no treino na Argentina. Lá, as explosões das minas eram reais, com pólvora, embora não soltassem estilhaços, como as bombas verdadeiras. Um susto terrível.

Na correria do Rio aprendemos ainda a evacuar prédio em incêndio, a nos localizar na mata com GPS (hoje esqueci como se faz isso...), a socorrer e carregar feridos em macas improvisadas com cobertores, a evitar emboscada numa favela. Tudo isso durante o dia. À noite éramos obrigados a escrever sobre nossa experiência, como se estivéssemos enviando material para os jornais e TVs. Nossos instrutores eram veteranos da Bósnia, de Timor Leste e do Haiti. Recebemos também aulas de diplomacia, dadas por integrantes da ONU.

Mal sabia eu que usaria grande parte desse aprendizado na vida real, em coberturas no exterior. E logo. Os cursos talvez tenham salvado minha vida, mais de uma vez.

PARTE 2
CATÁSTROFES

Santa Catarina
Chile

SANTA CATARINA
Catástrofe em Santa Catarina

Cada passo parece pesar uma tonelada. Avanço, o barro se agarra na coxa, a vontade é de desistir e deitar, mas isso significaria permanecer atolado — talvez, até a morte. Só resta prosseguir, como um elefante desajeitado. É assim, aos trancos, que subo o morro que serve de túmulo para os 135 mortos da maior tragédia ambiental da história do sul do Brasil, os desmoronamentos provocados pelas chuvas de 2008 em Santa Catarina.

A cena que descrevo se passou em novembro daquele ano. Pode parecer lugar-comum, mas só conheço um tipo de comparação possível para aquela tragédia — e me socorro da Bíblia, para pescar o exemplo. A história, a antropologia e a psicologia, entre outras ciências, reconhecem que o Dilúvio é um mito arquetípico, comum a diversas sociedades, com variantes. Se existiu ou não, é outra questão. Mas uma coisa é certa: a torrente de água descrita nas Sagradas Escrituras tem um poderoso concorrente em Santa Catarina.

Mais especificamente em Blumenau, a capital do industrializado Vale do Itajaí. Encravadas entre cadeias de morros verdejantes da

Serra do Mar, as cidades dali sempre sofreram com os rigores do clima. No caso, chuva. Chove todo dia, a qualquer hora, naquela região. Ah, para quem não é do Sul, um lembrete: inundações são mais comuns que secas, na ponta de baixo do Brasil. Sobra água, ao contrário do Nordeste.

Mas na primavera de 2008, São Pedro (o padroeiro do Rio Grande do Sul e também das chuvas) abusou. Frentes frias estacionaram sobre as montanhas próximas a Blumenau e não se moveram mais. A chuvarada já durava cinquenta e um dias e noites a fio quando num sábado, 22 de novembro, os morros começaram a se desmanchar e vieram abaixo. Só nas primeiras vinte e quatro horas de tragédia, vinte e uma pessoas morreram. Muitas outras seriam tragadas por avalanches de terra e água nos dias subsequentes.

Naquele sábado, o primeiro dia de uma catástrofe histórica, os céus derramaram sobre Blumenau 348,9mm de chuva. Isso equivale a, num único dia, chover mais do que o esperado para o mês — a média histórica lá é de 155,1 mm mensais e já é alta... A região montanhosa próxima ao mar é propícia a esse fenômeno. O choque do ar frio dos morros com o calor que emana das praias provoca seguidas precipitações — e isso se repete ao longo de todo o litoral catarinense, emoldurado pela belíssima (e perigosamente instável) Serra do Mar.

Toda essa água, que vinha caindo em ritmo contínuo havia quase dois meses, solapou o solo dos morros do Vale do Itajaí, como se a terra fosse uma esponja encharcada. E trechos inteiros das montanhas deslizaram, levando de roldão árvores, rochas, casas, fábricas. Tudo! O desastre ambiental gerou visões impensadas, como cemitérios dando à vista sepulturas e caixões arrancados das simbólicas profundezas da terra.

— É como um grande sorvete derretendo — comparou o homem que governava Santa Catarina na época, Luiz Henrique da

Silveira, ao justificar o decreto de emergência. E ele ainda nem sabia o tamanho da tragédia que recém-começava a despontar. Justiça seja feita, ninguém sabia. Nem a Defesa Civil. O diretor desses serviços em Blumenau, Telmo Duarte, assumiu ter sido pego de surpresa pela enxurrada. Pudera... por alguma defasagem tecnológica, o sistema de coleta de dados climáticos levava, na época, seis horas para transmitir informações sobre chuva para o centro de monitoramento. Quando o informe chegou, as pessoas já sabiam, apenas olhando, que a catástrofe estava gestando.

DE VIAGEM E SEM ÓCULOS NA FOLGA

Não era nisso que eu pensava naquele domingo, 23 de novembro, quando o então editor-chefe de *ZH*, Altair Nobre, ligou para meu celular. Ao contrário de muita gente saudável, tenho o hábito de manter ligado o telefone quando estou de folga. Coisa de *workaholic*... E estava passeando naquele fim de semana. Queria apenas curtir mata e caminhadas. Mesmo vendo no visor que era número confidencial (como costuma ser o do jornal), atendi. Quem sabe era para anunciar uma promoção? Ou me consultar se poderiam me indicar para um cruzeiro pelas ilhas gregas?

Era viagem, sim. Mas não exatamente um passeio... Altair disse que precisava de mim para ir a Santa Catarina, até porque eu tinha recém-feito um curso de sobrevivência em área de risco, ministrado pelo exército. Desligado do mundo desde sexta-feira, não entendi direito... Eu estava em Canela, com a família da minha mulher, digerindo um almoço pantagruélico, ironicamente em meio à benevolência da mesma natureza serrana. Em seguida o editor-chefe me atualizou: "o mundo veio abaixo na região de Blumenau, que está submersa". Aí entendi — e entenderia melhor ainda dali por diante — onde entraria, nessa história, meu curso de sobrevivência em área de risco.

O problema é que eu estava sem óculos de grau em Gramado, tamanho era meu *relax*. Pois é... em emergências costumamos sair direto em viagem. Não há tempo para preparos. Tudo já deve estar preparado. Sem os óculos não consigo ler. Pode isso? Uma rara ocasião em que fui pego totalmente desprevenido (só não me culpo porque era folga). Resumo da ópera: voltamos a toda de carro a Porto Alegre, com meu cunhado fazendo curva após curva em alta velocidade.

Arrumei uma malinha às pressas e, em quinze minutos, um auto do jornal me buscou em casa. Dentro do veículo já estava a repórter fotográfica Adriana Franciosi, conhecida pelo apurado senso estético, mas que eu nunca tinha visto em missões no barro. *Buenas...* vamos nessa, pensei. A fotógrafa me surpreendeu positivamente ao trazer, em sacolas, capas e botas para chuva. Algo que se revelaria indispensável nos dez dias de cobertura que enfrentamos.

Outra equipe, formada pelo repórter Carlos Etchichury e pelo fotógrafo Tadeu Vilani, já tinha se deslocado para Santa Catarina. Sinal de que o negócio era bem grave e grande. O espanto surge quando me lembro de que a *RBS* possui dois grandes jornais naquela região, o *Diário Catarinense* (estadual) e o *Jornal de Santa Catarina* (que circula justamente no Vale do Itajaí e tem sede em Blumenau). Uma terceira equipe de *ZH*, integrada pelo repórter Marcelo Gonzatto e pelo fotógrafo Mauro Vieira, percorreria a BR-101 até onde era possível, já que ela estava alagada. Se a *RBS* mandava equipes extras, era porque a coisa estava feia. Eu nem tinha ideia de quanto...

O barro começava no QG dos jornalistas da região. O prédio do *Jornal de Santa Catarina* estava ilhado pelo rio Itajaí, que subira nove metros acima do nível e inundara um terço de Blumenau. O barro e a água atingiram impressoras. Os muros do edifício foram derrubados pela tempestade. Muitos colegas dormiram no chão da redação, sobre pilhas de jornais, pois não tinham como ir para casa em meio a ruas alagadas. Outros ficaram sem suas casas: a enxurrada as derrubou ou inundou.

EM **TERRENO** MINADO

Não era só o jornal que estava ilhado. Blumenau estava praticamente isolada do planeta. Mais de 400 barrancos desmoronaram nas estradas catarinenses. A BR-101, que percorre o litoral, estava alagada em pelo menos três pontos. Tínhamos de ir até o Vale do Itajaí pela serra, via BR-116, uma estrada cheia de curvas, caminhões, lentidão e — pior — em plena noite.

A viagem já começou lenta porque não pudemos usar a rota usual para ir a Blumenau, pelo litoral. Apesar do apelo da direção do jornal para que fôssemos o quanto antes, nossa equipe resolveu parar um pouco para dormir, em São Marcos, coração da serra gaúcha. Providência necessária para dar um pouco de descanso ao motorista, pois sabíamos que no dia seguinte teríamos de circular pelas áreas alagadas, entrevistar vítimas e transmitir o material. Imagine fazer isso sem dormir um minuto...

No caminho serrano, congestionamento, que já rendeu as primeiras linhas para o *site Zero Hora on-line* a respeito da dificuldade de ingressar em Santa Catarina. Com o litoral bloqueado, todos optaram pela serra. Fotografamos filas de quilômetros de caminhões se esgueirando pelos morros.

Oito horas e trinta minutos rodados, após breve pouso em São Marcos, chegamos a Blumenau. O cenário era de caos. Levamos uma hora para chegar ao centro da cidade, que nem é tão grande assim, apenas desviando de trechos de ruas alagados. A cidade estava mergulhada em lodo e morte.

Ficamos sabendo, ao chegar, que 29 mil pessoas estavam desabrigadas em decorrência da enxurrada em Santa Catarina. Outras 14 mil tinham a residência danificada pelas águas. O número de mortos já estava em sessenta e cinco e continuava subindo.

Isoladas, essas estatísticas não dão ideia do drama vivido por esse pessoal. Imagine o cenário de um rio subindo devagarinho, aos centímetros, durante semanas a fio. A água começa a ameaçar a rua, depois ingressa no pátio da sua casa, depois entra na residência, avança escada acima (se tiver dois andares) ou inunda tudo. Foi assim, sem poder fazer nada, impotentes, que os catarinenses viram a inundação chegar. Outros foram atingidos de supetão, por cima, pelas avalanches que derrubavam telhados e sepultavam vivas as pessoas.

Das vítimas, treze moravam em Blumenau. Era a repetição de um pesadelo ocorrido vinte e cinco anos antes, quando o município contabilizou dezesseis mortes em razão de uma enchente do rio Itajaí-Açu — o mesmo que agora saía do leito levando desespero e destruição. A diferença, agora, é que a morte veio de cima. A terra — recheada de mata arrancada e rochas — se desprendeu de morros com 600 metros de altura e sepultou moradores dentro de suas casas.

JORGINA ENFRENTOU SETE ENCHENTES

Tive uma mostra da fibra de Adriana Franciosi ao chegar. Passávamos por um bairro totalmente inundado quando ela saltou do carro, ainda em movimento, e correu para o meio do alagamento. Tinha visto uma família caminhando com água pela cintura. Não teve dúvidas: entrou enchente adentro, se molhando feito um pato. Garantiu uma bela foto. Como eu não precisava chegar tão perto, nem me molhei. Só descrevi a cena. A reportagem, publicada em 25 de novembro de 2008, começa assim:

> *Santa Catarina está mergulhada em lodo e morte. O número de mortos em consequência do dilúvio que se abateu sobre o Estado vizinho desde o fim de semana era de sessenta e cinco pessoas no começo da madrugada de hoje e pode aumentar. Em Ilhota, no Vale do Itajaí, quinze pessoas morreram.*
>
> *Uma das cidades mais atingidas é Blumenau, onde treze pessoas foram sepultadas por terra, detritos e água lançados pela enxurrada. É a repetição de um pesadelo de vinte e cinco anos atrás, quando*

o município contabilizou dezesseis mortes em razão de uma enchente do rio Itajaí-Açu — o mesmo que agora saiu do leito, levando desespero e destruição a milhares de famílias. Na época, como agora, Blumenau decretou situação de calamidade pública.

Em alguns casos, famílias inteiras foram atingidas. Um deslizamento de terra em Rodeio, município do Vale do Itajaí, às seis horas de ontem, soterrou duas crianças e seus pais no bairro Ipiranga. A terra se desprendeu de uma altura de 600 metros e não deu tempo para os moradores saírem de casa. Dois filhos do casal sobreviveram. Os corpos de Dário Eccel, Giacomina Eccel e as filhas Keli, sete anos, e Kendy, quinze anos, só foram encontrados às 13h30...

O governo de Santa Catarina estima que 29,5 mil pessoas estão desalojadas pela chuva, ou seja, tiveram de sair de suas casas. Outras 14,6 mil ficaram com residências danificadas ou destruídas.

E a reportagem continuava, num total de seis páginas partilhadas com colegas. A primeira pessoa que entrevistei foi Jorgina Nicolodelli, sessenta e nove anos, veterana da enchente de 1983. Ela tinha quarenta e quatro anos na época quando, por pouco, não perdeu a vida. Teve de sair de barco de casa e chegou a cair na água, num ponto em que o rio atingia dois metros de profundidade.

— Não sabia nadar, mas consegui me agarrar numa marquise — recordou ela.

Depois dessa, Jorgina enfrentou outras sete enchentes. Nesse dia em que a entrevistei, acabara de remover todos os móveis do térreo para o andar superior da casa. Providência que repetia havia três décadas, a cada ameaça do rio. As águas já estavam espalhadas pelo piso da residência...

Etchichury e Vilani, em outra parte da cidade, coletavam outros relatos de blumenauenses náufragos em suas próprias casas. Transmitimos esse primeiro material ao anoitecer desde a sede do *Jornal de Santa Catarina*, onde fomos recebidos calorosamente pelos

© Adriana Franciosi

Casas destruídas por desmoronamentos de morros em Blumenau, Santa Catarina, em 2008

Casa devastada por avalanche em Luiz Alves, Santa Catarina, em 2008

Deslizamento de terra em morro de Luiz Alves, Santa Catarina, em 2008

Deslizamento de terra em morro de Luiz Alves, Santa Catarina, em 2008

Trezzi caminha sobre um tronco para cruzar local de inundação no Morro do Baú, em 2008

Cidade de Ilhota, Santa Catarina, inundada por enchente do Rio Itajaí-Açú, em 2008

Criança de Luiz Alves flagelada e desabrigada pelas cheias do Rio Itajaí-Açú, em 2008

colegas comandados pelo diretor, o gaúcho Edgar Gonçalves. A internet havia pouco tinha voltado no prédio, ainda meio alagado.

Saímos dali à procura de um hotel que tivesse luz e água. Não encontramos. Tivemos de nos refugiar noutro hotel, para caminhoneiros, na saída da cidade para a serra que leva a Rio do Sul, bem distante da região alagada. Ali pelo menos existia água potável. Nos dias seguintes, faltaria tudo. As roupas sujas iriam se acumular, os víveres iriam escassear, mas naquela altura isso era o que menos nos preocupava. O importante é que tinha comunicação e luz elétrica, algo que faltava em mais de dois terços de Blumenau.

SEISCENTOS ILHADOS EM MEIO À MATA

No segundo dia da nossa cobertura, terça-feira, o número de atingidos pelas cheias em Santa Catarina subiu para impressionantes 1,5 milhão, 54 mil dos quais desabrigados. Oito cidades estavam isoladas, com pessoas passando fome e sede. E a chuva não dava trégua.

Adriana e eu saímos cedo para as ruas. Utilizamos uma tática que deu certo: como ignorávamos completamente os caminhos da região, solicitamos um motorista do jornal local. Em troca, cedemos nosso motorista para repórteres do *Jornal de Santa Catarina*. Perfeito. Em poucos minutos, graças aos contatos do nosso condutor, ficamos sabendo que, em Gaspar (Vale do Itajaí), seiscentos turistas estavam ilhados havia três dias num parque.

Deixamos o carro no sopé de um morro e subimos uma estradinha cheia de lama. Chegamos ao Parque Aquático Cascaneia em plena operação de resgate desse pessoal. Foi um salvamento dramático. Bombeiros tiveram de improvisar uma ponte pênsil sobre rachaduras abertas no morro. A maioria dos ali ilhados era formada por adolescentes, que comemoravam a formatura do ensino médio com excursões ao local. Para eles, o drama teve sabor de aventura. Estavam com professores de diversas cidades catarinenses, paulistas e paranaenses. O passeio se tornara pesadelo quando a única estrada que leva ao morro do parque sofreu um desmoronamento e ficou obstruída em quatro pontos. Os jovens permaneceram no topo do morro, abrigados num salão de festas. Foram três dias de banho frio e expectativa. A preocupação superava a fome. Alguns conseguiram se comunicar por celular com os pais apavorados.

— As piscinas foram soterradas por lama. Faltou luz e a saída era jogar cartas — resumiu Michel de Souza, dezessete anos, aluno de uma escola de Tijucas (SC).

A coisa ficou séria quando eles viram uma bola laranja sobre os céus da cidade de Gaspar. Era uma tubulação do gasoduto Brasil-Bolívia, que se incendiou, próximo ao parque. Era tão perto que os estudantes tiraram fotos com seus celulares. O fogaréu durou do anoitecer até as 16 horas do dia seguinte. As obras para consertar o gasoduto levaram vinte e um dias e, enquanto isso, o sul do Brasil ficou sem gás para fábricas e carros.

Foi graças a uma operação conjunta que os jovens do parque Cascaneia acabaram resgatados. O exército retirou de helicóptero 200 alunos. Outros 400 foram removidos em caminhada pela mata, com ajuda de bombeiros e policiais. Policiais militares do Paraná e Rio de Janeiro ajudaram na operação. Os estudantes tiveram de caminhar dois quilômetros na lama até uma estrada, onde alcançaram veículos que os levariam na longa viagem para casa. A mesma lama que a fotógrafa e eu percorremos, atolando, com mochila às costas carregada com *notebook* e equipamentos fotográficos. Um pesinho nada confortável.

Nesse mesmo dia, Adriana e eu fomos para Luiz Alves, também no Vale do Itajaí e conhecida como Terra da Cachaça. Apenas uma estradinha com atoleiros dava passagem, com o Gol deslizando para todo lado, ao sabor do barro. A cidade parecia atingida por um bombardeio. Pedaços inteiros de morros despencaram sobre alguns bairros urbanos e também sobre vilas rurais, levando casas, carros e pessoas de roldão. Numa oficina, quatro veículos foram soterrados. Um desabamento demoliu duas casas, com os moradores dentro. As paredes foram estilhaçadas como gravetos. Quando chegamos lá, os moradores mortos já tinham sido retirados.

Fogões, geladeiras e máquinas de lavar se espalharam por uma área equivalente a um quarteirão, engolfados por terra molhada. Restavam no local os brinquedos do menino Everson Reinert, oito meses, e seu amigo Francisco Bittencourt, um ano, que morreram soterrados. Morreram também a mãe de Francisco e um irmão de Everson.

Luiz Alves estava sem luz, água e telefonia. Chegamos lá por uma estrada de roça, precária e cheia de atoleiros, única ligação da cidade com o mundo. É que a principal rodovia asfaltada, a SC-413, foi rompida em pedaços pela enxurrada. Havia três dias helicópteros se revezavam levando comida aos flagelados. Passamos a tarde nesse município, acompanhando a tentativa de voluntários de retirar a lama.

Nesse mesmo dia foram descobertos os corpos dos primeiros gaúchos vítimas dos desmoronamentos, em Blumenau. Michele Malikovski, vinte e seis anos, e seu irmão Diego, vinte e três, foram soterrados na casa em que moravam. Eram naturais de Santa Cruz do Sul e tinham migrado para Santa Catarina. Outro gaúcho morto na catástrofe foi Ricardo Oliveira, de Carazinho. Caminhoneiro, levara uma mudança para a praia dos Ingleses, em Florianópolis. Quando retornava para o centro da capital catarinense, seu caminhão foi sepultado por uma avalanche oriunda de um dos morros. Anotamos com cuidado esses casos porque, afinal, trabalhamos para um jornal gaúcho.

DESDE O CÉU VEMOS O SOS

Na quarta-feira, sempre sob chuva, Adriana e eu negociamos com o exército brasileiro uma carona para realizar um sobrevoo por Blumenau de helicóptero. Argumentamos o óbvio: sem imprensa, a população não saberia do tamanho da tragédia. Ignorando a notícia, não existiriam contribuições. Após horas de conversa e espera num quartel, conseguimos espaço num Cougar, magnífico aparelho com capacidade para mais de quinze passageiros. O *ok* foi dado pelo general gaúcho Manoel Pafiadache, comandante da força-tarefa militar de atendimento aos flagelados, que nos franqueou lugar na aeronave.

A adrenalina cedeu lugar à comoção. Espremido entre uma dezena de colegas e militares, tremelicava sob efeito do ronco do motor. Lotado de mantimentos, o grande helicóptero sobrevoou áreas onde era impossível aterrissar e jogar pacotes de alimentos e água potável, disputadas pelas famílias isoladas havia quatro dias. Os obstáculos para pousar eram muitos, desde árvores enormes até fios de alta-tensão. A solução era pairar feito uma borboleta. Em poucos casos, um militar desceu e ficou com os moradores, ajudando-os nas necessidades básicas, enquanto os demais (e os jornalistas) retornavam a Blumenau.

Num dos morros, dezenas de pessoas se aglomeravam no chão junto a uma bonita fazenda. No solo, com pedras brancas alinhadas, escreveram a palavra SOS. Mantimentos foram jogados do alto a eles. A foto de Adriana foi destaque na imprensa nacional e ajudou a alertar o país para a dimensão da catástrofe catarinense. Afinal, desde tempos imemoriais a sigla SOS é autoexplicativa e pela primeira vez em anos algum jornal publicava um apelo tão candente nas suas páginas. Cena de filme, mas era real.

A tragédia catarinense começou a circular como notícia mundial e virou pauta obrigatória das estrelas da imprensa nacional. William Bonner sobrevoou a região num helicóptero da *RBS* e transmitiu o *Jornal Nacional* ao vivo, por dois dias, desde Blumenau. A apresentadora Ana Maria Braga fez seu programa matinal, ao vivo, também desde Blumenau, vestida em uniforme camuflado.

Nem só de globais eram feitas as celebridades que acorreram à catástrofe. Os meus colegas Etchichury e Vilani embarcaram num helicóptero e ele já estava ocupado por José Luiz Datena, o polêmico apresentador da *Band*. Roberto Cabrini também voava por toda parte num helicóptero da polícia civil catarinense e inclusive foi priorizado numa vaga que eu negociava, para sobrevoar a cidade de Ilhota — que, justificando o nome, estava isolada pelas águas. Ao pular para dentro de um caminhão de bombeiros, acabei sentando ao lado de Paulo Henrique Amorim, o veterano jornalista da *Record*, que ali estava, embarrado e suando, tentando chegar ao local com mais desmoronamentos. Pleno de vitalidade, aos setenta anos.

E nem só de celebridades da mídia foi formada a caravana de espectadores da tragédia catarinense. O presidente Luiz Inácio Lula da Silva sobrevoou a região quatro dias após os primeiros desmoronamentos, quando as primeiras críticas à omissão governamental começavam a pipocar. A bordo de um helicóptero da FAB, o presidente voou sobre Navegantes, Itajaí e Luiz Alves.

— O que mais me impressionou foi ouvir do governador que a água baixou. Lá de cima eu só via nuvens e água embaixo — espantou-se Lula, que ordenou a liberação de quase R$ 2 bilhões para os flagelados.

Naquela quarta-feira do voo presidencial, o número de mortos já era oitenta e quatro, um recorde em se tratando de calamidades catarinenses. Superava as enchentes de 1983 e 1984. Ilhota, isolada por cima e por baixo, era a cidade mais atingida. Fazendas, granjas, animais e seres humanos naufragaram sob a força das águas do Itajaí-Açu.

A dona de casa Maria da Luz Moraes, sessenta e sete anos, foi uma que perdeu tudo. Ela acordou no sábado, 22 de novembro, com homens da Defesa Civil batendo forte na porta da sua casa, no bairro Vila Nova, em Ilhota. Só aí ela percebeu que a água começava a entrar por baixo da porta. Mansa. Silenciosa. Arrasadora. Ela e o marido foram carregados nas costas. Escaparam da morte, mas não da dor. O Itajaí-Açu saiu do leito, avançou pelo bairro e tomou a residência dos Moraes até o teto. Quando o sol voltou, o casal de idosos retornou à casa, retirou a mobília para fora e colocou na calçada. Em vão. Tudo que era de madeira apodreceu, desprendendo um cheiro enjoativo, que lembrava maresia. Fogão, geladeira, TV, tudo foi engolfado pelas águas. Nem teria luz para acionar a maioria dos eletrodomésticos.

— Não aguento mais sofrer tanto. Para que isso, nessa altura da vida? — questionou Maria, deprimida.

Outra que teve a vida arruinada foi a catadora de papel Elis de Camargo, quarenta e um anos. Mãe de seis filhos, ela viu o rio inundar sua casinha de madeira de uma peça só. Não sobrou móvel e nem qualquer aparelho intacto. Um dos pequenos desenvolveu "grosseira" (uma alergia de pele). Teve de pedir ao filho mais velho que pernoitasse no teto da casa, apoiado num caiaque, para evitar a ação de saqueadores.

— Não é porque a gente é pobre que os ladrões respeitam — justificou.

O filho alérgico de Elis é Sebastião, que na época tinha três anos. Com longos cabelos loiros e olhos azuis, parecia um querubim barroco. Enquanto eu anotava a história da sua mãe, ele permanecia inerte, deitado num sofá imundo no meio da rua, com um olhar de profunda tristeza estampado no rosto. A face de quem ganhou anos de vida em apenas uma semana.

Nosso trabalho era apenas um, dentre muitos em *ZH*. Etchichury e Vilani continuavam fazendo perfis de flagelados de Blumenau, registrando a rotina dos desabrigados, o que lhes rendeu mais de uma capa. Transcrevo um trecho da reportagem publicada por eles na quarta-feira, 26 de novembro:

Lágrima, desespero e incerteza

Maltrapilhos, assustados e humilhados, Osnildo Ballmann, trinta e nove anos, a mulher dele, Lenice Oeschsler Ballmann, trinta e seis anos, e a pequena Michelle, dois anos, filha do casal, desembarcaram de um helicóptero da Força Aérea no final da manhã de ontem, em um campo de futebol, em Blumenau.

Moradores do Alto do Baú, entre Ilhota e Gaspar (municípios mais destruídos pela tempestade), a família carregava nas mãos tudo o que dispunham para recomeçar a vida: duas sacolas de roupas.

Como centenas de sobreviventes da maior tragédia da história do Vale do Itajaí, eles foram levados pelas aeronaves para Blumenau. A luta dos Ballmann pela sobrevivência se iniciou no final da noite de sábado. Ao suspeitar que a casa de alvenaria, dois quartos, sala e cozinha não resistiria à intempérie, Osnildo reuniu a mulher e a filha e alojou-se na casa de um vizinho — abrigo incapaz de garantir segurança.

— Como os desabamentos não paravam, resolvemos ir para o mato — recorda.

Sem um local seguro para se refugiar, Osnildo, a mulher e a filha esconderam-se na Mata Atlântica. Em meio a espécies nativas e acossados por animais silvestres, passaram duas noites ao relento.

— Era o único local seguro.

Exausto por mais de 40 horas insone, Osnildo desabafa em um choro compulsivo:

— O que vai ser de nossa vida?

Outros colegas tiveram oportunidade de relatar dramas semelhantes. O mais experiente repórter de *Zero Hora*, Carlos Wagner, também fez sua "indiada": embarcou num avião cargueiro C-105 Amazonas, da Força Aérea Brasileira, e fez um bate-volta desde Canoas (na Grande Porto Alegre) até Navegantes (SC), registrando e retratando a ponte aérea de solidariedade dos gaúchos com seus vizinhos atingidos pela tragédia. E o jornalista Marcelo Gonzatto, com o fotógrafo Mauro Vieira, continuava na região de Florianópolis, registrando os estragos na capital catarinense.

Em Itajaí, principal porto catarinense, o caos tomou conta e foi documentado pelas equipes do *Jornal de Santa Catarina*. Uma onda de saques atingiu o comércio. Mais de mil pessoas invadiram um supermercado, com água pela cintura, levando tudo de roldão: TVs de plasma sobre a cabeça, máquinas de lavar arrastadas, carrinhos de supermercado lotados com alimento. O saque começou às 13 horas, e às 17 horas não existiam mais estoques nos mercados. Impotentes, vinte policiais militares observavam os flagelados se movimentarem como formigas, no Maxxi Atacado, no bairro São Vicente. No porto, guindastes caíram, parte do cais desabou e gigantescos contêineres de metal flutuavam pelo rio, em direção ao mar, entrando em rota de colisão com os navios.

ATOLADOS NO CORAÇÃO DA CATÁSTROFE

Mas faltava penetrar no coração da catástrofe. Esse lugar se chama Morro do Baú e, literalmente, se desmanchou, matando dezenas de pessoas. É um monte situado na divisa dos municípios de Ilhota e Luiz Alves. Adriana e eu nos dirigimos para lá quinta-feira, numa perua Parati guiada por um motorista do *Jornal de Santa Catarina*.

As lições dos cursos que fiz com os exércitos argentino e brasileiro foram bem aproveitadas. Para o leitor ter uma ideia, há alguns anos guardo no armário do jornal uma malinha pronta. Além de algumas peças de roupa e calçados para inverno e verão, junto a ela tenho uma sacola com botas de borracha e capa de chuva. Quando em região assolada por catástrofes, compro, de imediato, bolachas e água. Às vezes, alguma fruta. Com esse pequeno arsenal, que cabe num canto de carro ou numa mochila, é possível sobreviver dias. Alguns colegas têm adotado a mesma prática.

Foram necessárias três horas desde Blumenau para chegar ao epicentro da tragédia, Baú, algo que levaria quarenta e cinco minutos em época normal. Primeiro, de carro com tração comum, alternando asfalto e estradas esburacadas. Depois veio o barro e, por causa dele, pegamos carona com bombeiros voluntários dos balneários de Penha e Piçarras, que tripulavam um possante caminhão Mercedes-Benz com tração em seis rodas. Mas não era suficiente. Chegou um ponto, morro acima, em que até o caminhão atolou. A saída foi pegar carona com motoqueiros que costumam fazer trilha e, no final, se deslocar a pé.

Foi uma das coisas mais difíceis que fiz na vida. A cada passo a perna atolava no lodo, até a coxa. Me sentia como um astronauta, com passadas lentas e pesadas, além de pegajosas. Ainda bem que estava de botas: mesmo encharcadas, ajudavam a driblar animais peçonhentos, como cobras e escorpiões. Topamos com uma serpente de um metro de comprimento no caminho. Morta, a pauladas.

Sete pontes de madeira e pedra no trajeto para o Morro do Baú foram levadas pela enxurrada. Para continuar a caminhada e atravessar um riachinho que virou uma torrente furiosa em decorrência da chuva, tivemos de passar sobre um galho de árvore com uns quinze centímetros de largura, torcendo para não cair nas águas revoltas. Nós, os bombeiros, socorristas voluntários, todos feito equilibristas sobre a torrente mortífera, temendo um escorregão fatídico. Ninguém caiu. Andamos exaustos, passo a passo, fôlego encurtando.

E aí chegamos. O morro parecia ter sido atingido por um terremoto. Encostas inteiras foram lavradas pela chuva e despencaram, com árvore e tudo, sobre três povoados situados ao pé do monte. Rochas do tamanho de carros rolaram como bolas de boliche morro abaixo, despedaçando casas. Automóveis desceram ribanceiras por trechos de até três quilômetros e foram parar embaixo da água ou de entulhos. Conhecido como zona de lazer, o Morro do Baú virou zona de morte. Famílias inteiras foram dizimadas.

Uma das que perdeu tudo foi Irma Bayer, quarenta e oito anos. Ela acordou no sábado, 22 de novembro, com um estrondo. Era um monte de lama e pedras, que deslizou morro abaixo e parou na parede dos fundos de sua casa, rachando-a. Ela ouviu gritos. Eram vizinhos, que tiveram sorte pior. Uma família com dezesseis pessoas morreu em minutos. Irma escapou com uma filha e um genro, os três de mãos dadas, rezando em meio à lama, até chegar a uma parte baixa da vila. Foram resgatados de helicóptero na segunda-feira, após dois dias dormindo num forno de carvão abandonado. Conseguiram chamar a atenção dos pilotos escrevendo, num lenço, as palavras "criança doente". Era o filho dela, Adriano, dez anos, com febre.

Permanecemos por umas três horas no morro. Vimos corpos sendo resgatados. Chorei, Adriana chorou, ao vermos o sepultamento de Miguel Tolado Zabio, criança que nem chegou a nascer. Morreu na barriga da mãe, Giovana Tolado, quando ela quase foi enterrada viva pela avalanche de lodo e mato. Ela sobreviveu, graças a uma UTI, mas Miguel — que já tinha nome escolhido — não conseguiu. Além dele, Giovana também perdeu a filha, Larissa, que morreu, levada pelas águas.

A nossa foi uma das últimas equipes da mídia a visitar o Morro do Baú. Assim que saímos, ele foi evacuado pela Defesa Civil, em decorrência de novos desabamentos. As famílias restantes foram retiradas, e o local ficou por dias inacessível. Voltamos emudecidos para a redação do *Jornal de Santa Catarina*, QG da *RBS* na catástrofe. Chegamos em meio a uma palestra de Nelson Sirotsky, dirigente do Grupo, na qual ele expressou solidariedade e adiantou recursos para os funcionários da empresa que tiveram suas casas destruídas pelas enxurradas. Nelson e o diretor de produto editorial, Marcelo Rech, também estavam embarcados. Tinham sobrevoado de helicóptero as áreas atingidas e pousado em locais com lama, pois a chuva persistia.

Fiquei oito dias e oito noites no Vale do Itajaí. Sempre sob chuva, com escassos momentos de trégua. Adriana Franciosi, que acabaria voltando mais cedo em decorrência de compromissos pessoais, tomou a iniciativa de adquirir roupas para toda a equipe, já que saíramos de Porto Alegre praticamente com o que usávamos no corpo e não existia sol para secar as calças que levamos. Ela comprou até cuecas para os homens da equipe, o que durante dias gerou muitas piadas.

No último fim de semana de cobertura, a fotógrafa do *Jornal de Santa Catarina*, Rafaela Martins, e eu, conseguimos ingressar numa belíssima região de sítios que estava isolada havia uma semana, a Nova Rússia. Penamos para chegar ali, primeiro com ajuda de jipeiros, depois por meio de uma longa caminhada. O frio da região montanhosa cedeu lugar a um suador, pelas horas percorrendo trilhas na lama. Descrevemos a rotina de busca de água e comida dos moradores para os jornais do grupo.

Na despedida, os colegas do *Jornal de Santa Catarina* nos ofereceram uma churrascada. *Show* de bola! Apesar da catástrofe que vivenciavam em sua terra, ainda foram receptivos e propiciaram aos seus vizinhos gaúchos o que eles mais gostam, churrasco. Um refresco no meio de tanta dor.

Foram mais de sessenta dias de chuvarada ininterrupta na região, até que um dia as nuvens pesadas começaram a se afastar e o sol, timidamente, voltou. O resultado de tanta água despejada sobre as cidades foi a maior catástrofe natural da história de Santa Catarina. Morreram 135 pessoas em decorrência das enxurradas. Desde então, tragédias envolvendo chuva não se repetiram naquele Estado.

A cobertura da tragédia rendeu ao *Jornal de Santa Catarina* o prêmio Esso do Interior, edição 2009, para o qual muito me honra ter colaborado. Era o segundo Esso de minha carreira, agora como coautor de uma grande reportagem coletiva. O título da cobertura vencedora do concurso resume o que foram nossos dias: "Novembro de 2008, o maior desastre climático do Brasil".

Infelizmente, nos anos subsequentes um desastre similar atingiria o Rio de Janeiro. Mas essa é outra história. Mostra que, ao contrário de outros países, no Brasil grassa a imprevidência e o sistema de precaução contra catástrofes engatinha. Sinal de que os repórteres terão ainda muito drama do gênero para relatar.

CHILE
Quando a terra treme

O cenário era de gala em Valparaíso, naquele 11 de março de 2010. Homens de fraque e mulheres de longo bebericavam drinques antes da prestigiada cerimônia de posse de Sebastián Piñera como novo presidente do Chile. Sentado num salão ao lado de chefes de Estado do mundo inteiro que assistiam ao ritual, na sede do Congresso chileno, eu dedilhava no computador uma matéria para enviar ao jornal quando o *notebook* começou a deslizar sozinho. Em segundos, o computador parecia estar vivo, saltitando sobre a mesinha, enquanto um ruído como de um trem fazia tremelicar as luzes e sacudia toda a estrutura do prédio:

— Tlamdlamdlamdlamdlam... — reverberou o som, crescente, como o chacoalhar de uma locomotiva brotando das entranhas do edifício de onze andares.

Levantei de um salto, mas não consegui ficar em pé. O chão se movia, ondulante. Em seguida fui acometido de um enjoo, como se estivesse mareado, jogado de um lado a outro por ondas. Só que não estava no mar, mas em terra firme.

— Terremoto! — alguém gritou, como se ainda fosse necessário avisar. A multidão de estrangeiros começou a correr para fora do prédio, enquanto os chilenos, mais acostumados, se mantinham embaixo da estrutura das portas, um dos lugares mais resistentes nos prédios.

Foram cinco trepidações entre as 11 horas e as 12h30, ficamos sabendo depois. Um dos tremores alcançou 6,9 graus na escala Richter (inicialmente, chegou-se a falar em 7,2). Os mandatários foram retirados às pressas do salão. O boliviano Evo Morales, para quem esses eventos não são estranhos, olhou para cima e sorriu ao ver os centenários lustres do salão balançarem. Já o seu colega Fernando Lugo, do Paraguai, não escondeu um olhar assustado, pois sismos não acontecem no seu país — talvez de ordem política, mas não os gerados no coração da terra.

Até o recém-empossado e calejado Piñera — um magnata com fortuna estimada em US$ 1 bilhão, dono de uma emissora de TV e um dos acionistas da companhia aérea Lan Chile e do time de futebol Colo Colo — escapou de fininho. Antecipou em dez minutos o final da solenidade de colocação da faixa presidencial. Foi uma correria. Ordeira, mas acelerada...

Do lado de fora era possível ver as paredes dos prédios se mexendo levemente, sobretudo nos andares superiores. Os telefones deixaram de funcionar por algum tempo, tanto celulares quanto fixos. Por incrível que pareça, num capricho tecnológico, os computadores permaneceram com internet disponível. Foi a senha para que repórteres de vários pontos do planeta, presentes na posse (inclusive jornalistas chineses), disparassem mensagens pelos *notebooks*, transformando em má notícia mundial aquilo que era para ser um momento de festa no Chile.

Sirenes começaram a tocar. Em seguida, navios soaram suas fortes buzinas. Estrangeiros foram avisados de que era um alerta de *tsunami*. Valparaíso é um porto, e o edifício do Congresso fica a 300 metros do mar.

Era um espetáculo triste. Mulheres em vestidos luxuosos e homens de gravata se abraçavam, correndo pelas ruas. Servidores do Legislativo, com megafones, mandavam esvaziar o prédio. Outros edifícios iam sendo evacuados.

Logo se formou um engarrafamento na subida de Valparaíso e da vizinha praia de Viña Del Mar em direção à capital chilena, Santiago. A *freeway* de 155 quilômetros que liga o litoral à capital ficou entupida de carros. Donos de caminhonetes encheram as caçambas com víveres e eletrodomésticos. Parecia a antessala do fim do mundo.

Mas não era. O *tsunami* não veio — pelo menos não naquela tarde. Motivos para pavor existiam. Doze dias antes, em 27 de fevereiro, um tremor um pouco maior, de 8,8 graus na escala Richter, causara a maior tragédia no Chile em décadas, deixando 525 mortos. A maior parte deles, tragada por um maremoto. Era por isso, aliás, que *Zero Hora* se encontrava em território chileno, desde poucas horas após aquele grande terremoto. Eu era o segundo repórter enviado para narrar os tremores em duas semanas, tal a magnitude da catástrofe.

O terremoto de fevereiro de 2010 foi o segundo maior na história chilena. A energia liberada, segundo especialistas, foi equivalente a 100 mil bombas atômicas como a jogada sobre Hiroshima em 1945. Mais de 500 mil residências chilenas sofreram danos severos e cerca de dois milhões foram atingidas pelos efeitos do tremor. Foi em meio a esse cenário que o repórter Daniel Scola, a serviço da *Rádio Gaúcha* e *ZH*, chegou a Santiago, em 28 de fevereiro, menos de 24 horas após o início dos tremores. Como nenhum aeroporto chileno estava em funcionamento, o jornalista foi de avião de Porto Alegre a Mendoza (Argentina) e lá alugou um carro, dirigindo em seguida 350 quilômetros sem parar até a capital chilena, em pleno anoitecer. Permaneceu no Chile até 8 de março, visitando as cidades mais atingidas e fazendo um trabalho espetacular.

Eu acompanhava a distância as peripécias de Daniel quando, às 10 horas de sexta-feira, 5 de março, meu celular vibrou. Interrompi a reunião com um editor para atender. Do outro lado da linha estava o diretor de Redação de *Zero Hora*, Ricardo Stefanelli.

— Se eu te propusesse ir ao Chile, tudo bem?

Quase dei um pulo de alegria. Não conhecia o Chile. Agora tinha oportunidade de cruzar os Andes e ainda cobrir uma das maiores histórias do século que se inicia. "Claro!", respondi. Stefanelli avisou que o desafio seria alimentar a internet com um *blog*, narrando em tempo real nosso deslocamento até o território chileno e tudo que ocorresse lá. E continuou com mais uma boa notícia: a viagem seria à moda antiga, com fotógrafo e motorista junto.

Vibrei. Tudo que um repórter pode querer é a companhia de colegas numa cobertura. Além da óbvia troca de experiências, pode render ajuda, em caso de necessidade. Sem falar que os escolhidos eram ótimas e bem-humoradas figuras: o fotógrafo era Jefferson Botega, que começou fazendo editoriais de moda e hoje é um dos mais talentosos repórteres fotográficos do Brasil. O motorista escolhido foi Edmundo Fernandes, que trabalhava com carros-fortes antes de entrar em *ZH*, mas que nada tinha do estereótipo truculento desses guardas — é espiritualizado e espirituoso. Uma dupla que mistura humor e muito conhecimento nas estradas da vida, combinação ideal.

A história do jornalismo é uma história de parcerias. Naquele momento em que fui escolhido para cobrir o terremoto, lembrei de uma cobertura feita dois meses antes, em dezembro de 2009, no Rio Grande do Sul. Numa noite chuvosa de sábado fui despertado da letargia em frente à TV por um telefonema de um dos editores de Geral do jornal, Marcelo Ermel, um cara competente e rigoroso. Ele perguntou se eu me importava de ir àquela hora para Camaquã, onde centenas de famílias estavam isoladas pela chuva. Topei. O escolhido para as fotos era o grandalhão e talentoso Diego Vara.

Fomos, dormimos umas três horas num pequeno hotel e amanhecemos em frente ao quartel dos bombeiros, onde era montada uma operação de resgate. Nossa ideia era pegar carona num helicóptero, já que a área flagelada estava inacessível por quilômetros de enchentes.

Não nos deram carona. A Defesa Civil tinha outras prioridades e nenhuma vaga para nós. Ficamos à beira de um dos gigantescos alagamentos — o rio Camaquã saíra do leito e inundara dezenas de quilômetros de planícies usadas para plantar arroz. Estradas estavam submersas e, com isso, povoados inteiros. Inconformados, Diego e eu tiramos dinheiro do bolso e alugamos um barco de madeira com um pequeno motor de popa. Com o dono no comando, nos dirigimos à maior das vilas isoladas. Levamos duas horas e meia de navegação, passando por casas com água até o telhado, animais berrando por não terem onde se refugiar, gado morto de fome. Chegamos ao povoado e enchi um bloco com histórias de carência de pessoas que passam a vida entre uma enchente e outra.

Foi então que os helicópteros da Defesa Civil começaram a chegar, lotados de víveres para os flagelados. Na volta, levavam os doentes. Documentamos tudo e, com uma boa conversa do Diego, um dos militares da BM concordou em nos levar de volta à civilização, poupando-nos de duas horas e meia de sol a pino em plena navegada. A principal foto de *ZH* no dia seguinte foi um registro do Diego feito de dentro do helicóptero, com os militares jogando comida às pessoas atingidas pela cheia.

É por essas parcerias, que não hesitam em pegar nos remos, que vibrei ao saber que teríamos time completo na ida ao Chile. Edmundo, Botega e eu percorremos os 2,5 mil quilômetros de Porto Alegre a Santiago em dois dias e meio, dormindo em média seis horas por noite. Uma puxada. Passamos por onze estradas diferentes na Argentina e todo tipo de topografia, da Mesopotâmia argentina (entre os majestosos rios Uruguai e Paraná) ao desértico planalto que cerca Mendoza, na porta de entrada dos

Andes. O pior problema foi a falta de placas indicativas no caminho. Percorremos 1,5 mil quilômetros na Argentina até encontrar a primeira indicação de caminho para a fronteira com o Chile. Antes disso, nada. Fica o alerta aos leitores... Em Mendoza jantamos com Daniel Scola. Exausto após uma semana sem dormir e comer direito, ele estava magérrimo, mas contente pela oportunidade de fazer a cobertura.

Entrar no Chile foi um teste de paciência, um verdadeiro rali. Levamos exatas oito horas para fazer o percurso de 350 quilômetros entre Mendoza (Argentina) e Santiago (a capital chilena), que poderia ser feito em quatro horas. Tudo porque o terremoto abriu verdadeiras valas na estrada asfaltada e forçou desvios em meio a obras que foram abandonadas pelos operários, convocados para o esforço no resgate de sobreviventes em meio a escombros nas cidades. Pior ainda foi enfrentar as quatro instâncias diferentes de burocracias na aduana conjunta chileno-argentina, que de conjunta não tem nada... O documento preenchido num lado deve ser novamente preenchido no outro lado da fronteira.

O consolo veio com a paisagem, lindíssima. Cruzamos ao lado do Aconcágua, maior pico das Américas, com 6.959 metros de altitude, algo que percebemos ao ficar com a respiração ofegante apenas de passar ao seu lado. Estava nevado, em pleno verão. Cruzamos ainda com caravanas de caminhões argentinos levando víveres aos eternos rivais chilenos, numa união comovente. Nas lonas pretas, as palavras *Arriba Chile!*

Chegamos a Santiago em pleno final de tarde. A visão foi um choque. Passarelas desabaram inteiras, outras ficaram retorcidas. Pilares de viadutos racharam e estavam sustentados por estacas de metal. Muros caíram. O mais chocante foi deparar com igrejas destruídas, como a *Iglesia de la Divina Providencia*, situada na avenida 11 de Setembro. Uma cúpula desabou, as paredes internas racharam. É como se a fúria do céu tivesse caído sobre homens de pouca fé — embora os chilenos sejam muito católicos. O que estariam pensando eles? Que simbologias veriam no terremoto?

Passamos uma noite na capital e no dia seguinte rumamos para o interior, onde o bicho tinha realmente pegado. Fomos para a região de Bio Bio, no Caminho Real de La Costa — uma série de balneários belíssimos à beira do Pacífico, entre as cidades de Constitución e Valparaíso. A maioria das dezenas de desaparecidos em decorrência do terremoto estava nessa região — sumiram quando o mar avançou quilômetros, continente adentro. Sim, quilômetros de várzeas, pomares e fazendas foram inundados por água salgada.

O primeiro lugar visitado foi a charmosa Bucalemu. Lá, uma das primeiras pessoas com quem conversei foi a comerciante Gládis Chávez, sessenta anos. Ela dormia a sono solto quando, na madrugada de 27 de fevereiro, ouviu o ruído semelhante ao de um avião a jato sacudindo sua casa à beira-mar. Terremoto, reconheceu. Na hora disparou para uma colina e lá se refugiou, de pijamas, com centenas de vizinhos e turistas. Ainda comemorava o fato de a sua casa ter resistido ao tremor quando viu, no horizonte, uma onda se aproximando e o característico barulho da maré contra rochedos. A parede de água salgada atropelou tudo que encontrou pela frente: pessoas, gado, casas, edifícios.

— A coisa mais pavorosa que vivi — recordou Gládis, que perdeu tudo. Ficou sem a casa, sem as bijuterias e o artesanato que vendia, sem fotos de parentes. Tudo coberto por areia, lama, galhos e água salgada. Sem dinheiro e sem roupas, vivia no quarto de uma amiga, quando a entrevistei.

Após rodar mais de uma centena de quilômetros por estrada de chão, nossa equipe chegou a Iloca. Na realidade, aquilo que era uma cidade simplesmente desapareceu. Mais de duas dezenas de casas foram varridas pelo mar, desmanteladas, viradas de lado, carregadas pelas águas em fúria. As de madeira foram reduzidas a

Terremoto arrasa cidade de Iloca, litoral do Chile, em 2010

Mulher observa o que restou de balneário arrasado por terremoto no Chile

© Jefferson Botega

gravetos, como se um gigante tivesse usado o punho para arrebentá-las a socos. Os campos ficaram coalhados de geladeiras, TVs, computadores e máquinas de lavar. Reses e ovelhas morreram afogadas. Avalanches de areia soterraram pessoas. Quando lá cheguei não havia um cálculo exato de quantas sumiram, porque muitos turistas ocupavam cinco *campings* e desapareceram em meio ao turbilhão do *tsunami*, com barraca e tudo.

O enfermeiro aposentado José Osório, sessenta e cinco anos, tinha saído de Santiago para veranear com a mulher. A residência dele, com três metros de altura, foi coberta pelo mar. E isso porque a casa fica a 300 metros da praia.

— Eu gritava "quero viver, quero viver!". Só sobrevivi porque, depois do tremor, corri para o morro. Muitos mochileiros foram tragados pelo mar — recordou.

Enquanto narrativas deste tipo se sucediam, eu ia emudecendo. O que dizer diante de tanta perda, tanta dor? Fiquei meio acabrunhado. Um circo acampado em Iloca foi demolido e arrastado pelas águas, deixando na areia um rastro de carrinhos, brinquedos e jaulas de animais selvagens, não mais encontrados. Em Iloca e nos balneários vizinhos de Duau e Bucalemu, a rotina dos moradores, quando lá apareci, se resumia a lutar pela sobrevivência. A tentar fazer a próxima refeição, com ajuda do exército, que patrulhava a área, distribuía comida e proibia a presença de estranhos. Encontrei gente que passava o dia na praia, juntando restos do que foi uma cidade. Por toda parte pairava um cheiro podre, de peixes e humanos em decomposição. O odor da morte.

Para redigir o texto sobre o *tsunami* na região de Bio Bio, nossa equipe teve de rodar mais de cem quilômetros num final de tarde, por estrada empedrada, até encontrar internet disponível. Toda a parte atingida pelo maremoto estava sem luz, água potável e sinal telefônico. Só os militares tinham acesso a esses três itens básicos — e não os forneciam a estranhos. Com o esforço e as pedras, o carro começou a apresentar ruídos de todo o tipo. Paramos num mecânico para apertar parafusos variados e seguimos.

Chegamos à noite a Curicó, localidade com economia baseada na extração de cobre, como grande parte do Chile. A destruição ali foi impressionante. Sem exagero, uma em cada quatro casas que vi estava destruída, parcial ou totalmente. Vagamos pelas ruas atrás de lugar para pouso. Parecia uma cidade fantasma. É que o toque de recolher imposto pelos militares, para evitar saques, afastou a população das ruas. Com ajuda de um bombeiro voluntário, conseguimos vaga num hotel. O homem tinha perdido tudo, inclusive a mãe, no desabamento de sua residência. Mas recusou a gratificação que ofereci, comovido com sua ajuda.

— Vocês são muito bem-vindos. Mostrem ao mundo que os chilenos vão resistir — pediu.

Dormimos sem jantar. Em meio à voracidade do café da manhã, em Curicó, senti pela primeira vez um tremor, seguido do enjoo característico que ele provoca. Bebericava um suco, por volta das 8h50, quando o copo começou a se mexer em cima da mesa. Logo uma vidraça no andar de cima estourou e as paredes começaram a ranger, como se estivessem sendo esmagadas. Corremos para fora do hotel, mas a terra se aquietou em menos de um minuto. Os chilenos disseram que fizemos certo. Correr para fora dos prédios é melhor que ficar dentro, para evitar que o teto desabe sobre a cabeça. Se for impossível fugir a tempo, melhor se proteger embaixo de uma mesa de madeira ou do batente da porta, que servem de anteparo à queda de tijolos.

Em oito dias de Chile vivenciei pelo menos oito tremores fortes, daqueles barulhentos. Outros 200 aconteceram, mas de dimensão minúscula. É comum que, logo após um terremoto, vários abalos de menor intensidade se sucedam. Mas desta vez os especialistas conseguiram medir o impacto. Comprovaram que parte do planeta saiu do lugar, em decorrência desses tremores. Conforme estudos das universidades do estado de Ohio e do Havaí (ambas dos EUA), os terremotos deslocaram a cidade chilena de Concepción 3,04 metros no sentido oeste. Já Santiago, a capital, moveu-se apenas 27,7 centímetros, também para oeste. O fenômeno se deve à reacomodação das placas tectônicas, sobre as quais ficam os continentes e os oceanos. O terremoto também moveu pontos distantes do Chile, como Buenos Aires e as Ilhas Malvinas, embora apenas alguns centímetros.

Voltamos à capital, registramos alguns estragos por lá e fomos deslocados a Valparaíso, para a posse presidencial — aquela confusão descrita no começo deste capítulo. O curioso nesse episódio é que entramos de penetras na festa. Graças à simpatia universal de que gozam os brasileiros, os policiais e os agentes de segurança chilenos nos deixaram ingressar no Congresso sem estarmos credenciados para a cobertura da posse. Bastou apenas nosso crachá de jornal do Brasil. Dentro do prédio nos deixaram fotografar, por uma fresta, toda a cerimônia.

Antes de encerrar a cobertura, vivenciamos uma experiência macabra. Em Machali, cidade distante uns 200 quilômetros de Santiago, encontramos um cemitério arrasado pelos tremores. Mais de sessenta túmulos ruíram, incluindo jazigos familiares inteiros. O resultado é que os mortos afloraram, permanecendo sob o sol, a assombrar os visitantes. Retratamos o esforço dos coveiros em sepultar de novo cadáveres que estavam havia mais de seis décadas debaixo da terra e voltaram ao ar livre por obra da invencível força das profundezas. Sinistro é pouco para definir a cena...

Com tanto horror, era preciso um pouco de poesia. E a encontramos — quem diria — num outro cemitério, encravado no lado argentino dos Andes. Situado em frente ao Aconcágua, ele é ornamentado com as botas dos montanhistas que pereceram na tentativa de escalar esse que é o pico mais alto da América. Vários deles estão sepultados ali, de jornalistas coreanos a padres eslovenos, de alpinistas suíços a aventureiros argentinos — esses são maioria, claro. Mais de noventa montanhistas estão enterrados ali.

A maioria dos túmulos tem uma placa, na qual pode ser lida uma pequena biografia e homenagem ao morto. Assustador constatar que tanta gente morre naquilo que deveria ser uma das mais prazerosas atividades de sua vida. Um dos que morreram escalando o Aconcágua é o brasileiro Mozart Catão. Ele foi o primeiro montanhista do Brasil a escalar o Everest, a mais alta montanha do mundo, com seu parceiro Waldemar Niclewicz. Catão morreu em 1998, com outros dois brasileiros, quando uma avalanche os surpreendeu. O cemitério dos montanhistas fica próximo à Puente Del Inca, uma das mais incríveis paisagens dos Andes. É uma passarela de rochas, erodida naturalmente pela natureza sobre um gélido riacho de montanha. Fica também ao lado do Aconcágua. Uma despedida cheia de beleza, para uma cobertura que começou com desespero e mortes.

Acostumado aos rigores do clima e aos maus humores da Terra, o Chile vem se recuperando desde o terremoto. Nada espantoso. Os tremores fazem parte da história e estão incorporados ao cotidiano dos chilenos, desde que eles se conhecem por nação.

Desde o *tsunami* de 2010, o Chile viveu duas outras tragédias relacionadas ao seu tumultuado subsolo. Uma, o sepultamento em vida de trinta e três mineiros numa mina no norte do país. Um drama acompanhado em tempo real por todo o planeta e que teve um final feliz, quando todos os trabalhadores foram resgatados sem lesões graves. Já em 2011 dois vulcões, o Puyhue e o Hudson, resolveram mostrar que estavam vivos e expeliram milhões de toneladas de lava e poeira na atmosfera. O resultado foi o cancelamento de voos em todo o sul da América e também na Oceania, em decorrência das cinzas lançadas por essas montanhas. Apesar de milhares de ovelhas e reses terem morrido, além de pessoas terem sido obrigadas a se mudar de casa em decorrência das erupções, os chilenos resistiram. Exemplo de determinação para muitos povos que preferem se queixar a agir.

PARTE 3

REBELIÕES POLÍTICAS

Bolívia
Equador

BOLÍVIA
Convulsão

Tarde de 13 de setembro de 2008, interior do Departamento de Cochabamba, no altiplano da Bolívia. Índios quéchuas, guaranis e aimarás, armados com arcos e flechas, tacapes e espingardas, cercam a mim e a colegas da *Rede Bandeirantes* de televisão. Alguns mascam folhas de coca para aliviar o calor e o cansaço, com semblante passivo e uma baba verde escorrendo pelo canto da boca. Outros, vestidos com chapéus-coco e trajes multicoloridos tão populares nos Andes, observam com curiosidade meus olhos claros, mas estranham muito mais o *cameraman* da TV, um negro alto. Negros são raríssimos naquela região.

— Acho que vocês são americanos. Não são bem-vindos aqui — me avisa Uleal Torrico, presidente da Federación de Trabajadores Rurais de Yapacari, o mais moderado dentre os líderes dos indígenas. São esquerdistas do Movimento Al Socialismo (MAS, partido de sustentação do presidente boliviano Evo Morales) e do MST (Movimento de Los Indígenas Sin Tierra, uma versão boliviana do Movimento dos Trabalhadores Rurais Sem Terra criado no Brasil). Todos colhem folha de coca para venda. Garantem que é apenas para fazer chá, mas seus opositores asseguram que é matéria-prima do tráfico de drogas.

Compreensível que esses índios pensem que somos norte-americanos. Eles estão impregnados do discurso anti-ianque do presidente Evo, e qualquer forasteiro, no entender deles, pode ser um espião. Ainda mais que equipes de TV do vizinho departamento de Santa Cruz, fazem críticas a Morales e vivem espezinhando os integrantes do MAS. Para aqueles indígenas, repórteres de TV e o diabo deveriam se parecer muito...

De pouco adianta argumentar. Nosso português se revela quase incompreensível para muitos índios, alguns dos quais falam apenas seu próprio dialeto e mal entendem espanhol. O pior é que tínhamos recém-passado por outra barreira, formada por militantes direitistas da União Juvenil Cruceña (UJC, inimigos do MAS e de Evo Morales), que também não acreditaram que éramos brasileiros.

— Acho que vocês são comunistas, propagandistas do Evo. Olha a cara de cubano desse aí. Se forem brasileiros, como dizem, são ligados ao Lula, outro comunista — falara um capitão reformado do exército, líder dos milicianos, apontando também para o *cameraman* negro da *Band*. O coitado tinha sido confundido com os bichos-papões de uma Guerra Fria que persiste na Bolívia, embora decadente em outras partes do mundo.

Pois, horas depois, saltamos do fogo direitista para cair na frigideira esquerdista. Bastou passar uma ponte que divide os departamentos de Santa Cruz (opositor a Evo) e Cochabamba (fiel ao presidente) para mergulhar no meio dos apoiadores indígenas do presidente e entrar numa roubada. Os indígenas nos escoltam, a pé, até uma aldeia, para nos interrogar e decidir o que fazer conosco. Somos levados até um salão paroquial e, como troféus, exibidos a uma multidão que grita "Fora, estrangeiros", "Fora, Estados Unidos"... O repórter Paulo Cabral (da *Band*) e eu somos colocados, sentados em cadeiras de encosto de palha, no meio do salão. Nos xingam e, por fim, nos dão direito a falar. É então que o Cabral, experimentado correspondente internacional da *BBC* e da *Band*, toma a palavra e salva a nossa pele... Como? Daqui a pouco eu conto...

Primeiro é preciso informar como cheguei naquele beco quase sem saída.

Tudo começou na noite de quarta-feira, 10 de setembro de 2008, por si só tumultuada. E bem longe da Bolívia. Eu estava no Rio Grande do Sul. Um tornado, aquele funil de vento que desgraçadamente tem proliferado no sul do Brasil durante a primavera, arrasou um trecho de seis quilômetros entre as cidades de Tabaí e Triunfo, às margens da BR-386 (Tabaí-Canoas).

Eram 18 horas quando a notícia chegou à Redação. Eu concluía o turno de trabalho quando me chamaram para ir ao local destruído. A chuva alagara parte da região metropolitana. Nossa equipe (o fotógrafo Jefferson Botega, o motorista Militão e eu) levou mais de uma hora para sair de Canoas, em direção ao norte do estado. No caminho, árvores arrancadas, painéis destroçados. Quando chegamos a Tabaí o cenário era desolador. Mais de duas mil pessoas tiveram suas casas destelhadas ou com paredes desabadas. Jeff fotografava tudo, atento.

Comecei a mandar material para o jornal, ainda sem jantar, quando o celular tocou. Era a Deca Soares, editora responsável pelo fechamento do jornal (quando as páginas são definitivamente impressas).

— E aí, vâmo dá um pulinho na Bolívia? — perguntou a sempre bem-humorada Deca. Como se fosse ali na esquina...

Confesso que tinha desejado esse convite, desde que a Bolívia tinha sido engolfada numa tremenda convulsão social, naquela semana. Pátria financeira e núcleo duro do empresariado gerador da maioria dos empregos bolivianos, a cidade de Santa Cruz de La Sierra, distante 200 quilômetros do Brasil, estava mergulhada no caos. Dez repartições do governo federal boliviano tinham sido tomadas e saqueadas por manifestantes contrários ao presidente Evo Morales. Eles lutavam por maior autonomia dos departamentos (estados) em relação ao governo central, a quem acusavam de espoliar suas riquezas, via Imposto sobre Hidrocarbonetos (os estados fronteiriços com o Brasil são produtores de petróleo). Na prática, oito departamentos estavam em rebelião contra o governo de Evo.

Zero Hora decidiu pela viagem ao saber que válvulas do gasoduto Brasil-Bolívia tinham sido sabotadas pelos militantes anti-Evo. Como metade do gás natural usado por indústrias e carros brasileiros vem de território boliviano, estava armada a confusão. Já começava a faltar esse combustível no Brasil e não se sabia o que viria depois.

Fiquei surpreso com a convocação, pois não imaginava que o escolhido para ir à Bolívia fosse eu. A *RBS* tinha repórteres multimídia, especializados em mandar material para vários meios de comunicação ao mesmo tempo, tarefa à qual eu não estava acostumado, na época. Mas lógico que eu disse sim — embora estivesse a dezenas de quilômetros de Porto Alegre.

Meu voo sairia ao amanhecer. Terminei de um fôlego só as matérias a respeito do tornado e pedi ao motorista para retornar correndo a Porto Alegre, enquanto devorava um sanduíche. Cheguei no jornal por volta das 23 horas e em minutos peguei dinheiro, *notebook* e equipamentos eletrônicos. Um carro me levou em casa e lá preparei, também em minutos, uma pequena sacola com roupas e documentos. *Checklist* (vacina, medicamentos, livros, blocos de anotações) e deitei para dormir. Foram apenas quatro horas. Por volta das cinco horas levantei, engoli um café puro e fui para o aeroporto.

Passei por três *check-ins* até desembarcar na Bolívia. Não por falha do departamento administrativo, mas porque a TAM em Porto Alegre não fez *check-in* da TAM Mercosur (sua subsidiária para voos latino-americanos). Foi uma correria contra o relógio, cada escala emendando na outra. E tinha ainda o desafio de mandar algo naquele dia para o jornal. Aproveitei cada minuto de voo para dormir.

Numa escala no Paraguai, ao tentar ler um jornal, descobri que tinha esquecido os óculos de grau. Não tive dúvida: comprei óculos daqueles de camelô, numa loja do aeroporto de Assunção. A armação era de um vermelho róseo, mas era pegar ou largar. Levei. Meu grau de astigmatismo é pequeno... Fiquei parecendo um publicitário *nerd*, mas funcionou.

Desembarquei no aeroporto Viro Viro, em Santa Cruz de La Sierra, no meio da tarde, sob um calor infernal. A cidade fica na mesma latitude de Cuiabá, o que serve para dar um parâmetro do inferno do clima. Tudo ali era notícia. Nada funcionava direito no aeroporto: a telefonia estava desligada, tanto a celular quanto a fixa. As torres das empresas telefônicas tinham sido sabotadas pelos opositores do presidente Evo. Fiquei sabendo disso ao ligar os dois aparelhos que trouxe de Porto Alegre (um Vivo e um Claro) e descobrir que nenhum deles exibia sinal.

A coisa piorou ao tentar sair do aeroporto. Manifestantes contrários ao governo Evo tinham bloqueado todos os acessos ao terminal — inclusive para táxis. Como resultado, eu e todos os passageiros tivemos de caminhar 2,5 quilômetros no calor de 38º C, carregando malas. Vi freiras e idosos fazendo isso, o que rendeu fotos. Cheguei morto de cansaço à barreira montada pelos militantes. Ali, esperei numa fila para conseguir um táxi até a cidade. Não pude fazer trâmites aduaneiros, porque os guardas alfandegários (fiéis ao regime de Evo) tinham sido expulsos da Aduana.

— Vamos permanecer aqui por tempo indeterminado. O governo federal cortou nossos impostos, então vamos atrapalhá-los — justificou o líder dos piqueteiros, Mário Morales. Com um alerta: "Cuida aí que não tenho nenhum parentesco com aquele que se diz presidente". Cuidei.

Santa Cruz de La Sierra, cidade de 1,7 milhão de habitantes, estava mergulhada na confusão. Estava isolada — por sabotagens mútuas entre apoiadores e opositores do presidente Evo Morales. Piquetes tinham trancado sua comunicação térrea com outras localidades. E ela está situada num sertão distante pelo menos 200 quilômetros da cidade importante mais próxima.

A balbúrdia não parava aí. Quando cheguei ao centro, grupos de sindicalistas e estudantes se apoderavam das repartições do Ministério da Agricultura e da Impuestos Nacionales, a Receita Federal boliviana. Com isso, as pessoas que desejavam pagar impostos pessoalmente (na Bolívia, declarações via internet são raras) não puderam saldar o compromisso. A intenção dos oposicionistas era clara: cortar o acesso do governo Evo ao fluxo de arrecadação da província mais rica do país.

Feiras de vestuário fechavam as portas, com medo de saques. Aulas pararam. A prefeitura não realizava expediente externo. Impossível fazer queixas no balcão, porque não se tinha acesso ao balcão, nem havia ninguém do outro lado do balcão. O resultado é que buracos começavam a proliferar na bonita capital financeira da Bolívia — sim, Santa Cruz é limpa, organizada e contrasta com a balbúrdia de outras cidades bolivianas situadas nos Andes. E os manifestantes ameaçavam ainda tomar a companhia de abastecimento de água local. Aí, sim, os bolivianos veriam o que é sofrimento, sob um sol que arde mesmo em pleno inverno.

E eu veria o que é sofrimento durante a noite... Primeiro, as boas notícias: após sair da área do aeroporto e chegar ao centro de Santa Cruz, um dos celulares começou a funcionar. Pude então mandar o primeiro boletim para a *Rádio Gaúcha*. Em seguida, achei um hotel que tinha sistema *wireless* de captação de internet. Transmitidas as reportagens, decidi jantar.

Terminada a refeição — um cachorro-quente próximo a um camelódromo no centro da cidade — eu beberiquei uma cerveja.

Para minha surpresa, o taxista que me acompanhava abriu uma latinha de Paceña (a excelente cerveja boliviana) e me acompanhou. Mais uma confirmação de que lei é coisa relativa na Bolívia...

Foi quando vimos uma caravana de caminhões do exército e da Polícia Nacional trafegando a toda por uma avenida. Decidimos segui-los. Mesmo tendo bebido a cervejinha, o motorista tinha se mostrado confiável e conhecedor dos meandros bolivianos. Continuei com ele.

Chegamos numa periferia e os "pacos" (policiais) formaram um cordão de isolamento em torno de uma praça. Do outro lado, jovens com panos brancos cobrindo o rosto e portando porretes acenavam para os policiais, provocando-os. Decidi dar a volta no quarteirão e chegar perto dos manifestantes. Consegui. O primeiro com quem falei, um sujeito com um *tchaco* na mão (um instrumento de luta chinês formado por correntes e bastões), disse que eram militantes da UJC, a organização direitista que deseja ver Evo fora da presidência boliviana.

— Esse governo comunista quer nos amassar. Mas vamos expulsar Evo daqui — vocifera o rapaz.

Em segundos, os jovens juntam pedras e começam a jogá-las contra os "pacos". Os policiais, lado a lado, aparam as pedradas com os escudos antimotim e desandam a correr atrás da multidão. Dão porretadas a torto e a direito, jogam bombas de gás... eu corro com os jovens, tentando fotografar algo, mas minha maquininha de amador não consegue registrar nada mais que borrões na noite escura. De súbito, um cheiro forte que parece ser de mostarda impregna minhas narinas e me faz chorar, mesmo sem ter motivo. É o gás de pimenta despejado pelas granadas dos "pacos". Cara, começo a tossir até quase vomitar... cascatas de lágrimas escorrem pelo meu rosto, tudo arde.

— Água, preciso de água — grito para o motorista, quando o alcanço numa esquina. Ele pede ajuda numa casa e lavo o rosto sem parar, até aliviar um pouco a sensação de carne viva que me aflige.

Militante de extrema-direita bloqueia estrada entre Santa Cruz de La Sierra e Cochabamba, na Bolívia, em 2008

Militantes de extrema-esquerda, do Movimiento de Los Trabajadores Sin Tierra (MST), bloqueiam estrada entre Santa Cruz de La Sierra e Cochabamba, na Bolívia, em 2008

Não fora meu batismo de fogo com gás lacrimogêneo. Em 1980, quando ainda era um indignado aluno de cursinho pré-vestibular, experimentei minha cota de bombas no centro de Porto Alegre. Foi durante um protesto organizado de forma conjunta pelos diretórios de estudantes da PUC e da UFRGS contra a visita, na capital gaúcha, do então presidente argentino Rafael Videla. Morto em 17 de maio de 2013, o general derrubou a presidente Isabelita Perón e inaugurou um ciclo de matanças de opositores políticos que se consagrou como o maior já registrado na América do Sul. Junto a colegas do cursinho, marchei em frente à Praça Argentina e vivenciei os ardores do gás disparado pelo Batalhão de Choque — mais detalhes podem ser conferidos no livro do qual sou coautor, *Os infiltrados*, que trata do regime militar.

É o tipo de experiência que a gente não gosta de reviver. Mas tudo passa. Voltando ao episódio da Bolívia: retornei ao hotel, tomei um banho e pela manhã estava recobrado.

No dia seguinte, após mandar o relato sobre os violentos protestos, me dediquei a buscar brasileiros engolfados pela crise em Santa Cruz de La Sierra. Não foi difícil. Vivem naquela cidade cerca de 12 mil "brazucas" (como os bolivianos os chamam). Em toda a Bolívia são cerca de 450 mil, a maioria dedicada ao plantio de soja ou à criação de gado na faixa de fronteira. Gente migrada do Centro-Oeste brasileiro, em busca de terras baratas. Grupos ligados ao presidente boliviano Evo pressionavam para que a reforma agrária atingisse as terras desses estrangeiros — alguns dos quais foram expulsos. Outros tentavam sair da Bolívia naquele momento, mas não conseguiam, porque as companhias aéreas tinham suspendido voos para o Brasil, pela confusão reinante nos aeroportos.

Tudo isso tornou caótica a vida do outro grande segmento de brasileiros que vive na Bolívia: os estudantes. A maioria dos 12 mil brazucas radicados em Santa Cruz de La Sierra é aluna de cursos de medicina. Buscam ali ensino barato: a mensalidade das faculdades de ciências médicas, na principal cidade do leste boliviano, é de US$ 110 (cerca de R$ 190). Uma similar, no Brasil, custa quase vinte vezes mais. Com um detalhe: algumas universidades bolivianas não exigem vestibular. É o paraíso para jovens brasileiros, especialmente oriundos de estados próximos ao território boliviano, como Acre e Mato Grosso.

A primeira estudante brasileira com quem falei foi Eliana Marques, aluna de medicina em Santa Cruz de La Sierra. Pernambucana, ela é mãe de três filhas e recebera na minha frente, em menos de dois minutos, seis mensagens no celular, pedindo que fugisse para o Brasil. Eram os pais dela, avós das crianças, preocupados com as notícias sobre saques na Bolívia.

Eliana estava na antessala do consulado brasileiro em Santa Cruz de La Sierra, naquele dia abarrotado de compatriotas ávidos por informações.

— Meu pai fala até em fretar um avião, se necessário — desabafou a estudante.

Em dias normais, menos de vinte pessoas buscam auxílio no consulado. Naquela sexta-feira, 12 de setembro de 2008, 200 pessoas aguardavam atendimento. Os doze funcionários do corpo consular estavam quase loucos, pois também tinham de atender a uma média de 200 telefonemas por dia. A dúvida era sempre a mesma: há risco em permanecer na Bolívia? O vice-cônsul Cláudio Bezerra, um paraibano recém-chegado a Santa Cruz, garantia a todos que a convulsão social não tinha como alvo brasileiros. Mas poucos acreditavam. Até porque, no departamento de Pando (fronteiriço com o Acre), três brasileiros foram baleados em distúrbios e foi decretado estado de sítio. No total, catorze pessoas foram assassinadas num confronto entre opositores de Evo (maioria naquele departamento) e aliados do presidente. O decreto de sítio, que impedia movimentações noturnas e permitia prisões sem ordem judicial, ficaria válido para toda a fronteira com o Brasil por semanas, mas disso não se sabia, naquele momento.

Aquele fim de semana foi de balbúrdia em todo o país e as fronteiras com o Brasil foram fechadas. Em parte, por manifestantes pró-Evo. Em parte, por seus opositores. Comitês cívicos de ambos os lados montavam barricadas em frente às aduanas e impediam o trânsito de veículos, a circulação de mercadorias e asfixiavam a economia do país.

Começara o desabastecimento. Víveres escasseavam nas grandes cidades, como Santa Cruz. Mas o pior era a tensão política, crescente. O presidente venezuelano Hugo Chávez oferecera ajuda de tropas ao seu colega boliviano Evo Morales, caso tentassem "derrubá-lo ou matá-lo". Ato contínuo, Chávez expulsou o embaixador norte-americano da Venezuela, acusando-o de conspirar contra o presidente boliviano. No interior da Bolívia, colunas de opositores e leais a Evo ameaçavam se enfrentar. Decidi registrar essa confusão.

Na manhã de sábado, rachei os custos do aluguel de uma caminhonete Toyota com uma equipe da *Rede Bandeirantes* e saímos de Santa Cruz de La Sierra. Nosso destino era a divisa dos departamentos de Santa Cruz e Cochabamba, mas logo enfrentamos um grande obstáculo: combustível. Perdemos mais de uma hora numa fila para abastecer o veículo com diesel. Produtora de petróleo, a Bolívia enfrentava escassez de combustível, tudo porque a crise política parara ou semiparalisara as refinarias.

Aproveitamos para entrevistar dezenas de bolivianos que não se alinhavam com um ou outro lado: queriam apenas tranquilidade para sobreviver.

Rumamos então para a divisa dos estados. Passamos por pelo menos seis barreiras de militantes direitistas da UJC (União da Juventude Cruceña), com seus panos verdes ou brancos nos rostos. Gritavam contra Evo e os comunistas. Numa ponte, na divisa com o departamento de Cochabamba, um bloqueio. Ninguém podia passar. Decidimos deixar nossa Toyota num posto de combustíveis e fomos adiante, a pé.

O calor beirava 40º C. Podia vislumbrar, do outro lado da ponte, uma multidão com bandeiras vermelhas. Fomos, cautelosamente, fotografando e filmando. A cena era impressionante. Mais de mil militantes do MAS e da versão boliviana do MST gritavam, davam ocasionais tiros para o alto e disparavam foguetes. Empunhavam faixas com *slogans* de apoio a Evo ou dizeres como "Fora USA"... Aí aconteceu o que já registrei no início deste capítulo: viramos suspeitos de ser americanos, pecado capital para aqueles esquerdistas.

Fomos cercados, colocaram mãos nos ombros, alguns cutucões com flechas nas costas e assim fomos, caminhando por centenas de metros, até o vilarejo de Yapacari. No caminho, reparamos que a estrada estava totalmente bloqueada e centenas de caminhões aguardavam passagem. Alguns que tentaram furar o bloqueio tinham vidros quebrados ou pneus furados. Resolvemos não reagir.

Levados para o ginásio, fomos obrigados a sentar nas cadeiras de madeira e palha, enquanto a multidão nos xingava. Resolvi silenciar. Foi então que o colega Paulo Cabral, da *Band*, tomou a palavra:

— Companheiros! Somos jornalistas e brasileiros. Vocês podem perceber pelo meu sotaque, não somos gringos. Somos de um país que vocês amam. Vocês conhecem o presidente Lula, do Brasil?

Paulo apelava para um dos mitos dos esquerdistas bolivianos, já que o sonho da maioria deles não é uma revolução, mas reformas ao estilo Lula. O colega continuou na sua catilinária, dizendo que o Brasil não desejava a ruptura política na Bolívia e que Lula não gostaria de ver compatriotas seus prisioneiros de "companheiros" de causa bolivianos.

A retórica funcionou. Um dirigente indígena pegou o microfone, disse que finalmente tínhamos provado ser brasileiros e que esperava de nós "a verdade" sobre o que acontecia na Bolívia.

Peguei o microfone, me comprometi a dar um relato fiel dos fatos e conseguimos permissão para ir embora. Devidamente escoltados pelos sujeitos de tacape, arco, flecha e espingardas.

Prometi e creio que consegui cumprir. O resultado está nessas páginas que você acaba de ler. Tivemos ainda um outro contratempo, no retorno a Santa Cruz de La Sierra. Num posto de combustíveis, um militante direitista da UJC deu pauladas na nossa caminhonete, acusando a imprensa brasileira de ser ligada a Lula — e, por tabela, simpática a Evo Morales. Desagradamos a todos os lados, o que talvez signifique bom jornalismo (pelo menos é a minha esperança...).

E como terminou essa confusão? Bom, os esquerdistas organizaram uma marcha em direção a Santa Cruz de La Sierra, mas tão lenta, que não esperei e, de comum acordo com o jornal, retornei ao Brasil. A manifestação, ao contrário do esperado, não resultou em confronto. Ao saber que seu governo poderia mergulhar num banho de sangue, Evo Morales negociou com seus opositores uma compensação relativa aos impostos e as manifestações, gradualmente, se esvaíram. Apenas no departamento de Pando (junto ao Acre) as coisas continuaram fervendo e o próprio governador teve de fugir para o Brasil, acusado de tramar a derrubada do presidente e se envolver na repressão que resultou em mortes de militantes fiéis a Evo.

As coisas se acalmaram, mas a estabilidade não é o forte em se tratando de Bolívia. Em abril de 2009, poucos meses após minha passagem por Santa Cruz de La Sierra, um grupo de extremistas de direita que estava hospedado naquela cidade foi desmantelado pela Polícia Nacional. Os policiais mataram três homens — um irlandês, um romeno e um boliviano — e prenderam outros dois, um húngaro e um boliviano. Eles foram acusados pelo presidente Evo de serem mercenários contratados para matá-lo num atentado. Os policiais informaram que o grupo teria sido responsável por tiros contra a casa de um cardeal da Igreja Católica, em Santa Cruz. Com eles foi apreendido um arsenal.

Como se vê, para quem gosta de jornalismo de aventura, a Bolívia nunca decepciona.

Evo Morales saiu fortalecido do embate com seus adversários da região fronteiriça. E se reelegeu presidente, em 2009.

EQUADOR
Tentativa de golpe nos Andes

E o Equador, hein? Garrafada no presidente... prisões... baderna. Assim começa um e-mail que mandei a Marcelo Rech, diretor de produto editorial da RBS, na tarde de 30 de outubro de 2010. Eu tinha apenas a intenção de comentar com Rech, experiente em coberturas internacionais, a espantosa balbúrdia em que estava metida a nação andina desde a manhã daquele dia. Aqueles que deveriam garantir a ordem, os policiais, se rebelaram contra o presidente esquerdista Rafael Correa. Até a hora em que mandei a mensagem, o destino dele era incerto.

Para que...Menos de duas horas depois recebi um telefonema da redação, de Sandro Silveira, o ultra-eficiente funcionário do setor administrativo de *Zero Hora*, responsável por organizar viagens.

— Trezzi, não sei se já te falaram...Tão preparando viagem ao Equador e acho que tu foste o escolhido. Tens de estar no aeroporto por volta das 21h.

Em seguida alguém da redação do jornal me ligou, confirmando a viagem.

Eu tinha dois problemas. O primeiro é que já eram 20 horas e eu estava no shopping Iguatemi, muito distante de casa. E precisava passar no meu apartamento, arrumar malas, pegar passaporte e acertar detalhes, antes de ir ao aeroporto. O segundo problema era ainda maior, de cunho emocional. Naquele instante, eu concedia autógrafos de um livro que é um dos meus orgulhos profissionais, chamado *Os Infiltrados*. Uma obra composta em parceria com três colegas de *Zero Hora* e que se baseia numa série de reportagens que traz o perfil de espiões que atuaram na época da ditadura militar. À minha frente, dezenas de pessoas se acotovelavam para confraternizar, beber vinho, bater papo e me parabenizar. Comecei a suar, mas não tinha como recuar. Afinal, fora assuntar com o chefe...

Pedi mil desculpas para quem estava na fila, inclusive parentes e amigos de longa data. Dei tchau e peguei correndo o carro do jornal, que já estava a caminho enquanto eu decidia. Cheguei em casa em 20 minutos, levei 10 minutos para aprontar uma malinha e, por volta de 21h15, estava no Aeroporto Salgado Filho, no *check-in*. No caminho, por telefone, me atualizava da confusão à minha espera.

Equador fervia. Enquanto eu arrumava as malas, o presidente equatoriano Rafael Correa estava encurralado em um hospital de Quito, para onde fora levado após virar alvo de bombas de gás lacrimogêneo lançadas por policiais que protestavam contra uma lei que reduzia seus benefícios. Segundo o vice-presidente, Lenín Moreno, Correa era vítima de uma tentativa de sequestro por parte dos militares e policiais rebelados. O mesmo afirmava o presidente venezuelano, Hugo Chávez — padrinho político do equatoriano Correa — que dizia temer pela vida do colega.

Quando embarquei no avião da Gol rumo a Montevidéu, primeira etapa da viagem, Correa, cercado, usava o celular para falar com uma rádio leal a ele e assegurava, no dramático estilo sul-americano:

— Saio daqui como presidente ou como cadáver. Não vou assinar nada sob pressão, não vou esmorecer.

As coisas ainda iriam piorar, mas eu não sabia. Tentava chegar ao Equador, tarefa àquela hora inviável. É que militares contrários ao presidente Correa tinham fechado o aeroporto e suspendido todos os voos internacionais para Quito. Sandro, do setor administrativo, me aconselhou a tentar algum voo desde Montevidéu e foi o que fiz.

Acreditem, levei 15 horas para chegar a um destino que poderia estar a quatro horas de voo direto de Porto Alegre. Saí da capital gaúcha à meia-noite (a partida atrasou) e, em Montevidéu, passei a madrugada sentado numa cadeira, à espera da abertura dos balcões da Taca, a única empresa que fazia voos a Quito. Esperei, esperei, cochilando sob luzes acesas, até o balcão abrir, por volta das 5h30. O funcionário da Taca que me atendeu disse que os aeroportos do Equador estavam fechados. Então me vendeu passagem para o Peru, retruquei. Consegui.

A caminho do Peru, aquela preocupação terrível: só falta chegar em Lima e me dizerem que os aeroportos do Equador continuam fechados. Imaginei aquela sensação de inutilidade, a perda de sono para nada...os leitores esperando...e, o que é pior, algum colega que chegou mais cedo a Quito mandando material e eu sem poder alcançar território equatoriano. Pesadelos de repórter.

Cheguei a Lima e o pesadelo se concretizou, nas palavras de um funcionário da Taca: o aeroporto de Quito continua fechado. Mas o santo dos repórteres estava de sobreaviso e falou, pela voz de um outro funcionário da empresa aérea.

— Não, não...acabam de reabrir os aeroportos do Equador!

Pedi uma passagem, urgente, e peguei — acreditem! — o último lugar no voo das 10h rumo a Quito. Com o bilhete na mão, tive de correr, com mala e mochila cheia de parafernália eletrônica, para o portão de embarque. Chegando lá, nada de avião. É que o funcionário tinha informado errado o local, conforme outros passageiros e eu descobrimos. Perguntamos onde saía o avião para o Equador e outro funcionário da Taca, mais desinformado que o primeiro, disse: não há voo, está fechado o aeroporto. O pesadelo parecia não ter fim.

Corri pelo aeroporto e vi uma fila enorme, com sujeitos de feições indígenas e narizes aduncos...só podia ser ali. Era. Faltavam dois minutos para fechar as portas quando entreguei o *ticket* e entrei no avião. Foi o primeiro voo internacional a desembarcar em Quito após a reabertura do aeroporto. Estava cheio de jornalistas estrangeiros.

Na capital equatoriana, caos na alfândega. Ninguém sabia quem mandava no aeroporto, se leais ou contrários ao presidente. Quando me perguntaram o motivo da viagem, nem hesitei: "turismo", menti. Atenção, coleguinhas: melhor uma mentirinha inofensiva como essa do que dizer a verdade, que se está lá para cobrir uma tentativa de derrubada do governo. Ainda mais quando os golpistas estavam no controle da alfândega, pelo menos até minutos antes...

Quando me desvencilhei da papelada alfandegária, já eram 13h30 no Equador (15h, em Brasília). Ou seja, quinze horas após decolar de Porto Alegre eu começava a me preparar para reportear, sem saber direito o que acontecia na capital equatoriana. Corria contra o tempo, já que no Brasil anoiteceria duas horas antes. E muita coisa estava acontecendo, me disse o taxista que peguei no aeroporto.

Enquanto eu viajava, Correa resistira a uma tentativa de golpe de Estado. Tudo começou com uma revolta de cunho trabalhista: os policiais reclamavam de cortes no pagamento de bônus e gratificações que vinham acumulando há anos. De olho na oportunidade, veteranos golpistas de farda estimularam uma rebelião maior, que tomou de assalto vários quartéis (inclusive do Exército e da Força Aérea).

O presidente equatoriano disse que a revolta era liderada por Lucio Gutiérrez, um ex-coronel do exército e ex-presidente da República que liderava o principal partido de oposição, o Sociedad Patriótica, muito prestigiado no meio militar e policial. Antecedentes Gutiérrez tinha. Em 2000, ele liderou uma rebelião indígena que resultou na queda do presidente Jamil Mahuad. Em 2005 foi a vez de o próprio Gutiérrez ser afastado do cargo de presidente pelo Congresso, se refugiando no Brasil.

Quando militares leais a Correa começaram a reagir à tentativa de golpe, Gutiérrez mais que depressa se refugiou...de novo no Brasil. Mas aí o Equador estava mergulhado no caos. Quando saí do aeroporto, os protestos dos revoltosos infartavam o trânsito nas vias de Quito, cidade com 2,5 milhões de habitantes situada no coração dos Andes, a 3 mil metros de altitude. Houve saques e depredações generalizadas. Sublevações também tinham ocorrido na litorânea cidade de Guayaquil. Mas o presidente parecia recuperar o controle da situação. Fato raro num país como o Equador, marcado por instabilidade política endêmica. Para quem não conhece: é um dos mais belos países da América. Pequeno, possui um litoral magnífico (Oceano Pacífico), montanhas a perder da conta, muitas delas cobertas de neve eterna e — num contraste magnífico — a selva amazônica em todo seu lado leste. Tudo isso num território diminuto, passível de ser percorrido em poucos dias de ponta a ponta.

Desembarquei num hotel situado há cinco quadras do Palácio de Carandolet (residência presidencial). Deixei as malas e fui direto para o palacete, construído há mais de 200 anos. A imagem era impressionante. O prédio, em estilo colonial espanhol, estava cercado por centenas de militares armados, leais ao presidente. Dei uma olhada, falei com populares e mandei o primeiro boletim para o *site* do jornal, que reproduzo aqui:

Militarizada, Quito respira medo

Após ferver com distúrbios militares e policiais durante toda a quinta-feira, inclusive com ameaça de golpe militar rondando os espíritos mais exaltados, Quito amanheceu em calma. Uma paz relativa, marcada pelo medo. Tropas armadas até os dentes podem ser vistas em toda a parte — policiais, no Aeroporto Mariscal Sucre, ou do Exército, nas ruas. As Forças Armadas, aliás, cercaram o Palácio de Carandolet, onde o presidente Rafael Correa dá expediente, um dia depois de ter sido ferido na rebeliao policial que quase o apeou do poder. Soldados com fuzis e atitudes belicosas impedem a aproximação de qualquer um que não seja do círculo íntimo do presidente.

Curiosos afluem aos magotes para o local onde o presidente discursou, dramaticamente, convidando os golpistas a matá-lo. São mantidos a distância".

Ao tentar fotografar, a primeira decepção: a bateria da máquina estava descarregada. Viera assim desde o Brasil, emendara uma viagem na outra e alguém me repassara, sem restaurar a carga energética. Não pude fazer fotos. A segunda contrariedade veio à noite: o carregador enviado não era compatível com aquela máquina. O resultado é que fiquei sem poder registrar imagens espetaculares do cerco militar ao palácio. A questão das fotos eu só solucionaria com uma máquina emprestada por um colega da TV Brasil, dias depois.

Na transmissão de boletins para a Rádio Gaúcha, outro contratempo: um tremendo *delay* (retardo no envio das ondas sonoras) fazia com que o apresentador no Brasil me ouvisse com segundos de atraso, o que tornava tudo um diálogo de surdos. Além disso, a altitude me deixava ofegante, o que piorava porque tinha de caminhar muito.

Aos poucos fui me inteirando e repassando aos leitores como Correa resistira ao golpe. Foi à bala, ao melhor estilo latino-americano. Um comando de elite militar fiel a ele ingressou no hospital, sob cerrado tiroteio, colocou o presidente numa ambulância e saiu em disparada, sob fogo cerrado. Quando estive no hospital, um dia depois, buracos de bala e marcas de sangue nas calçadas mostravam que o tiroteio não foi brincadeira de criança. O confronto, ali e em outras partes do país, deixou 10 mortos e 183 feridos.

Muitos acusaram Correa de tentar ganhar popularidade com gestos heróicos. A verdade é que exibicionismo não lhe faltou.

EM **TERRENO** MINADO

Num discurso na sacada do Palácio Carandolet assim que foi resgatado do hospital, o presidente afrouxou a gravata, abriu a camisa e mandou os revoltosos atirarem contra o seu peito. Acabou aplaudido. Uma bem-sucedida reviravolta para um presidente que lutava contra a recente queda de popularidade.

Correa, economista de esquerda que gosta de governar plebiscitariamente, costuma desdenhar do Congresso e, com isso, acabou atraindo a ira de gente que prega aventuras golpistas. Ao romper com o liberalismo econômico, atraiu também outros problemas, como a dificuldade em obter crédito internacional. O preço do petróleo, um dos fundamentos econômicos equatorianos, vinha em queda na hora da tentativa de golpe. E, para culminar, Correa vinha sofrendo oposição de ecologistas, movimentos indígenas e alguns sindicatos. Tudo muito comum para quem conhece a rotina nos Andes. Mas tudo muito perigoso para um país como o Equador. Afinal, nos 14 anos antes dessa tentativa de golpe os equatorianos tiveram oito presidentes (média de um a cada dois anos). Dois deles foram afastados pelo Congresso, um sofreu um golpe militar e os demais foram interinos, sem poder efetivo. Durma-se com um barulho desses...

A seguir, outro trecho de reportagem, publicada em 3 de outubro de 2010, um domingo:

Um presidente no olho do furacão

HUMBERTO TREZZI | *Enviado Especial/Quito*

Rafael Correa enfrentou policiais rebelados e se manteve no cargo, mas os tumultos deixaram sua marca na economia

Desta vez não foi o Pichincha — o vulcão nevado que pode ser avistado pelos moradores de Quito — que roncou e despejou sua fúria sobre os equatorianos, como tantas vezes fez ao longo dos séculos.

Não, a convulsão a que o Equador assistiu na quinta-feira foi obra humana. De gente armada. Policiais e alguns integrantes das forças armadas trocaram tiros, pauladas e pedradas com militares leais ao presidente Rafael Correa. E quase que um dos menores países da América do Sul viu, mais uma vez, um mandatário sair pela porta dos fundos do palácio presidencial.

Mas o destino de Rafael Correa foi outro. Ele decidiu negociar e depois enfrentar os revoltosos, que esbravejavam contra uma mudança na lei que os fará perder vantagens que há muito vinham sendo incorporadas ao salário, como gratificações por cargos de chefia e outras benesses. Talvez o presidente tenha calculado mal. Quase saiu morto da refrega. Foi agredido e, depois, enclausurado em um hospital. Acabou salvo e resgatado por uma unidade do exército que se manteve fiel a ele.

Basta perguntar a qualquer equatoriano e ele dirá que Correa deu mais importância que a merecida a um protesto trabalhista (claro, um protesto de gente armada, mas ainda assim uma reivindicação salarial). Por quê?

Há quem veja na atitude quase suicida do presidente equatoriano uma tentativa de ganhar popularidade com gestos heroicos. E esse tipo de exibição não faltou. Ao melhor estilo latino, Correa afrouxou a gravata, abriu a camisa e mandou os revoltosos atirarem contra seu peito. Acabou aplaudido. Uma reviravolta para um dirigente que luta contra uma queda recente de popularidade.

Líder sofre oposição à direita e à esquerda

Correa, um economista de esquerda que é aliado incondicional do venezuelano Hugo Chávez, gosta de governar plebiscitariamente, desdenhando do Congresso. Atrai, com isso, a ira dos que pregam aventuras golpistas. Rompeu com o liberalismo econômico e, em decorrência disso, tem sofrido alguns reveses, como dificuldades em obter crédito internacional e em renegociar a dívida externa, uma das promessas de campanha. O preço do petróleo, um dos fundamentos da economia do país, também vem em queda, o que não ajuda.

Correa também tem enfrentado dificuldades políticas. Sofre oposição à esquerda e à direita, de ecologistas, movimentos indígenas, alguns sindicatos. Nada muito diferente do Brasil, se não houvesse um ingrediente que fez do Equador o país mais instável da América do Sul: a agitação nos meios militares. Os fardados rechaçam, por exemplo, algumas ideias de Correa para as forças armadas, como o fim do serviço militar obrigatório e o uso do exército em tarefas administrativas da estatal de petróleo e na construção de estradas. Ideias made in *Venezuela de Chávez, mas abraçadas com entusiasmo por Correa.*

O certo é que os distúrbios de quinta-feira podem não ter sido premeditados, mas, em um país pequeno como o Equador, pararam tudo. O comércio varejista, que pulula pela área central de Quito e é quase a única fonte de emprego, fechou as portas na quinta-feira por medo de saques e as abriu parcialmente, na sexta. Blasco Peñaherrera, diretor da Câmara do Comércio da cidade, calcula que a paralisação forçada das atividades resultou em perdas de US$ 11 milhões (R$ 18,5 milhões) em apenas um dia.

Bancos e shoppings fecharam as portas

Outra atividade vital na economia equatoriana, a exportação de flores, também foi afetada, já que os aviões carregados de plantas para os Estados Unidos e a Europa não decolaram na quinta-feira e na sexta pela manhã. Ignacio Pérez, presidente de Expoflores (setor que congrega os exportadores do produto), acredita que 350 toneladas de flores não foram embarcadas, uma perda de US$ 1 milhão (R$ 1,68 milhão).

Os principais shopping centers da cidade (CCI, Quicentro Shopping, El Jardín e El Bosque) fecharam as portas, bem como os bancos. O mesmo ocorreu com concessionárias de automóveis, joalherias... tudo que tivesse algo a perder. Cenas semelhantes foram verificadas em Guayaquil, a maior cidade equatoriana. Será que Correa aguenta duas dessas?

A resposta à pergunta acima, que encerra o primeiro trecho da reportagem deste 3 de outubro de 2010, nós, agora, sabemos: Correa aguentou a pressão. Quebrou um pouco da dinâmica política equatoriana, uma das mais instáveis do mundo. Repare na sucessão de acontecimentos descrita abaixo:

A dança da cadeira

Correa é o oitavo presidente do Equador em catorze anos:
— Abadalá Bucaram — Eleito em 1996, foi destituído pelo Congresso em 1997, por "incapacidade mental"
— Fabián Alarcón — Presidente do Congresso, assumiu a presidência do país e governou por um ano e meio, até agosto de 1998
— Rosalia Arteaga — Vice de Bucaram, foi presidente por apenas dois dias, em fevereiro de 1997
— Jamil Mahuad — Tomou posse em agosto de 1998 e foi derrubado em 2000 por uma rebelião de índios unidos a militares revoltosos, comandada pelo coronel Lucio Gutiérrez
— Gustavo Noboa — Vice de Mahuad, governou de 2000 a 2003
— Lucio Gutiérrez — Eleito em 2002, o golpista que derrubou Mahuad tomou posse em janeiro do ano seguinte e acabou ele próprio afastado do poder pelo Congresso, em meio a revoltas indígenas, em 2005
— Alfredo Palacio — Vice de Gutiérrez, ficou no cargo de 2005 a 2007

— Rafael Correa — Assumiu em janeiro de 2007 e foi reeleito em 2009, com mandato até 2013

Apesar do histórico golpista equatoriano, não me espantei com a sobrevivência política de Correa. Pude conhecer um pouco mais dos mecanismos do populismo que sustenta sua permanência no poder na primeira entrevista coletiva que ele concedeu, um dia após a tentativa de golpe. Recluso no palácio presidencial desde os confrontos entre policiais e militares rebeldes e outros que lhe eram fiéis, o presidente falou na manhã de sábado, 2 de outubro. Aproveitou o Enlace Ciudadano (programa semanal de rádio similar ao brasileiro Café com o Presidente) para abordar o que classificou como tentativa de golpe. A fala foi transmitida pela TV e por telões espalhados pela praça em frente à sede do governo, em Quito.

Alguns momentos da entrevista:

Luto pelos "heróis tombados"

Correa começou a entrevista pedindo que todos se levantassem e fizessem um minuto de silêncio, em luto pela morte de cinco pessoas nos conflitos armados que o país viveu na semana passada. Depois, citou nominalmente alguns dos mortos, como o policial Jacinto Cortez ("caiu em defesa do seu presidente", disse Correa) e o estudante Jean Pablo Fernández ("apenas 24 anos, defendendo a legalidade da revolução cidadã que vive o Equador").

Um apelo em favor da democracia

Correa disse que, em uma democracia, todos têm direito de se equivocar, inclusive o presidente. Deu a entender que talvez não devesse ter proposto cortes tão drásticos nas vantagens salariais de militares e policiais — mencionou precipitações em projetos.

— Mas usem as urnas, não as armas — declarou, em um desafio aos adversários.

"Policiais ou um punhado de vândalos?"

O presidente não usou meias palavras para se referir aos policiais que o cercaram e feriram, durante o protesto contra cortes de vantagens.

— Policiais ou um punhado de vândalos? — questionou, sob aplausos de funcionários públicos e admiradores que conseguiram ingressar na sala onde era dada a entrevista.

Recado ao inimigo Lucio Gutiérrez

Correa repetiu estar convencido de que os protestos foram destinados a desestabilizar o país. E prometeu agir contra os líderes da rebelião. Três policiais que comandaram os tumultos tiveram a prisão preventiva decretada.

O presidente também alfinetou seu adversário e ex-presidente Lucio Gutiérrez, que estava refugiado no Brasil, mas liderava a oposição a Correa.

— Maus militares se aliaram a um grupo político conhecido para me tirar do poder. Alguns até gritavam "Morte ao Presidente!", mas estou aqui. Vivo — avisou a Gutiérrez, um ex-coronel do exército que deu um golpe de Estado uma década antes e foi retirado do poder após se eleger presidente.

A entrevista e o pronunciamento, juntos, duraram inacreditáveis QUATRO horas. Milhares de pessoas tomavam a praça, entoando cânticos. Jingles com o refrão "Revolução Ciudadana" ecoavam pelo centro histórico, a cada vez que a câmera focava o presidente. Quando Correa tapou os olhos com a mão, dando a entender que chorava os mortos no conflito, a TV deu um close espetacular e o jingle, mais uma vez, cresceu de intensidade: "Revolução Ciudadana", espocava o alto-falante, seguido de uma musiquinha folclórica andina. Ao final, exausto, me recolhi ao hotel. Tinha material suficiente para dois dias. Correa, como todos sabem, venceu o embate. E eu compreendi um pouco melhor o que se passa na América Populista.

Menos de dois anos depois do incidente, a vitória de Correa soa mais maiúscula ainda. Além de processar e prender os que participaram do levante armado contra ele, voltou suas baterias jurídicas contra órgãos de imprensa que criticaram sua postura no episódio de 2010. Por terem chamado Correa de "ditador" e condenado a ordem que ele deu para disparar contra os militares rebelados, diretores do jornal El Universal (um dos maiores do Equador) e um colunista foram condenados a três anos de prisão por injúria. Mais que isso, estão sentenciados a desembolsar US$ 40 milhões a título de indenização por danos morais causados ao presidente. Os donos do periódico, dois irmãos, se exilaram nos EUA. O colunista escapou para o Panamá.

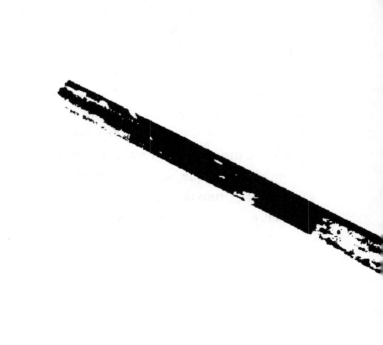

PARTE 4
CRIME ORGANIZADO

Rio de Janeiro
Paraguai
México
Porto Alegre
Reportagem Policial

RIO DE JANEIRO
O carioca ruim de mira

Por duas vezes no espaço de um ano quase morri. Bom, basta estar vivo para quase morrer, a cada dia... Mas esse preâmbulo é para falar que, em duas ocasiões no espaço de doze meses, quase fui morto a tiros — aquela situação que o nordestino chama de "morte matada". Numa, virando alvo a distância, o que talvez fosse menos doloroso. Na outra, imobilizado, xingado e executado como um condenado. Barra pesada...

Vamos optar por uma narrativa em ordem decrescente no tempo. Primeiro, o episódio mais pitoresco e divertido. Estamos em 1994 e o Rio de Janeiro ferve naquele mês de outubro, quando lá chego num dia chuvoso. Vira rotina na Cidade Maravilhosa o bloqueio de túneis por hordas de bandidos, que aproveitam os engarrafamentos para assaltar motoristas. A situação piora quando, no bairro Maria da Graça (zona norte), são assassinados, naquele mês, doze integrantes do bando de Orlando da Conceição, o Orlando Jogador (um ex-cabo da PM que liderava o temido Comando Vermelho, o CV, maior facção criminosa do país). Ele está entre os mortos. É fuzilado numa emboscada liderada por Ernaldo Pinto Medeiros, o Uê, dissidente do CV que criou a facção Amigos dos Amigos (ADA).

A guerra entre as facções se espalha por grande parte das 900 favelas cariocas. As forças armadas ameaçam tomar os morros, algo que se concretizaria um mês depois, numa ocupação que só terminou em maio de 1995. *Zero Hora* envia o fotógrafo Ronaldo Bernardi e eu para conferirmos a situação. É minha terceira incursão ao Rio e seria uma das mais perigosas.

Mal colocamos as malas num hotel no Leme e já saímos, perguntando a um taxista onde é que tem confusão.

— Em toda parte. Qual morro cês querem ir? — questiona o sujeito, um cinquentão baixinho.

Tocamos para a Almirante Alexandrino, a rua do bondinho de Santa Tereza, rodeada de favelas nos dois lados. Era perto, não custava dar uma olhada e ver se teria alguma ação policial. Estamos na subida do morro, junto à favela Fallet, quando ouvimos tiros e vemos um PM abaixado ao lado de uma guarita. Faz disparos com um fuzil FAL calibre 7.62mm contra algum ponto abaixo da rua, no lado direito de quem sobe. Está protegido atrás de uma mureta.

— Para, para — gritamos para nosso motorista, que nem espera duas vezes pela ordem. Abre as portas do Opala Diplomata, saltamos e ele dá meia-volta, roncando motor. Achei que ele iria parar, mas continua, até sumir de vista. Ficamos a pé.

Agachamos ao lado do policial e ele, após recomendar cuidado, aponta com o dedo para uma marquise situada uns 200 metros encosta abaixo. Chove e não consigo ver nada direito. O Ronaldo assesta uma lente 600mm em direção ao ponto indicado pelo soldado e faz sinal de positivo. Aí me alcança a máquina. Firmo a visão e enxergo, com nitidez, dois homens armados se protegendo da chuva. Um deles usa boné do exército, jaqueta camuflada, bermuda e carrega um fuzil FAL, idêntico ao do policial que está ao nosso lado. O outro usa jaqueta com capuz, bermuda e carrega duas armas: uma pistola na cintura e uma submetralhadora HK-MP5 alemã nas mãos. É uma arma incomum, usada no Brasil apenas pela aeronáutica e algumas tropas especiais da PM.

Bandidos, constato, pela mistura de roupas militares e civis que eles usam. O policial explica que os criminosos se divertiam fazendo disparos contra a guarita, até que ele resolveu revidar. Pediu reforços, mas ainda não haviam chegado. Ronaldo decide agir. Ajeita a lente e começa a fazer fotos. Um dos traficantes se esconde. O outro se irrita e aponta a metralhadora contra nós. É mira contra mira! Eu me abaixo atrás da mureta, e Ronaldo se protege atrás de um poste, faz um gesto obsceno com as mãos em direção ao criminoso e continua a fotografar. O bandido dispara então uma rajada em nossa direção. Ouço o pipoco das balas estalando atrás de mim, num muro e ligeiramente acima de minha cabeça. Ronaldo nem pisca: continua apertando o botão. Tira umas quarenta fotos.

Aí o policial decide retrucar: coloca a chave do fuzil na posição *full* e faz uma saraivada de disparos contra os traficantes, que correm para os lados. Quando olho uma última vez, estão subindo um campinho, em nossa direção, seguidos de outros homens.

— Corre que eu seguro eles! — grita o militar, trocando o pente e disparando tiro a tiro contra os bandidos.

Ronaldo e eu saímos correndo ladeira abaixo. Para nossa surpresa, uma quadra depois topamos com o táxi Opala, motor ligado, nos esperando. O motorista pede desculpas, diz ter se afastado apenas por segurança e toca adiante conosco na descida. Ainda cruzamos com viaturas da PM subindo a rua, para apoiar o colega em apuros. As fotos, com uma matéria sobre o caos no Rio, foram publicadas em *Zero Hora* num domingo. São um raro flagrante da vítima enquadrando o atirador e... sobrevivendo.

Em novembro de 2011 um colega, o cinegrafista da *Band*, Gelson Domingos, não tem a nossa sorte. Morre ao filmar bandidos que atiravam contra policiais, na zona oeste do Rio. Ele ainda usava um colete à prova de balas, embora insuficiente para aguentar tiro de fuzil. Ronaldo e eu, nem isso. Só camiseta. Vivíamos a época do romantismo irresponsável no jornalismo policial e mesmo na cobertura de guerra. Graças a Deus, sobrevivemos para contar a história.

* * *

A MAIS FAMOSA CHACINA, VIGÁRIO GERAL, 1993

O Rio é — de todas as zonas de risco que conheci na profissão —, a que mais frequentei. Fiz mais de quinze coberturas de violência em território carioca. Conheci a cidade maravilhosa pelos fundos — as favelas — antes mesmo de fazer lá algum turismo. Era um tempo de inépcia governamental, em que os bandidos começavam a dominar a periferia.

Na madrugada de 28 de agosto de 1993, um domingo, quadrilheiros do CV executam PMs que patrulham a favela Vigário Geral, na zona norte. Eu estou de plantão em Porto Alegre e até reescrevo a notícia, recebida por agência, para uma nota em *ZH*. Menos de vinte e quatro horas depois, vem o troco dos amigos das vítimas. E que vingança... Um esquadrão da morte formado por policiais civis e militares chacina vinte e um moradores da favela. Nenhum deles têm antecedentes criminais.

Na segunda acordo cedo com um telefonema de Élvio Schneider, na época chefe de reportagem da editoria Geral, onde trabalho.

— Lava o rosto e pega umas roupas. Vais para o Rio. Teu avião sai às 10 horas, cara — avisa de bate-pronto.

Pulo da cama, arrumo uma malinha e corro para a porta do meu prédio. Em minutos um carro do jornal aparece, trazendo junto o fotógrafo Ronaldo Bernardi. No caminho, pelo rádio, vamos nos inteirando do tamanho do massacre: a maior chacina já registrada no Brasil. Famílias inteiras foram mortas dentro de casa. Na cama. Assistindo TV. Até no banheiro, lendo jornal.

No avião não contemos a ansiedade. Pudera, todos os jornalistas nacionais e estrangeiros rumam àquela hora para Vigário Geral e nós, literalmente, voando para o Rio. Desembarcamos no aeroporto do Galeão, colocamos as bagagens no porta-malas de um táxi e tocamos direto para a favela, que fica perto. Acredite: quando chegamos lá, os corpos ainda estão estendidos no chão! Como? É que, na sua revolta, a comunidade impede a polícia e a perícia de entrar na vila. Montam barricadas e só as afastam no início da tarde — justamente na hora em que desembarcamos na favela.

Ronaldo faz muitas fotos, eu entrevisto moradores, mas o filé não está conosco. O texto final do massacre fica reservado para Fernando Gabeira, na época correspondente de *ZH* no Rio. Virtuose em jornalismo, natural que a bola fique com ele. Combinamos que eu farei alguma investigação sobre a autoria das mortes, enquanto Gabeira cuida de descrever — com elegância, como sempre — o ambiente. E assim é feito.

No segundo dia, amanhecemos, Ronaldo e eu, na favela. Gabeira fica de novo com a parte nobre da cobertura, o sepultamento das vítimas, que seria no Cemitério do Caju. O enterro é apoteótico. O CV manda flores em homenagem aos mortos. A manchete de *O Dia*, feita pelo jornalista Tim Lopes, não pode ser mais sintética: "Flores do Mal", numa alusão ao título de Charles Baudelaire no seu poema mais famoso. Tim, aliás, acabaria esquartejado por bandidos do CV, anos depois, num macabro episódio que também cobri. Mas em 1993 os tempos ainda eram de discreto respeito entre bandidos e repórteres.

Peregrino por Vigário Geral, em busca de assunto. Uma das raras favelas cariocas não situadas em morro, aquela comunidade foi construída por migrantes nordestinos junto a uma via férrea. Controlada pelo Comando, é separada apenas por uma rua interna da favela Parada de Lucas, na época governada pelos rivais do CV, ligados ao Terceiro Comando (TC). Fotografamos prédios de escolas e casas repletos de marcas de balas. Conversamos com crianças que tinham de pedir permissão aos traficantes para ir à aula. Sim, isso acontece toda hora na cidade maravilhosa. Mas falta algo...

Encostamos num boteco e pergunto aos frequentadores onde está a "rapaziada do movimento". Em bom carioquês, onde ficam os traficantes. Os clientes emudecem. Troco de assunto, procuro me mostrar amigável e simpático, digo que sou um repórter gaúcho e pago uma rodada de cachaça para todo mundo. Reconquisto a simpatia geral.

Minutos depois entra no bar um rapaz magro de bermudas e um revólver na cintura. Pergunta se sou eu que quero saber do "movimento". Confirmo. Ele diz para segui-lo. Vamos, Ronaldo e eu, um olho à frente e outro atrás. Nos esgueiramos pelas vielas de chão batido e, numa clareira, topamos com uma roda de rapazes, com panos enrolados no rosto, lembrando um pouco guerrilheiros... Não portam armas. Estão agachados, fumando maconha.

O líder deles é o próprio magricela que nos conduzira, um moreno com sotaque nordestino, que dá a si próprio o apelido de Stallone. Sou direto: pergunto quem fez a chacina de Vigário Geral.

— Ué, todo mundo sabe... Foi um esquadrão. PMs do 9º (batalhão que patrulha Vigário Geral), misturados com os do 15º BPM (da cidade de Duque de Caxias) e os tiras da 59ª DP (policiais civis de Duque de Caxias), os de sempre. Querem dizer que é guerra do tráfico, mas nós estamos em paz — responde um dos rapazes, um sarará baixo e de olhos verdes, chamado Vinícius.

Todo mundo sabe, menos eu, me espanto. Peço nomes. Eles desfiam uma série de apelidos: Cavalo Louco, Borjão, Nelsão... E eu, anotando. Naquela época, nomes eram publicados em jornais, mesmo quando não se conseguia ouvir o outro lado da questão. Ao acusado, se fosse o caso, se reservava um espaço no outro dia. Hoje tudo mudou e muita reportagem não sai sem a fala dos acusados.

Mas eu quero mais, muito mais. Pergunto por que a quadrilha não reagiu, defendendo a favela, já que eles são em torno de cem traficantes. Ele afirma que era a ordem de Flávio Negão, o chefão de Vigário Geral. Peço que me descrevam a rotina do tráfico. Fazem isso sem rodeios. O movimento é de setenta papelotes de cocaína (um grama) por noite de semana, subindo para 280 pacotinhos no sábado e outros 280 no domingo. A cocaína custa três vezes mais que a trouxinha de maconha.

— No fim de semana isso fica cheio de filhinho de papai — debocha Stallone.

Vários confessam que não conhecem o mar, porque nunca saem da favela. Nem para ir a um cinema, muito menos praia. A rotina é feita de cantorias de *rap*, o namoro com as meninas cheias de fetiche por armas, bebida, cocaína...

— Eu até queria ir à praia, mas fica ruim, né... Todo mundo olha estranho para a gente, os "contras" podem nos pegar. Tem de fazer festa na maloca, mesmo — reclama Vinícius, um adolescente com uma pistola presa no calção.

Eu mal acredito. Tenho ouro jornalístico nas mãos, uma exclusiva com os gerentes do tráfico na favela que é a notícia internacional do momento. Ronaldo e eu somos escoltados até a saída de Vigário Geral e nos despedimos. Tomamos uma canha na primeira birosca da saída, comemorando. Vamos para o hotel, peço máquina de escrever emprestada e escrevo o material de um só fôlego, enquanto o fotógrafo revela no banheiro os filmes (sim, aqueles são tempos de datilografia e laboratório com produtos químicos para preparar as fotos...).

Zero Hora estampa nossa matéria na capa no dia seguinte, com a palavra EXCLUSIVO encabeçando a manchete: Traficantes falam da chacina de Vigário Geral. Os nomes e apelidos dos supostos assassinos saem, sem cortes. No mesmo dia, as corregedorias das polícias Civil e Militar começam a prender policiais suspeitos do massacre, alguns dos quais tiveram o nome publicado, em primeira mão, por *ZH*. Nos anos subsequentes, cinquenta e dois policiais civis e militares são acusados pela chacina. Desses, treze acabam expulsos da corporação e cinco são condenados.

Para minha alegria, os jornais cariocas repercutem nosso furo. A agência *Jornal do Brasil* publica matéria na qual menciona meu nome e reproduz grande parte do meu texto. O jornal *O Dia* também noticia, dizendo que os traficantes de Vigário Geral tinham dado entrevista ao jornal *Zero Hora*. No meu retorno a Porto Alegre, muitos cumprimentos e uma surpresa: sou promovido, por ordem do diretor, Augusto Nunes.

* * *

QUASE VOU PARA A VALA

Este episódio tem continuidade em pouco tempo. Da euforia, vou à autossuficiência. E quase termino mal, por isso. Dois meses depois da chacina, após o furo de reportagem, me sinto prestigiado ao ponto de pedir novas viagens. Volto ao Rio em novembro de 1993, em companhia de Ronaldo Bernardi. Faz um calor infernal e vamos, de bermuda e camiseta, direto a Vigário Geral. A ideia é conferir como está a favela no pós-massacre. Levamos na bolsa cópia das fotos dos traficantes feitas na época da chacina, para presenteá-los — atendendo a um pedido feito, quando os fotografamos.

O ambiente, lógico, é muito diverso daquele da época da chacina. Nada de repórteres, policiais, ONGs de Direitos Humanos... Só moradores caminhando, na dura rotina diária. O sol se põe à tardinha, jovens jogam bola num campinho de chão batido, o visual é até poético. Numa esquina, uma menina de uns catorze anos fuma um beque de maconha, estraçalhando a poesia e nos transferindo sem escalas de volta à dura realidade da favela. Perguntamos a ela sobre a "rapaziada do movimento". A garota dá uma risada e avisa: "dobra a esquina, que tão por ali".

Dobramos. Vemos uma aglomeração de rapazes em torno de um rádio e toca-fitas gigante. O *rap* emanava dos alto-falantes. Um dos jovens plantava bananeiras e girava o corpo com o pescoço apoiado no chão, numa acrobacia muito em voga entre funqueiros, sob aplausos ritmados dos amigos. Parece cena de videoclipe de Michael Jackson. Devem ter copiado da TV.

Vejo que eles levam algo pendurado em cintos pelos ombros, mas estamos contra o sol e só percebemos as silhuetas.

Ronaldo assesta a lente e mira na rapaziada. Um deles nota e aponta algo contra nós, gritando:

— Que é isso, rapaz? Você aperta aí, eu aperto aqui!

"Aqui" é o gatilho de uma submetralhadora Pistol Uzi, arma automática israelense do tamanho de uma pistola (daí o nome...). Só tinha visto em filmes. Agora estou ali, na mira do bandido. Num rasgo de lucidez, Ronaldo baixa a câmera e não faz a foto. Para quem conhece o colega, um baita sacrifício. Ronaldo é daqueles fotógrafos fanáticos, que leva câmera até no banheiro.

Os criminosos caminham e nos cercam, sem pressa. Noto que levam pendurados fuzis AK-47, Colt AR-15, Remington e FAL. Perguntam o que perdemos por ali. Nada, respondo. Explico que estamos atrás da "rapaziada do movimento", para atualizar a situação na favela, ver o que aconteceu após a chacina, entregar umas fotos. Eles parecem nem ouvir o que falo, estão paranoicos. Um dos bandidos pergunta se conhecemos alguém ali. Menciono "Stallone" e saco da bolsa do Ronaldo uma foto ampliada do rapaz que nos guiara pela favela, um dia após a chacina. Resposta errada, deduzo, pelo silêncio. Percebo que algo vai mal.

— Esse aí já era. Vacilou — resumiu um criminoso.

Fico tenso. Um racha ocorrera na quadrilha, imagino. Para nosso azar. A situação piora quando um dos traficantes, um sarará de cabelo amarelo, repara no cabelo escovinha do Ronaldo, curtíssimo, e desconfia.

— Ih, rapaz, acho que tu é PM...

O fotógrafo diz que não é policial. O sarará insiste, apontando a Uzi para a cabeça dele e reafirmando: "PM, tu é PM...". Para meu espanto, o Ronaldo — um dos sujeitos mais corajosos que conheço — desafia o traficante:

— Tira essa arma da minha cabeça, senão tu vai levar o maior pau da tua vida.

Rapaz... para o quê! Os bandidos apontam todas as armas para nós, agarram nossos braços e colocam para trás das costas. Discutem entre si. Um deles, o sarará, grita:

— Leva pra vala, leva pra vala!

Numa fração de segundos, entendo tudo. Vou ter um fim miserável, jogado numa valeta, todo furado a tiros. Isso se não me torturarem antes.

Mas meu funeral ainda não está decidido. Os outros dizem para esperar, que nosso sotaque é estranho, poderíamos estar falando a verdade... Começo a suar. Nos empurram, aos gritos, enquanto moradores vão se aproximando. Parece um circo romano, no qual somos animais em exibição. A molecada ri do nosso aperto. Eu permaneço sério. Uma tentativa de manter a dignidade. Ainda me recuso a crer que o fim será assim, de repente, por um mal-entendido, sem chance maior de defesa. Sem poder conferir o epitáfio, sem dar dicas ao meu biógrafo, sem pedir desculpas a quem machuquei no passado. Sem adeus aos familiares. Sem nada. Apenas uma execução. Mais uma, no currículo daqueles miseráveis. Mas logo eu?

Aí me lembro do nome de outro traficante que nos concedera entrevista dois meses antes, Vinícius. Não tenho foto dele, mas o

Pedestres observam cadáver de traficante na Vila da Penha, Rio, em 1994

Traficante do Comando Vermelho, na favela de Vigário Geral, mostra marcas de bala no poste, em 1993, logo após a chacina de vinte e um moradores

© Ronaldo Bernardi

Traficante se preparando para atirar em mim e no Bernardi, no Morro da Providência (Rio), em 1994

© Ronaldo Bernardi

Matador Serginho da Doze, encapuzado, relata as execuções de que participou na Baixada Fluminense

descrevo aos bandidos. Um deles ordena a outro: "Chama o Vinícius". Começo a sentir um fio de esperança.

Do campinho onde jogam bola um dos rapazes sai, junta uma pistola numa moita, bota no calção e vem caminhando, displicente, em nossa direção. Devagar, devagar demais para meu gosto. Reconheço o sarará de olhos azuis, Vinícius.

— Ô, gaúcho, que tu tá fazendo aqui? — pergunta ele.

Suspiro. Me dou conta de que estamos salvos. Vinícius olha para os colegas e confirma que pedira mesmo cópias das fotos a nós. Pelo jeito, é um sujeito de credibilidade. De imediato, os traficantes baixam a guarda e tiram os dedos dos gatilhos.

Soltam nossos braços e o Ronaldo tem, então, condições de pegar as várias fotografias que carrega dentro da bolsa. Elas mostram os quadrilheiros, sem armas ou apenas com revólveres, com panos no rosto, meses antes. Aí os sujeitos mudam de postura e exibem seu lado criança. Riem, apontam o dedo para algum conhecido nas fotos, mencionam apelidos. Estão faceiros. E eu, mais ainda...

Vinícius pede desculpas pelo perrengue e traz uma sacola preta. Abre. Dentro dela estão vários saquinhos de cocaína embrulhada (sacolés).

— Pega aí, leva para sua terra.

Recuso. Com tato para não fazer desfeita, argumento que não é possível, que a alfândega nos prenderia. Os bandidos se mostram compreensivos. De ser presos eles entendem...

Nos despedimos com tapa nas costas dos sujeitos. Desejamos boa sorte. Me sinto um hipócrita — a vontade que tenho, no íntimo, é que vão todos para a puta que pariu. Afinal, quase me mataram por bobagem! Mas me contenho, disfarço. Ainda estamos saindo de Vigário Geral quando parte dos quadrilheiros se empoleira numa picape Saveiro, armas a tiracolo, e saem, guinchando pneus e abanando. Para onde vão? Melhor não perguntar. Algum bonde (que é como os cariocas chamam o comboio de bandidos escoltando algo valioso). A matéria sobre nossa quase morte sai pequena, dentro de uma série sobre a violência carioca. Detalhes, mesmo, só aqui, neste livro. E em conversas de bar.

ENTREVISTA COM O MATADOR

Volto ao Rio várias vezes desde então. Muitas são as ocupações das forças armadas nos morros. Numa delas entrevisto, com Ronaldo Bernardi, um matador de aluguel: Serginho da Doze. O material é publicado ao final de uma série sobre violência, em 6 de novembro de 1995, com o título "Uma vida custa de CR$ 100 mil a CR$ 1 milhão". Só omito, na época, quem foram os primeiros a intermediar contatos para a entrevista: policiais civis da baixada, apresentados por um repórter do jornal *O Dia*. Nós os convencemos a contatar pessoas que conheciam o matador. Confira:

Os setenta e dois grupos de extermínio identificados na Baixada Fluminense mataram 7 mil pessoas desde 1990. São 300 assassinos agindo na região. Zero Hora *entrevistou o integrante de um desses grupos, e revela hoje a personalidade e o cotidiano dos homens cuja profissão é matar.*

Rio — Sérgio é um matador profissional. Mata por dinheiro. Muito ou pouco. Tudo depende do status *da vítima. Só faz uma exigência: que o alvo tenha antecedentes criminais. "Um serviço como o seu: você escreve, eu mato", define, conversando com o repórter. Ele é fã da espingarda calibre 12 e por isso fez fama em uma pequena cidade da violenta Baixada Fluminense, com o apelido Serginho da Doze. Atuava como informante da polícia, mas as boas relações cessaram com o cerco movido pelo Ministério Público Estadual aos grupos de extermínio do Rio.*

Serginho não tem pena de matar. Tem é medo de morrer. Brigou com companheiros e agora circula angustiado. Teme ter sido condenado, como suas vítimas. Até mudou de cidade, mas continua exterminando vidas. Matou treze pessoas. Para cada uma dessas mortes poderia pegar entre doze e dezoito anos de cadeia.

Zero Hora fez contatos com integrantes de dois grupos de extermínio. O primeiro deles, formado por policiais militares, não topou a entrevista porque desconfiou de uma cilada. A gangue de Serginho aceitou, após duas noites de encontros com um caminhoneiro em Nova Iguaçu, que conhecia os matadores.

Os repórteres esperaram cinco horas no quarto da casa do motorista. Serginho, mulato com uns trinta e cinco anos de idade, já entrou colocando capuz. Revistou os jornalistas, o banheiro da casa, e impediu gravações. Abriu a maleta, tirou uma espingarda calibre 12 de um único tiro (parecia artesanal) e começou a falar. "Tô com pressa, não posso ficar muito tempo no mesmo lugar", avisou. Olhava para os lados, fumava um cigarro atrás do outro, mexia na arma. A tensão cresceu e a entrevista foi interrompida quando ele exigiu dinheiro para continuar. Explicamos que não pagamos, ele diz que só faz coisas por dinheiro. Saiu brabo e nós, com medo.

Humberto Trezzi — *Quando e por que você começou a matar?*

Serginho da Doze — *Eu mato por dinheiro, esse é meu ganha-pão. Há quatro anos que faço isso. A minha parada (serviço) é quebrar os outros (matar). Comecei por outro motivo: um cara num bar deitou prosa para cima de mim, me tirou para otário. Marquei bem o rosto dele, busquei dois amigos e fomos pegar ele em casa. Levamos para um valão e matei o sujeito com um tiro de revólver 38, no meio do rosto.*

HT — *Sentiu remorso?*

Serginho — *Custei a dormir naquela noite. No segundo dia melhorou e, depois, não senti mais nada. Faço isso para viver e também para acabar com meus inimigos.*

HT — *Quantos você matou?*

Serginho (com orgulho) — Pessoalmente, matei oito pessoas na baixada e cinco no Rio. O meu grupo fez muito mais gente sambar (morrer). Mudei de arma, agora prefiro a calibre 12 (espingarda). Nem precisa mirar, o serviço fica mais seguro e mais rápido. Por isso me chamam Serginho da Doze.

HT — *O que as pessoas falam quando vocês chegam?*

Serginho — Falam nada. Falar o quê? É só morrer, sem conversa. Eles sabem que tão na falha, vivem no erro e têm de pagar por isso. Só mato gente sujeira, com passagem na polícia, que vive do crime. Se eu receber uma encomenda errada, para matar um inocente, vou atrás de quem encomendou e faço ele tombar (morrer).

HT — *Os condenados não têm direito a apelar?*

Serginho — Um deles me pediu uma vez: "Pelo amor de Deus, não me mata!". Tive de esclarecer para ele: "Deus não tem nada a ver com isso, meu chapa, é coisa de homem mesmo. E tu é a bola da vez". Ele morreu quieto.

HT — *Onde vocês fazem o serviço?*

Serginho — Depende. Às vezes a gente pega o sujeito em casa. É mais difícil, a família assiste, é aquela choradeira. Melhor pegar na rua e botar num carro. Ele tomba num terreno, a gente tem um monte de local de desova.

HT — *Muita gente costuma deformar o corpo dos mortos, para que eles não sejam reconhecidos. Vocês fazem isso?*

Serginho — Negativo. Gosto de deixar o presunto bem exposto, pra quem encomendou saber que o serviço foi feito. Quem gosta de sumir com o corpo é o Esquadrão. Jogam no Guandu (rio que corta a Baixada Fluminense). Uns amigos meus cortam a cabeça do cara, quando o sujeito é bicho ruim, mesmo. Jogam perto do território dele, pro pessoal se aquietar.

HT — *Vocês não são do Esquadrão?*

Serginho — Tá por fora, meu chapa. Esquadrão da morte é a polícia. Civil ou militar. A gente é matador, pessoal do extermínio. Que mata por dinheiro. Contratou, eu faço o serviço, desde que o jurado seja sujeira.

HT — *Como vocês se chamam entre si?*

Serginho (irritado) — Ô, meu! Tá me tirando pra lóqui (bobo)? Tá querendo saber demais.

HT — *Quem contrata? Quanto custa?*

Serginho — Depende. Em geral é comerciante, mas tu mesmo pode contratar. Se desconfio, não faço o serviço. Cada morto tem um preço. Gente como você sai uns CR$ 100 mil. Empresário, até CR$ 1 milhão.

HT — *A sua família sabe da sua vida profissional?*

Serginho — Não tenho família. Sou solteiro.

HT — *Você está consciente de que pode pegar uns 100 anos de prisão?*

Serginho — Vou para a cadeia, não. Tá chegando a minha hora.

HT — *Você é religioso? Não se arrepende de nada?*

Serginho — Acredito em Deus, mas não tenho religião. Nem me arrependo. É a vida. Tem gente atrás de mim, também.

Nunca mais vi o matador, nem ouvi falar dele.

* * *

OS TRIBUNAIS DO TRÁFICO

Em 2002, sou encarregado pelo jornal de fazer aquela matéria que nenhum colega gosta: cobrir o assassinato de um companheiro. Ocorre que bandidos acabam de confessar a execução de Tim Lopes, a quem eu conhecera nove anos antes. Sou um dos primeiros a saber, por meio do colega Giovani Grizotti, repórter de TV que na época fez parceria com Tim em reportagens para lá de investigativas. Os dois usavam e abusavam da câmera oculta. Flagravam criminosos no ato.

A diferença é que Tim acabou se descuidando. Numa dessas ações, é morto. Ficamos sabendo porque alguns traficantes da Vila da Penha são convencidos pelos policiais a revelarem onde esquartejaram e queimaram o repórter. Do Tim, mesmo, só aparecem pequenos fragmentos de ossos.

Aqui se faz necessário um pouco de reflexão. Duro dizer, mas Tim errou. Nem sequer seu motorista sabia qual a missão dele no morro. Mesmo com orientação para avisar o jornal caso ele demorasse, a demora não estava quantificada. O resultado é que, quando avisou, tudo indica que Tim já estava morto. Tiramos várias lições dessa tragédia. Uma delas é manter com o jornal um esquema de segurança — em alguns casos, mesmo com policiais de confiança. Ao menor sinal de desaparição do repórter, acionar a polícia. Informar sempre a algum editor onde e o que está fazendo. Procedimentos básicos. Digo isso com consciência de que eu mesmo e meus colegas não adotávamos esses cuidados, antes do episódio envolvendo o Tim.

Na época da morte de Lopes, fiz uma reportagem intitulada *Os Tribunais do Tráfico*, em que relato execuções a sangue-frio praticadas por bandidos cariocas. Uma delas é documentada pela polícia federal quando escutava telefonemas de Luiz Fernando da Costa, o

EM **TERRENO** MINADO

Fernandinho Beira-Mar. Desde o Paraguai, ele comandava uma sessão de tortura contra Michel Anderson do Nascimento, um motorista de ônibus suspeito de ter um caso com uma de suas namoradas, Joelma Carlos de Oliveira. Os corpos dos dois nunca foram encontrados, mas a ordem para o crime é registrada em gravação. Eis o diálogo:

>Beira-Mar — E aí, tudo tranquilo?
>Michel — Tô todo cortado, as duas orelhas... e os dois pés. O dedo tá pendurado.
>Beira-Mar — É mesmo? E a orelha? Orelha é gostosa?
>Michel — Se eu soubesse, nunca teria me envolvido.
>Beira-Mar — Garanhão, é?
>Michel — Não, senhor.

Beira-Mar pede para falar com o carrasco.

>Beira-Mar — Ô Bomba, dá mais um couro bem dado. Daqui a dez minutos eu ligo.

Passam-se os dez minutos.

>Beira-Mar — Como tá?
>Voz do Bomba — Tá sem as duas mãos ele, patrão. Sem as duas orelhas, sem os dois pés, falando ainda.
>Beira-Mar — Deixa eu falar com ele... E aí, tranquilo?
>Michel — Tô todo quebrado.
>Beira-Mar — Todo quebrado, porra? Você é gostosão, gosta de comer mulher de vagabundo... Me passa pro Bomba.

Ouvem-se cinco tiros.

>Beira-Mar — Tá bom. Manda sumir, manda sumir.

E tem gente que ainda justifica a "luta social" dos traficantes, penso, ao ler a transcrição do diálogo.

ORDEM NO RIO DE JANEIRO

Numa das viagens ao Rio, depois dos anos 90, lembro-me de uma ocasião em que bandidos do CV tentam tomar o Morro do Dendê, controlado pelo Terceiro Comando e situado na Ilha do Governador (onde fica o aeroporto do Galeão, agora rebatizado Tom Jobim). Saio do avião e reparo numa caravana de veículos da polícia civil, serpenteando morro acima. Peço ao taxista que siga, enquanto escuto no rádio notícias dos combates. Na subida, carros fumegantes, buracos de bala espalhados pelos muros e corpos. Os policiais escoltam peritos que vão examinar os cadáveres. Um dos mortos é um negro forte, de bermudas. O rosto parece intacto, com um furinho de bala. Quando o médico vira a cabeça para o lado, a cena é de terror: não existe o outro lado. Toda a parte esquerda da face tinha sido arrancada na trajetória de saída do projétil de fuzil.

A maioria das vezes em que retorno ao Rio é para acompanhar incursões das forças armadas nas favelas. Em 2009, começo a perceber que a situação está mudando — para melhor. Por sugestão do jornal, checo como estão as principais Unidades de Polícia Pacificadora (UPPs), postos de policiamento comunitário implantados onde antes mandava o tráfico. Munido de câmera oculta, subo o morro Dona Marta, as favelas do Cantagalo e da Providência e vou ainda à mítica Cidade de Deus. Não vejo bandidos armados. Circulo onde quero, sem ser importunado. Bebo nos bares. Me sinto cidadão. Não custa lembrar que, se tivesse tentado isso anos antes, seria barrado no primeiro quarteirão de caminhada por uma quadrilha armada. Sei bem, porque isso ocorreu.

Com tantas idas e vindas ao Rio, começo a achar que nada mais me surpreenderia. Mas uma das mais intensas experiências ainda estava por vir. Ela aconteceu em novembro de 2010, quando o mundo inteiro assistiu a uma cena rara e impressionante: centenas de bandidos armados, numa fuga desesperada, correndo morro acima na Vila Cruzeiro, zona norte carioca. Pela primeira vez em duas décadas, a bandidagem recua em massa ante o avanço armado do poder público.

É uma contraofensiva, depois de uma semana de ataques do Comando Vermelho à população civil da cidade, com incêndios de ônibus e carros. Os criminosos usam táticas terroristas para tentar dissuadir o governo de transferir seus líderes para outros estados. O governo não cede e contra-ataca. Os criminosos acabam sitiados por 400 policiais civis e militares, com auxílio de treze blindados e alguns pelotões da marinha. São tanques, caveirões do Bope, camburões da polícia civil, uma caravana bélica desfilando pela avenida Brás de Pina, principal acesso à Vila Cruzeiro.

Acuados, os delinquentes escapam, armados de fuzis, pistolas, escopetas e metralhadoras, deixando companheiros feridos pelo caminho. Não é uma fuga sem resistência. Um blindado da marinha leva oito tiros e fica inoperante. Um caveirão da PM tem os pneus furados. Algum criminoso explode uma bomba no supermercado Guanabara (próximo à Penha), deixando um homem ferido e três veículos danificados. No troco da polícia, pelo menos oito bandidos são mortos.

Transmitidas ao vivo pelas emissoras *Globo* e *Record*, as cenas dão ao Brasil, creio que pela primeira vez, uma noção do tamanho do até então invisível exército do crime. Um verdadeiro e eletrizante *Big Brother* do tráfico.

Especialista em assuntos militares, o editor do portal defesanet.com.br, Nelson During, é feliz ao definir a cena: é o exército irregular do crime, emergindo das sombras. "Observar aquelas centenas de jovens correndo descalços e sem camisa, mas carregando fuzis FAL ou AK-47, disparou um alarme. Um alerta muito além de uma simples ação policial. O Brasil conheceu a força e o número de um exército marginal", descreve During.

Uma debandada que logo ganha o noticiário internacional. A rede de notícias *Al Jazira* é a que dá mais destaque. Nos *sites*, na tarde da fuga dos bandidos, 654 *links* no Google abriam para notícias em inglês enfocando o exército criminoso do Rio e os combates daquela semana.

Essa debandada da bandidagem tem origem uma semana antes. Eu cubro o dia a dia em Porto Alegre, mas no Rio as coisas pegam fogo. Literalmente. Meu primo Rodrigo Muzell, também repórter de *Zero Hora*, está em território carioca e assiste a tudo de camarote, por acaso. Jornalista versátil, entra nessa missão como um turista acidental: cobre um evento preparatório da Copa do Mundo quando a orla carioca começa a pegar fogo, literalmente. Bandidos ligados ao CV, irritados com a transferência de seus líderes para prisões fora do território carioca, decidem incendiar veículos, bancas de jornais, viaturas policiais. Isso acontece no início da semana e a resposta é, dias depois, a ocupação militar da Vila Cruzeiro.

Rodrigo, por iniciativa própria, toma um táxi e passa a primeira madrugada de atentados monitorando as ocorrências policiais e seguindo o rastro do fogo deixado pelos criminosos. Entrevista vítimas, fotografa, faz vídeos. Relata tudo em *ZH*, como testemunha privilegiada da rebelião do crime organizado carioca.

Enquanto Rodrigo passa madrugadas sem dormir na cobertura da guerra do Rio, três colegas e eu também estamos insones em Porto Alegre, mas por motivo bem diverso. Na madrugada de 26 de novembro churrasqueamos, comemorando o primeiro lugar obtido no Prêmio Embratel de Jornalismo (região Sul). Além disso, eu também me preparo para um fim de semana de encontros familiares, viajando para a Serra Gaúcha a fim de comemorar em grande estilo os setenta anos de minha mãe.

Tudo muda quando sou chamado à sala da direção de ZH. O então diretor Ricardo Stefanelli e o editor-chefe Altair Nobre me convocam para me aliar a Rodrigo na cobertura da confusão carioca. Argumento que minha mãe comemora sete décadas de vida, com festa programada há quase um ano, e para a qual eu já havia inclusive prevenido o jornal. Mas Stefanelli fala da importância de ter no Rio mais alguém com conhecimento do crime naquela cidade. E esse alguém, em se tratando de Rio de Janeiro, sou eu, argumenta o diretor. E diz, ainda, que explicará tudo para minha mãe. Cumpre a palavra. Na carta do editor de ZH do domingo seguinte, Stefanelli dá satisfações públicas à dona Helena Müzell Trezzi: cumprimenta-a pelo aniversário e menciona que o filho fora chamado a trabalhar numa situação especial. Minha mãe entende e se comove.

O Rio está em ebulição. Enquanto os policiais e militares da marinha vasculham rua por rua, casa por casa na Vila Cruzeiro, os bandidos foragidos dali se entrincheiram no vizinho Complexo do Alemão, um conjunto de dezesseis favelas que é o quartel-general do CV. Ali são cercados por mais de mil militares. Dali será difícil tirá-los.

Uma questão perpassa os noticiários e a cabeça de todos os brasileiros que assistem à louca fuga dos criminosos Morro da Penha acima: por que os policiais não prenderam ou até mataram os traficantes, quando tiveram oportunidade e legitimidade para isso? Sim, pode parecer cruel dizer, mas os bandidos estavam fortemente armados e, se morressem, os policiais estariam atirando em legítima defesa — deles e da população. Como permitiram a fuga?

É que ninguém, mesmo o mais fanático militarista, duvida das péssimas consequências políticas de uma chacina transmitida ao vivo aos lares dos telespectadores. Mesmo que seja a morte de bandidos. Os militares optaram por evitar sangue. O coronel reformado do exército Sylvio Cardoso, que por anos serviu no Rio, me explica o raciocínio de seus colegas de farda:

— Você imagina se o militar mata uma dúzia de bandidos e, na fuga, os companheiros deles levam as armas embora. Pronto. O agente da lei fica com dez corpos para explicar e senta no banco dos réus — pondera Cardoso.

Mas os policiais poderiam ter prendido os bandidos, fazendo um cerco. Ou não? Há quem diga que não. Os bandidos conhecem cada pedra daquele morro, tanto que se esconderam na mata, enquanto os militares avançavam pela favela. Para interceptá-los, os militares tinham duas opções: fazer um desembarque aéreo, provavelmente sangrento, ou um demorado cerco de todos os pontos de fuga. Para isso, teriam de contar com pelo menos 5 mil soldados. Só que eram menos de mil policiais e militares, nesse dia, já que a ocupação foi feita de improviso, como reação aos ataques incendiários praticados pelos criminosos. Por isso os bandidos continuaram livres.

E livres estão quando desembarco no Rio, na sexta-feira. Encontro meu primo Rodrigo num hotel no centro. Repartimos um quarto minúsculo. A opção é por ficar num ponto não tão distante dos acontecimentos, como seria se tivéssemos escolhido a Zona Sul.

Vamos para a avenida que corta ao meio o Complexo do Alemão. A nós se junta também, naquela tarde, o repórter Cid Martins, da *Rádio Gaúcha*. O ambiente é de caos. Centenas de viaturas das polícias civil e militar transitam, com fuzis à mostra pelas janelas. Carros blindados da PM, os "caveirões", fecham os principais acessos das favelas. A marinha dá apoio com oitenta e oito fuzileiros, carros de combate Piranha e tanques M-113 (sobre lagartas, semelhantes a tratores). Protegemo-nos atrás da carcaça de um Chevette e ficamos espiando as vielas, tentando enxergar algum bandido. Não temos de esperar muito. Os criminosos se postam atrás de um muro numa curva da favela, transformado em barricada. E dali passam a provocar os policiais. Primeiro, apontando armas. Depois, disparando de forma esporádica. Aparentemente drogados, os criminosos mostram parte do corpo, dão gargalhadas e assovios, disparam. Conto pelo menos cinco bandidos: um com colete militar camuflado, nível III (capaz de segurar bala de fuzil), dois de rosto descoberto (um deles portando, inclusive, um lança-foguetes capaz de destruir um blindado) e dois com toucas ninjas e fuzis. Nem parecem os mesmos desesperados que fugiram dias antes.

Faço fotos, mas minha máquina é amadora, com lente pequena demais. Meus colegas profissionais conseguem uma coleção invejável de imagens dos combatentes do crime. Os bandidos posam para a foto, até que o previsível se dá: cansam de brincar e começam a disparar para valer. Isso acontece à tarde, quando eu saio da favela para transmitir material e descansar um pouco. Um criminoso dispara uma rajada e acerta três alvos: um morador e uma moradora que passavam na rua, atingidos na barriga. E um terceiro ferido, o fotógrafo Paulo Withaker, da agência *Reuters*, que tem o ombro esquerdo perfurado por um tiro de fuzil disparado pelo bandido. Os três acabariam se recuperando, mas o episódio serve de alerta aos repórteres. Brincadeira de bandido mata...

À tarde, Rodrigo e eu estamos na favela quando começa um intenso tiroteio entre militares do exército e traficantes. Coisa de homem: tiro de fuzil e metralhadora. Ficamos entre os dois fogos, atrás de um muro. E o ratátátá parece não ter fim. Com presença de espírito, Rodrigo grava parte do tiroteio numa câmera, e o vídeo faz sucesso no *site* zerohora.com. Na troca de tiros, o soldado do exército Walbert Rocha da Silva é baleado na coxa direita. O curioso é que, enquanto os disparos pipocam, eu não consigo desgrudar os olhos de uma briga de gatos que ocorre em cima de um muro da favela. Uma barulheira de miados que se sobrepõe aos tiros e que faz me lembrar dos gatos que tenho em casa, a Tamara e o Nijinsky... Meu primo tira muito sarro dos meus devaneios em lugar errado...

O sábado é de expectativa e negociações. Integrantes de ONGs, como a AfroReggae (alguns dos quais, ex-traficantes), entram no Complexo do Alemão para tentar convencer os bandidos a se renderem. Em alguns poucos casos, são bem-sucedidos. Anoitecemos ao pé dos morros do complexo, esperando. Nosso grande temor é perder o momento da ação militar. Estamos exaustos e temos de nos revezar. Mas anos de experiência nos indicam que a ocupação militar será à luz do dia, para evitar tiros perdidos e morte de inocentes. É isso mesmo que acontece.

Ao alvorecer de domingo, 28 de novembro de 2010, a maior ocupação militar da história do Rio tem início sob uma tempestade de tiros. O repórter Cid Martins, da *Rádio Gaúcha*, e eu, estamos no Complexo do Alemão desde as 6h30, quando começam tiros esporádicos. Acompanhamos policiais federais gaúchos, que fazem parte da força-tarefa montada para o ataque à fortaleza do tráfico. Pontualmente às 8 horas a invasão das dezesseis favelas começa, com um helicóptero da polícia civil atirando nos bandidos entocados nas lages. Cid e eu subimos o morro da Grota seguindo policiais civis cariocas. Casa após casa, beco após beco, ouvindo tiros o tempo inteiro, raramente vendo de onde vêm. O primo Rodrigo está no hotel, descansando, conforme nosso acordo de revezamento.

Ocorre ali uma inédita união do aparato bélico estatal. A marinha entra pelos morros com nove blindados e cinquenta fuzileiros navais, arrebentando as barricadas de cimento como se fossem de papelão. O exército vem a seguir, com a brigada paraquedista cercando todas as ruas de acesso ao Complexo do Alemão. Não entra nos morros. Essa tarefa cabe ao temido Batalhão de operações especiais da PM, o Bope, afamado e retratado nos filmes Tropa de Elite I e II. A polícia civil também integra a linha de frente, com a Coordenadoria de Recursos Especiais (Core) — uma tropa de intervenção rápida e estilo militarizado — que na Vila Cruzeiro já tinha matado oito suspeitos naquela semana. Sinto uma ponta de orgulho ao ver tanta união entre as forças de segurança. Desconfio que os cariocas, também, enojados pelas duas décadas de domínio dos bandidos nos morros.

EM **TERRENO** MINADO

Para os policiais, parece hora de um acerto de contas. Lembro de uma ocasião, em maio de 2003, em que testemunhei espantado policiais e bandidos cariocas trocando desaforos pelos radiocomunicadores.Ramiro, um sargento do Grupamento especial tático móvel (Getam), apertava o botão do rádio Motorola e desafiava os criminosos:

— Fala aí, Três C...Vou rodar geral, vou quebrar coco. Te cuida, tá ligado?

Três C é a gíria para Terceiro Comando, uma das grandes facções criminosas cariocas, que comandava na época quarenta favelas.

Logo uma voz aguda rompia a estática do rádio e avisava:

— Tem nada para fazer aí não, ô verme? Vem que a parada é dura. O rodo vai passar, vai ser faxina geral.

Achei tudo aquilo surrealista, o cúmulo do desaforo. E não era papo-furado. Naquela semana de 2003, bandidos atacaram um comboio de PMs com uma metralhadora antiaérea, na Linha Amarela. Um microônibus, furado a tiros, foi parar num valão.

Agora, em 2010, os policiais entram nos redutos dos traficantes sem bravata. Tiveram dias para se organizar e provam ao Brasil que o estado ainda pode mandar no Rio. Naquele domingo histórico da tomada do Complexo do Alemão, passamos a manhã transmitindo ao vivo para a *Rádio Gaúcha*, que interrompe a programação normal — um programa de música gauchesca — e nos deixa três horas narrando.

Reproduzo aqui o texto que escrevemos para *Zero Hora*:

Era ensurdecedor e amedrontador. ZH *acompanhou a operação que recuperou o Complexo do Alemão após décadas de domínio de traficantes*

Cid Martins e Humberto Trezzi
Enviados Especiais/Rio, Zero Hora, *29/11/2010*

Foi sob fogo cerrado que a lei voltou a reinar, ontem, num território que há mais de duas décadas pertencia ao crime. Policiais civis, militares, federais, fuzileiros navais e soldados do exército conseguiram penetrar na maior e mais importante fortaleza do tráfico no Rio.

Uma tempestade de balas jorrou do alto das dezesseis favelas do Complexo do Alemão sobre as cabeças dos representantes da lei. Isso não impediu que, como se fossem membros de um só organismo, mais de 2,6 mil policiais avançassem de forma precisa e coordenada pelas principais vias dessas comunidades situadas na zona norte carioca. A ação não foi sem sangue — pelo menos dois traficantes morreram e outros dois ficaram feridos — mas foi muito menos traumática do que a cúpula policial e militar temia. ZH subiu um dos morros junto com os policiais e descreve aqui a operação, cujo ápice foi o hasteamento da bandeira do Brasil em um lugar antes dominado pelo tráfico.

A tomada dos morros mais hostis ao Poder Público no Rio começou com uma chuva de projéteis ao amanhecer. Após passarem a noite em vigília na entrada da favela, policiais federais e soldados do exército reforçavam o contingente em torno do Morro do Alemão, quando traficantes começaram a disparar a esmo contra o asfalto. Foram pelo menos vinte tiros, fazendo militares derrubar o capacete e os pentes de armas na corrida. Em segundos, eles começaram a devolver os tiros. O piso ao lado de uma padaria ficou forrado de cápsulas calibre 7.62mm dos fuzis FAL do exército, até que os militares conseguiram conter os agressores.

O ataque aos traficantes encastelados nas dezesseis favelas começou pelo alto, quando faltavam dois minutos para as 8 horas. Um helicóptero Huey da polícia civil, blindado, deu um voo rasante sobre a favela da Grota e desfechou centenas de tiros de metralhadora de cinturão (antiaérea) sobre as lajes onde se empoleiravam os bandidos. O som era ensurdecedor e amedrontador. Populares se abaixavam enquanto os atiradores do helicóptero faziam seu trabalho de "amaciamento" do terreno e abalo nos ânimos dos criminosos.

Veio então o assalto por terra. Feito uma serpente sobre rodas, dezenas de viaturas da polícia civil saíram da estrada de Itararé, *engrenaram uma segunda marcha e subiram cantando pneus a lomba que dá acesso à favela da Grota, a Rua Joaquim de Queiroz. Tiveram de desviar de um trilho de trem fincado bem no meio do asfalto pelos traficantes. Desceram dos carros de arma em punho. Tiros espoucavam de todo o lado, e os policiais continuavam rumo ao topo, se esgueirando, verdadeiro formigueiro em armas.*

Os agentes vestiam uma miscelânea de roupas. Além do tradicional preto, alguns usavam chapéus camuflados, outros toucas ninja que cobrem todo o rosto. Temiam futura vingança dos bandidos, caso fossem reconhecidos.

A maioria das equipes de delegacia entrou nas favelas guiada por um X-9 (alcaguete). São criminosos que trocaram de lado. Zero Hora viu dois deles em ação. Estavam de capuz, bermuda, tênis e óculos escuros, para evitar identificação. Apontavam com o dedo para as bocas de fumo, casas de parentes de traficantes, bares onde é receptada mercadoria. Os policiais esfregavam as mãos, de contentes. Um dos informantes portava uma pistola. Disse que ganhou para sua defesa pessoal...

Na subida da Grota, agentes do Core (Coordenadoria de recursos especiais) — a tropa de elite da polícia civil fluminense — ganharam do X-9 um presente: a dica sobre a casa de um dos traficantes do morro. Ali estavam guardadas, ostensivamente, quatro motos e dois automóveis de luxo (um Ômega e um Corolla). Muito para alguém que vive na favela, comemoram os policiais, que arrombaram a garagem, fizeram ligação direta e desceram o morro com os veículos, apreendidos para vistoria.

O delegado Mário Mendonça, da Delegacia de roubos e furtos de automóveis, comandou uma busca casa a casa, beco a beco. Usava pés de cabra para abrir prédios abandonados. O símbolo CV estava pintado por tudo e serviu de alvo.

Às 10 horas, com calor de 30º C, os policiais civis chegaram ao topo da Grota. Tiros começaram a estourar de todos os lados. Os agentes e os repórteres que os acompanhavam se jogaram para os lados, se esgueiraram pelos becos, se protegeram de qualquer vão que possa oferecer visão para o atirador misterioso. Alguns policiais apontaram os fuzis para onde supunham terem vindo os tiros e revidaram. O som da metralha ecoou pelos becos, assustador, permeado pelo cheiro de pólvora e pelos gritos de alerta. Os poucos moradores que tinham se arriscado a sair para comprar pão ou leite fugiram, gritando, desesperados para sair daquele inferno. Assim como começou, o tiroteio terminou. Não se sabe com certeza de onde vieram os disparos. Em seguida, em cima de uma laje, os policiais encontraram uma túnica militar abandonada. Possivelmente, do franco-atirador que tentava intimidá-los.

O avanço continuou, por cinco quilômetros de ruelas fedendo a urina, ladeiras e sustos. Os policiais toparam com os bens largados pelos traficantes. Motos Kawasaki Ninja, BMW... um laboratório de cocaína, com balança ainda cheirando a produtos químicos... coldres de armas... dez quilos de maconha dentro de um bar abandonado. Quatro suspeitos sem documentos foram detidos e interrogados, aos gritos.

Por volta das 11 horas, um caveirão (veículo blindado) da polícia civil tentou vencer uma ladeira para auxiliar os agentes. Não conseguiu. Uma barricada formada por trilhos, blocos de cimento e lixo impediu. Os policiais se conformaram. Tinham acabado de encontrar colegas da PF e da PM, que avançavam pelos outros lados. A sensação de vitória pairava no ar, depois de retomarem o território que, até aquele momento, era dominado por quase 600 traficantes armados.

Tabuleiro da asfixia ao tráfico

De uma ofensiva que colocou blindados a derrubar barricadas na Vila Cruzeiro e centenas de traficantes para correr de uma favela a outra, a ação na zona norte do Rio de Janeiro evoluiu, ontem, para um cuidadoso pente-fino. A fim de evitar confrontos em uma área em que vivem mais de 100 mil cariocas, 2,6 mil homens entre integrantes das forças armadas e policiais civis, militares e federais optaram por vigiar saídas e ocupar o Complexo do Alemão vasculhando cada uma das 30 mil residências. A ocupação se encerrou sem um temido banho de sangue, mas as buscas por centenas de traficantes seguem vielas adentro.

A cobertura feita por Cid, por Rodrigo Müzell e por mim, com participações do carioca Sérgio Guimarães, nos rende um prêmio do Movimento de Justiça e Direitos Humanos do Rio Grande do Sul, na categoria Rádio. Algo muito curioso. Afinal, desde a faculdade, meu ambiente sempre foi a escrita. Marcelo Rech, na época diretor de produtos editoriais da *RBS*, envia um *e-mail* com conteúdo telegráfico, sintético: "Extraordinária cobertura ao vivo. Histórica. Parabéns. *Keep the head down*". Com a mensagem vinda do Rech, um sujeito econômico em elogios, sinto que atingi o objetivo de transmitir a emoção de ver a lei retornando para aquelas paragens cariocas.

Desde então a situação no Rio só melhora. A maior favela carioca, a Rocinha, é tomada pelos policiais no início de 2012. Sem tiros. A Secretaria da Segurança Pública se prepara para semear UPPs no Complexo do Alemão. E, mesmo com algumas denúncias de corrupção nas áreas das Unidades de Polícia Pacificadora, esses locais já não convivem com a figura, outrora onipresente, de bandidos armados. Já é uma senhora mudança... Conduzida de forma serena, aliás, por um gaúcho, o secretário da Segurança Pública do Rio, o delegado federal José Mariano Beltrame.

PARAGUAI

Caçadores de recompensa no Paraguai

Cresci vendo seriados de TV em que apareciam caçadores de recompensa. Sujeitos durões, que vão atrás de ladrões e os entregam às autoridades, mediante uma boa quantia. Sempre soube que eles existem, de fato, nos Estados Unidos, desde os tempos do faroeste. Mas nunca imaginei que toparia com essas figuras em plena fronteira com o Brasil, mais precisamente no Paraguai, onde agem livremente. Foi entre 1995 e 1997 que eu e dois dos mais experientes fotógrafos da imprensa gaúcha, Arivaldo Chaves e Luiz Armando Vaz, tivemos a chance de retratar esse tipo de gente em ação.

O caso de maior impacto aconteceu em 1997, quando atendi a um telefonema em *Zero Hora*. Um empresário de Bento Gonçalves, Antônio Girolometto, tinha lido reportagens minhas sobre roubo de veículos no Paraguai (logo falarei delas) e pedia minha ajuda. Conhecido na sua cidade como Toninho, ele já estivera cinco vezes em território paraguaio tentando reaver sua imponente carreta Scania 113 azul, roubada em 7 de fevereiro de 1996 em São Paulo. O empresário já tinha gastado US$ 20 mil (cerca de R$ 36 mil) em viagens e no pagamento de informantes. Sem sucesso. Teve de vender um caminhão para custear as despesas.

Por incrível que pareça, é um investimento que, muitas vezes, compensa. O cavalinho (cabine e motor) e a carreta (aonde vai a carga) valiam, juntos, cerca de US$ 100 mil. Os US$ 20 mil gastos pagavam apenas os vinte pneus do veículo. Comprar uma jamanta nova custaria muito mais, raciocinou Toninho, dono da Transportadora Poggi. Ele tinha cinco outros caminhões e nenhum deles era segurado, nem a carreta, que ainda tinha dezesseis prestações de R$ 1,6 mil mensais para pagar, quando foi roubada.

A carreta foi levada por cinco homens armados de pistola em Maracaí, cidade paulista próxima a Mato Grosso do Sul. Estava carregada com vinte toneladas de cana-de-açúcar para uma usina de álcool. O motorista, Lenoar Torresan, foi obrigado pelos assaltantes a beber um litro de cachaça, e depois foi abandonado amarrado no mato, quase inconsciente. Foi salvo por outros motoristas.

No dia seguinte ao roubo, o empresário Toninho recebeu o primeiro de uma série de telefonemas. Uma voz em espanhol avisou que o caminhão estava no Paraguai e poderia ser devolvido, mediante recompensa. O telefonema vinha de Salto Del Guairá (fronteira do Paraguai com o Paraná e Mato Grosso do Sul). Girolometto foi para lá na mesma semana. Foi recebido por uma quadrilha, que indicou o destino do caminhão como sendo Naviraí (Mato Grosso do Sul). Não estava lá. Espalhando suborno entre policiais da fronteira, Toninho percorreu quatro cidades sul-mato-grossenses. Nem sinal da jamanta.

Foi ao Paraguai e visitou Hernandárias, Ciudad Del Este, Santa Rita, Assunção. Falou com policiais e caminhoneiros. Ofereceram outros Scania a ele, por US$ 20 mil. Ele recusou. Queria o seu e não a desgraça de outro brasileiro... Após a quinta viagem ao Paraguai, Girolometto decidiu recorrer aos serviços de um caçador de recompensas, ligado ao escritório Seguridad Legal — sim, em território paraguaio essa atividade é legalizada e tem firma reconhecida. Foi aí que entramos em cena.

Vendemos ao jornal a ideia de retratar esse universo dos que lucram com o drama de quem foi roubado. Experiência não nos faltava — e aqui é preciso fazer um breve intervalo na história de Toninho. Foi em maio de 1995 que pela primeira vez investigamos a indústria dos *coches malos* (como são chamados no Paraguai) ou *autos chutos* (termo usado na Bolívia). Armei uma grande série de reportagens sobre o Paraguai, país que conhecia desde 1972, mas apenas de viagens turísticas com a família. Eu estava em *Zero Hora* quando ligou, em abril, um empresário, Rudolfo Vollmeister, cinquenta e sete anos. Ele disse que rastreava caminhões roubados no Paraguai. Tudo ao arrepio da lei...Vaidoso, se ofereceu para nos levar e mostrar o negócio. Corri para a Marta Gleich, então editora de Geral do jornal. Disse a ela que o sujeito nos aguardava ou iria passar a história para a concorrência. Marta disse: "Tu vais amanhã mesmo".

Arrumei uma mala, acertei a viagem e fui. Existia apenas um pequeno problema: Vollmeister estava de saída de Ibirubá (cidade do noroeste gaúcho onde morava) para o Paraguai, onde iria tentar localizar uma carreta. Fiz ele jurar que me esperaria em Ciudad Del Este, num pequeno hotel. Afinal, a viagem estava vendida e eu, cheio de dólares nos bolsos. Como recuar agora?

Viajamos num fôlego só, no dia seguinte, em plena chuva, o fotógrafo Arivaldo Chaves, o motorista João Carlos Cruz, e eu. Foram 12 horas para chegar a Foz do Iguaçu, onde desembarcamos às 17 horas. Cruzamos direto a congestionada ponte para Ciudad Del Este e fomos ao hotelzinho. Lá nos confirmaram que Vollmeister estava hospedado, mas tinha saído. Esperamos, esperamos... e nada. Enchemos a cara de cerveja e fomos deitar atemorizados de que a matéria falhasse no primeiro dia. Não falhou. De manhã, no café, Vollmeister apareceu, sorridente. Tinha dado uma volta no cassino, esquecera de nós. Fiz força para conter o mau humor. Tocamos viagem, então, direto a Assunção, com uma estratégica parada na cidade de Cacupé, onde os paraguaios construíram uma imensa basílica de culto à Virgem. É no alto de uma colina, na principal praça da cidade, de onde se avista o famoso Lago Ipacaraí, imortalizado em canções.

Fui no carro de Vollmeister, um Opalão. No caminho, ele me contou como ingressou nessa aventura. Dois anos antes, roubaram um caminhão seu, um Scania 113, em Ourinhos, São Paulo. O empresário recebeu então um telefonema em castelhano, oferecendo a carreta de volta por US$ 15 mil. Ela valia US$ 85 mil. Ele combinou um encontro com os ladrões em Ciudad Del Este (Paraguai), em frente ao badalado *shopping* Mona Lisa. Os quadrilheiros desconfiaram e sumiram. Vollmeister não desistiu. Ofereceu recompensas e recebeu a notícia de que sua carreta estava próxima a Ponta Porã (Mato Grosso do Sul). Foi lá e a viu, estacionada num depósito de bebidas, com cor trocada — do branco para um laranja desbotado. Avisou os policiais. Quando voltou, com os agentes, o caminhão tinha sumido.

Descobriu que precisava negociar com os policiais. Fez isso e, no final do ano, achou sua carreta puxando cana em Caaguazú (Paraguai), pintada de cor de vinho. Sabia que era a sua por marcas no chassi. Gastou US$ 30 mil e conseguiu o caminhão de volta.

Vollmeister gostou tanto, que passou a intermediar buscas de brasileiros por seus caminhões no Paraguai. Adorei, porque seria a chance de conhecer esse negócio por dentro. Pena que falhou. Na chegada a Assunção, fomos na casa de um oficial da polícia nacional. O sujeito intermediava a revenda de caminhões a seus próprios donos, mas negou isso. Preferiu dizer que aceitava "gratificações" para recuperar os caminhões. Em troca do relato sobre como funcionavam os esquemas e do repasse de algumas fontes, concordei em preservar seu nome.

O primeiro de quem obtive uma entrevista formal foi Samuel Corrêa, um ex-policial militar paranaense, radicado há dez anos em Assunção. Ele cobrava 30% do valor de um carro para restituí-lo ao dono. Por caminhões, não segurados, 40%. Muita gente pagava, na falta de condições para comprar um veículo novo. Como PM, Corrêa ganhava R$ 600 mensais. Só entre janeiro e maio de 1995, faturou R$ 30 mil, livres de despesas.

Concorrente de Corrêa, um ex-policial civil paranaense que se identificou como Almir Santos contou que, em cinco meses, tinha recuperado um caminhão e dois carros. Aí montou sua recuperadora de veículos. Trabalhava com uma rede de informantes, assim como Corrêa. De US$ 30 mil obtidos na recuperação de um Scania, por exemplo, metade era dele e o resto, repartido entre caminhoneiros, motoristas de táxi e policiais, entre outros que passam dicas. Os caminhões eram identificados por marcas particulares, como riscos feitos com pregos em partes ocultas do veículo e alavancas quebradas.

Em caso de suspeita de que o veículo é mesmo o seu, os recuperadores de veículos subornavam policiais paraguaios para que raspassem o chassi com produtos químicos, até aparecer por baixo da adulteração o número original de série. Aí os policiais apreendiam o caminhão. Em alguns casos, os atravessadores apelam para a violência. Contratam pistoleiros e fazem algo incrível — roubam o veículo e o devolvem ao legítimo dono. "Na guerra, vale tudo", disse um dos recuperadores, em entrevista.

Por meio desses ex-policiais falei com um ladrão, o paranaense Luís Carlos Menezes, rengo de uma perna em decorrência da discussão com outro bandido. Ele relatou que ganhava apenas US$ 2 mil por caminhão roubado. Gastou tudo em mulheres e bebidas. Assaltava sobretudo caminhoneiros gaúchos, os mais numerosos do Brasil (eram 100 mil, na época, hoje são mais ainda). Cometia roubos nas regiões de Passo Fundo e Erechim. Levava os veículos para Salto Del Guairá, via Chapecó (SC) e Cascavel (PR). Sempre fugindo à noite. Escolhia motoristas que dirigiam sozinhos. Menezes e os parceiros usavam um carro para fechar a carreta na estrada, obrigavam o motorista a sair e o acorrentavam no mato, até o caminhão cruzar para o Paraguai. Tudo monitorado por celular. Isso evitava que o roubo fosse comunicado à polícia. Ele confirmou que fez isso oito vezes em 1994, até cair preso no Paraguai.

Falamos também com um cabriteiro (receptador) paraguaio, Pedro Ramirez (nome fictício). Ele descreveu três métodos de passar o caminhão na fronteira. O primeiro, usando os documentos do motorista, após sequestrá-lo. O segundo, pagando algum policial fronteiriço para que ele faça vista grossa quando o "cabrito" (caminhão roubado) passa para o Paraguai. Arriscado, porque o tira (policial) poderia querer mais dinheiro ou ser substituído por um colega não corrompido. O terceiro método, mais complexo e mais seguro, consiste em adulterar os números do chassi do caminhão logo após o assalto, antes de cruzar a fronteira. É trocado por um número quente (de veículo não roubado), com placas quentes. Aí o caminhão atravessa para território paraguaio sem despertar atenção da polícia. Só em São Paulo, na época, tramitavam sete mil processos judiciais envolvendo dublês (que é essa técnica).

Mas tínhamos muitos relatos e poucos fatos retratados. Contatamos um policial paraguaio que se dispôs a nos ajudar nas suas horas de folga. Ele era ligado ao setor de investigações de veículos roubados e não usava uniforme, portanto, não chamava a atenção. Foi gol. Num primeiro dia nos deslocamos a San Antonio, movimentado porto situado a setenta quilômetros ao sul de Assunção. O lugar é conhecido entre as quadrilhas como "paraíso dos cabritos" (caminhões roubados). Veja o relato, como saiu na época, intitulado Caminhões adulterados fazem fila no Paraguai (22 de maio de 1995):

> *A fila de caminhões serpenteia por três quilômetros colina abaixo, até as majestosas águas do Rio Paraguai. As Scania, Volvo e Mercedes descarregam soja no gigantesco terminal de San Antonio. São mais de 400 carretas novas e seminovas, quase todas de fabricação*

brasileira, mas com placas paraguaias. Detalhe: o Paraguai não tem montadoras de automóveis ou caminhões, mas possui uma frota de 300 mil veículos.

Grande parte desses caminhões não possui no vidro a numeração do chassi, obrigatória para carretas construídas no Brasil. Retirar o número é a primeira providência dos ladrões para evitar que o legítimo dono reconheça o veículo roubado. "São, possivelmente, caminhões em situação irregular", confirma o comissário Vitor Cogliolo, chefe do Departamento de controle automotor da polícia nacional do Paraguai, usando um eufemismo para a palavra "roubados".

Como cabritos de verdade, os caminhões roubados que transitam no Paraguai passam grande parte do ano semiocultos, trabalhando nas verdejantes plantações de soja dos estados de Iguazú e Misiones ou então carregando madeira na selva de Caaguazú. É uma maneira dos novos proprietários manterem as carretas longe dos antigos donos e da polícia. Quando a safra começa a ser escoada, os veículos têm de sair para o asfalto. É essa a melhor oportunidade para um brasileiro roubado reaver seu patrimônio. Outros locais são Pedro Juan Caballero (fronteira com Mato Grosso do Sul, entrada de soja e algodão) ou Ciudad Del Este (caminhões carregados de contêineres).

Apresentando-se como comprador de caminhões, o repórter de *Zero Hora* pôde conferir de perto alguns dos 400 veículos enfileirados em San Antonio no último dia 20 de abril. Foi possível anotar as placas de algumas carretas fabricadas no Brasil, com menos de cinco anos de uso, e que não possuíam no para-brisa a obrigatória numeração do chassi (estava raspada ou fora substituída por vidro fumê):

— Scania: placas E-123600 (de D.Ocampos), placas K313045 (de Luque), placas K291598 (de Villa Elisa), placas K306769 (de Villa Elisa).

— Volvo: placas K207061 (de Ñamby).

— Mercedes: placas K161466 (de Itaguá).

Diversos caminhoneiros que aguardavam na fila, ao notarem que estavam sendo observados por ocupantes de um carro com placas do Rio Grande do Sul, ofereceram seus veículos.

— Te consigo um assim, sem papéis, por 40 mil dólares, gaúcho! — gritou o sorridente condutor do Scania placas K306769 (Villa Elisa), um veículo que vale o dobro deste preço, se comercializado legalmente.

A lista foi apresentada por ZH ao comissário Vitor Cogliolo. Ele diz que nada pode fazer sem queixa específica do dono do veículo roubado. Não é crime rodar no Paraguai com um veículo cujo número do chassi esteja raspado.

Bom, de lá para cá as coisas mudaram e agora já é crime andar em território paraguaio com chassi adulterado. Não que a recepção tenha parado, mas existe, formalmente, algum controle. A reportagem continuava (foram quatro dias de série). Veja mais um trecho que mostra o descontrole no Paraguai, publicado também em 22 de maio:

Oficinas de Roque Alonso desmancham veículos

Apagar vestígios num caminhão roubado é fácil. Os delinquentes do Paraguai costumam se dirigir a Roque Alonso, localidade situada 17 quilômetros ao norte de Assunção. Conhecida entre as pessoas de bem como Ciudad de los Talleres (cidade das oficinas), ela é chamada no submundo dos assaltantes brasileiros e receptadores paraguaios de cidade dos desmanches.

São dezenas de oficinas espalhadas lado a lado na estrada que leva ao Chaco e à Bolívia, num espaço de mais de 20 quilômetros. Fileiras de carretas, quase todas fabricadas no Brasil, ficam na espera para trocar longarinas e modificar os chassis.

A equipe de Zero Hora *escolheu ao acaso, para examinar, a mecânica Tecno Equipo Equipamentos para Veículos Ltda. A intenção era checar a informação policial de que quase todas as oficinas de Roque Alonso se dedicam a "esquentar" caminhões roubados no Brasil. A maioria das carretas recebe documentos paraguaios e segue direto pela asfaltada estrada do Chaco até a Bolívia, onde é revendida pela segunda vez, sem permanecer sequer uma semana no Paraguai.*

Na Tecno Equipo, quando Arivaldo Chaves e eu entramos, uma atarefada equipe de mecânicos utilizava uma solda para apagar a numeração do chassi de um Scania 112, ano 1992, sem placas, mas ainda com decalques da Randon (fábrica de carretas de Caxias do Sul). As plaquetas com o número original de fabricação, que deveriam estar colocadas no lado interno das portas, tinham sido arrancadas. Os números no para-brisas, obrigatórios, foram retirados com vidro e tudo e substituídos por um vidro de cor escura, que impede identificação. Os números gravados no chassi foram apagados com solda.

— Caminhão frio, sem dúvida — comentou o agente da polícia nacional que nos acompanhava. Ele avisou colegas para virem investigar o veículo.

A série continuou por mais dois dias, nos quais mostramos a guerra de quadrilhas de receptadores dentro do Paraguai (num dos casos, um bandido casado com uma ex-*miss* Paraguai foi morto, com dez capangas, em Salto Del Guairá). No último dia, retratamos como policiais comandavam o roubo de veículos em São Paulo. Entre os casos que contamos estava o de um delegado, chefe da delegacia seccional de Bragança Paulista, que investigava roubos de caminhões e, ao mesmo tempo, chefiava uma quadrilha de receptadores. Ele estava foragido da Justiça, na época. Mostramos também casos de policiais civis e militares que foram surpreendidos dentro de caminhões roubados, embora devessem estar presos (em regime semiaberto). Para fazer essa parte do material, viajamos direto de Salto Del Guairá a São Paulo, num só dia (cerca de 1,3 mil exaustivos quilômetros).

As reportagens, publicadas em maio de 1995, me renderam o Grande prêmio do sindicato das empresas de transporte de cargas do Rio Grande do Sul (Setcergs) naquele ano. Na comemoração, fechei um bar (o Sem Malícia) situado ao lado do jornal e paguei uma churrascada regada a cerveja para todos os colegas das editorias de Geral e Fotografia.

Com a moral em alta, pedi nova viagem em agosto e levei. Desta vez me desloquei à fronteira Paraná-Paraguai em companhia de Luiz Armando Vaz, que hoje está com uns quarenta anos de profissão e continua na ativa, agora no *Diário Gaúcho*. Por algum motivo bobo, Vaz e eu discutimos no caminho e ficamos sem nos falar durante toda a viagem, nos comunicávamos por intermédio do motorista. Intitulada *Faroeste na Fronteira*, a reportagem mostrava como assaltantes dos dois países cruzavam o Lago Itaipu para atacar fazendas, roubar veículos e espalhar violência na região. A foto de contracapa de *Zero Hora* era de uma equipe de policiais armados com metralhadoras dentro de um barco, patrulhando as águas do famoso lago que divide Brasil e Paraguai.

Retratamos as agruras de agricultores que tiveram a casa esburacada a tiros por ladrões, que perderam tratores e colheitadeiras, que viraram reféns. Tudo no lado brasileiro do lago Itaipu. Mas o diferencial da reportagem foi o perfil de Abel Cabrera, um justiceiro com intensa atuação na fronteira. Ele tinha um grupo que era uma espécie de precursor das milícias, hoje tão afamadas no Rio de Janeiro. Confira um trecho da reportagem publicada em 3 de setembro de 1995:

> *Acostumados a atravessar a fronteira sem cerimônia, bandidos brasileiros e paraguaios entocados no Paraguai têm em Abel Cabrera uma pedra no sapato. Filho de paraguaios, naturalizado brasileiro, ele montou na região de Guaíra um serviço de informações de dar inveja a qualquer policial civil ou militar. Ganhou a presidência do*

conselho de segurança da cidade e uma fama de xerife com ampla atuação nos dois lados da fronteira.

Cabrera não é policial, mas já teve cargo de subdelegado em Guaíra. Armou uma rede de informantes que atuam tanto no Brasil como no Paraguai. Homem de confiança dos fazendeiros da região, organizou um escritório no Sindicato Rural com movimento de queixosos superior ao de uma delegacia. São vítimas de assalto, parentes de assaltantes sumidos, empresários que tiveram veículos roubados. A todos Cabrera dá alguma — ou muita — informação.

Sempre acompanhado do filho e guarda-costas Abel Junior, Cabrera também gosta de prender. A maioria das vezes sem dar tiro, esbanjando respeito entre criminosos. "Falou no meu nome o bandido tem de se benzer", alerta ele. Conta com colaboração de 200 filiados do Conselho de Segurança, que contribuem com R$ 10,00 mensais, para auxílio à PM.

Alguns colaboradores participam da caçada aos criminosos. Cabrera circula em Guaíra com um revólver Magnum 357, como aquele do Clint Eastwood no filme Dirty Harry. Na mala do carro, um rifle com balas explosivas e uma escopeta Mossberg calibre 12, capaz de parar um automóvel com um tiro.

— Aqui vigora a lei do trabuco. Cruzou a barranca do lago para assaltar, a gente manda bala — avisa.

Poucos duvidam.

A esse ponto da narrativa o leitor deve estar se perguntando: mas e o Toninho, aquele de Bento Gonçalves que teve o caminhão roubado e levado ao Paraguai? Pois é. Agora, que já demos a introdução ao tema Caçadores de Recompensa, vamos finalmente contar o desfecho do caso dele. Isso foi dois anos após aquela primeira incursão ao Paraíso dos Cabritos Roubados, o Paraguai.

Seguindo as pistas fornecidas pelo próprio Toninho, Vaz e eu — agora amigos — fomos a Assunção. Com ajuda de um investigador local, recebemos dicas de que a carreta teria ganhado documentos locais, como se fosse paraguaia. As placas seriam C-12077, da cidade de José Obrero. Fantástico!

Policiais paraguaios consultaram o banco de dados computadorizado e nos informaram que o caminhão estava em nome do fazendeiro paraguaio Rogelio Fernandez Franco, que tinha notas de compra do veículo emitidas por uma empresa de Campo Grande (MS) chamada Camionauto Caminhões Novos e Usados. Resolvemos checar. Alguns telefonemas depois descobrimos que a Camionauto realmente existia, mas num endereço em local oposto ao informado pelo paraguaio Franco. O veículo teria sido vendido pela empresa por US$ 50 mil, outro fato estranho, já que o valor de mercado era o dobro.

Ligamos para Anercio Rodrigues, sócio proprietário da Camionauto. Ele disse nunca ter vendido caminhões para o Paraguai. E afirmou que a nota fiscal apresentada por Rogelio Franco para um Scania 113, ano 1994, chassi 9BSTH4X22R354190, nunca foi emitida. "É uma grosseira falsificação", resumiu. Ele disse que o número da nota fiscal apresentada por Rogelio Franco se referia a uma Ford Pampa, vendida em 1988. Os números do Cadastro Geral do Contribuinte (CGC) da nota apresentada pelo paraguaio também eram falsos.

O resultado é que, com base em todos esses dados, um advogado contratado por Girolometto exigiu e conseguiu que as autoridades paraguaias localizassem e apreendessem o caminhão, que transitava pelas ruas de Assunção a descarregar soja no porto. A carreta ficou guardada, enquanto tramitava o processo referente à sua devolução para Toninho Girolometto. Meu colega Vaz fotografou a jamanta e levou a foto a Toninho, em Bento Gonçalves. O empresário chorou ao ver o veículo. Ele abriu processo criminal contra o fazendeiro Rogelio Franco por receptação. Um ano depois, quando liguei para ele, o caminhão continuava no Paraguai.

É que o fazendeiro alegara ser "comprador de boa-fé" e queria porque queria permanecer com o veículo.

Nessa viagem a Assunção aproveitamos para descrever a rotina dos escritórios que exigem recompensa para devolver carros e caminhões aos seus donos. Leia aqui o principal trecho da reportagem, intitulada *Os Caçadores de Veículos Roubados*, publicada numa série a partir de 20 de abril de 1997:

> *Os ladrões não são os únicos a lucrar com a próspera indústria do roubo de carros. Este crime ressuscitou, na fronteira Brasil-Paraguai, a legendária figura do caçador de recompensa. Audacioso, bem armado e extremamente bem informado sobre os passos das quadrilhas e da polícia, ele costuma cobrar 30% do valor do veículo para devolvê-lo ao dono. Clientes não faltam.*
>
> *Com vidro fumê próprio para ocultar a identidade dos seus ocupantes, a caminhonete japonesa Isuzu circula em baixa velocidade pelas congestionadas avenidas de Assunção. Telefone celular em uma mão e volante na outra, o paraguaio Evelio Vera mantém o veículo rente à calçada. Seus olhos não miram a charmosa confusão das ruas da capital paraguaia, nem as belas mulheres. Ele está atrás de veículos. Apenas veículos. Ganha muito bem para isso. É um caçador de carros roubados — ou* coches malos, *como preferem os paraguaios.*
>
> *Vera recebe dinheiro da iniciativa privada conforme a produtividade. Advogado, ele vive, na realidade, de honorários pagos por caçadores de recompensas. Seu melhor cliente é o mais bem-sucedido resgatador de veículos do Paraguai, o também advogado Julio Cesar Martinessi Real. Quanto mais carros Vera recupera, maior é sua remuneração.*
>
> *Vera recebe US$ 150 por veículo recuperado. Como localiza em média três automóveis roubados por dia, pode faturar no fim do mês mais de US$ 10 mil. Gasta boa parte em despesas com o veículo, conta de telefone celular, pagamento de informantes. Sobra o suficiente para oferecer vida confortável à família. Mais do que confortável, em*

se tratando dos padrões paraguaios. O preço do luxo é conviver com ameaças diárias das quadrilhas de ladrões de carros. A contrapartida também vale. Os caçadores quase sempre denunciam à Justiça os receptadores que surpreendem em flagrante.

Vera é a faceta oficial do milionário escritório Seguridad Legal, montado pelo mais famoso caçador de recompensas do Paraguai, o advogado Martinessi. Estabelecido há doze anos na Yegros, uma das mais movimentadas avenidas do centro de Assunção, Martinessi tem como principais clientes cinquenta e três companhias de seguro do Brasil. Fatura muito mais do que consegue gastar, mas não revela quanto. Gente da sua profissão costuma cobrar 30% do valor de mercado por cada veículo recuperado. São US$ 33 mil por uma carreta Scania-Vabis que vale US$ 100 mil, por exemplo. Ou US$ 6 mil por um Gol que vale US$ 18 mil.

Martinessi resgata de sessenta a oitenta veículos por mês, média bem superior à alcançada pelos próprios policiais paraguaios. É um lucro obtido no vácuo criado pela incompetência e omissão policial. A cada ano entram em território paraguaio 20 mil veículos brasileiros roubados, segundo estimativas das próprias seguradoras. As quadrilhas faturam no mínimo US$ 100 milhões anuais com o roubo. Outro tanto é lucrado pela indústria do resgate de carro e sua melhor clientela, as seguradoras.

Martinessi arrecada dinheiro suficiente para diversificar seus investimentos. Comprou duas fazendas na província de Caazapá e constrói um moderno prédio de apartamentos num bairro chique da capital paraguaia. Prepara inclusive uma autobiografia, chamada Mau: Confissões de um Recuperador de Veículos Roubados.

Martinessi ganha e também gasta muito. Para ele atuam cinquenta investigadores, muitos deles policiais em hora de folga, além de cinco advogados. Trabalham num prédio com dez repartições internas, segurança na porta, circuito interno de tevê e microfones em locais estratégicos. Ele mantém ainda em Foz do Iguaçu uma garagem com dezenas de carros, todos prontos para devolução às companhias de seguro.

Não vamos torrar a paciência do leitor com mais reproduções da reportagem. O que interessa é como continuou nossa ronda com Evelio Vera pelas ruas de Assunção. E culminou com o melhor dos mundos para um repórter, um desfecho. Após vários telefonemas, o caçador recebeu a dica sobre um carro, um antigo Apolo roubado no Brasil e revendido na periferia da capital paraguaia. Fomos até lá e o veículo estava no local indicado. Vera deu meia-volta, até um posto policial, pediu para um policial fardado acompanhá-lo e voltamos.

Vera desceu do carro, esperou o proprietário do Apolo chegar e lhe disse, à queima-roupa: seu auto está apreendido. O sujeito parecia não entender, mas o policial, armado de fuzil, o aconselhou a entregar as chaves do carro. O caçador de recompensas mostrou a ele a numeração do chassi (num papel) e, depois, pediu que abrisse as portas para conferir a numeração na coluna. Bingo! Era igual. Os ladrões tinham sido tão descuidados, que mantiveram a numeração original do Apolo roubado. O veículo foi apreendido na hora, deixando para trás um proprietário desconsolado e com explicações a dar à Justiça.

Só naquele ano Martinessi já tinha localizado vinte e um caminhões roubados no Brasil. O esquema sempre era o mesmo: papéis esquentados, de revendas inexistentes. Um deles, pertencente ao paraguaio Jose Maria Jimenez Ramos (de Coronel Oviedo), tinha nota de compra em nome da Campo Grande Veículos Ltda. (da capital sul-mato-grossense). Mas o CGC da nota, na realidade, era de uma firma chamada Triângulo Comercial de Gás, de Ponta Porã (MS), que nunca vendeu caminhões. O veículo, um Mercedes-Benz 1935, foi apreendido e devolvido à Sul América Seguros.

Registramos esses casos e fizemos uma série de três dias, aproveitando para contar a história de caminhoneiros que perderam a vida em decorrência dessa indústria. O único senão da história é que chamávamos a atenção por onde circulávamos. É que o fotógrafo Vaz é negro — e negros são raros no Paraguai. Menos mal, porque isso despertou, em relação a nós, mais curiosidade do que problemas. Vaz inclusive me levou para conhecer um raríssimo quilombo de negros paraguaios, próximo a Assunção. Um final *show* de bola, para uma viagem mais *show* ainda.

Julio Martinessi Real continua caçando recompensas e está cada vez mais rico. O dublê de advogado e recuperador de veículos Vera, pelo que eu soube, virou empresário e importa carros japoneses de segunda mão, via Chile. Vaz continua na luta diária da imprensa, agora no *Diário Gaúcho*. E o Paraguai? Bem, continua receptando veículos roubados no Brasil, mas em quantidade bem menor. As autoridades guaranis elaboraram uma lei que estabelece vistorias nos carros e caminhões, o que inclui recusar emplacamento a veículos com chassi raspado. Com isso, os paraguaios perderam para os bolivianos o posto de maior entreposto de veículos roubados na fronteira com o Brasil.

Não foi minha última incursão ao Paraguai, que sempre rende reportagem. Em 2001, voltei às terras guaranis, mais uma vez com Arivaldo Chaves, para concretizar a série *A Milionária Indústria do Cigarro Ilegal*. Publicada em três dias de julho, ela mostra como a aparência inocente do trabalho de muambeiros que contrabandeiam cigarros é a ponta visível de um gigantesco esquema de falsificação e evasão de impostos, que resultam em sonegação anual de R$ 1,2 bilhão aos cofres públicos brasileiros. Na capa de *ZH*, no primeiro dia da série, publicamos fotos em que jovens paraguaios lançam desde a Ponte da Amizade (fronteira Brasil-Paraguai) pacotes gigantescos de cigarro, que são recolhidos das caudalosas águas do rio Paraná por rapazes que fazem o contrabando a nado. A foto também foi capa no prestigiado *Jornal do Brasil*.

Para realizar a reportagem, Arivaldo e eu visitamos quase uma dezena de *tabacaleras* (indústrias de processamento de tabaco) situadas no eixo Ciudad Del Este-Assunção. Comprovamos que elas falsificam cigarros na caradura, usando rótulos como Minister, LS, Plaza, Ritz e Hollywood, por exemplo, sem licença das fabricantes brasileiras. Esse produto é embalado e contrabandeado para o Brasil, sendo vendido em território brasileiro como se brasileiro fosse.

Acontece que, além da perda de impostos, o consumidor brasileiro está se envenenando ao comprar esse produto contrabandeado. Grande parte do fumo usado pelos paraguaios contém resíduos de inseticida organoclorado proibido no Brasil e fabricado na China. Pelo menos vinte e sete marcas piratas não informavam os teores de alcatrão e nicotina dos produtos, na embalagem. Exames comprovaram que as quantidades desses produtos químicos eram muito superiores às permitidas pela legislação brasileira.

Um dos barões do tabaco paraguaio dos quais fizemos o perfil foi Oswaldo Domingues Dibb, dono da Tabacalera Boquerón. Na época ele era presidente do Olímpia (um dos mais populares times de Assunção), dono de um cassino na capital guarani, de uma rede de lotéricas e de um jornal diário. Eram dele as marcas Minister e Hollywood dos cigarros piratas contrabandeados para o Brasil. Mostramos ainda seguranças armados protegendo a distribuição dos cigarros piratas nos *shopping center* paraguaios e as escoltas que eles faziam até a fronteira. Um exemplo descarado de violações de acordos binacionais. Passados onze anos, esta máquina de falsificações continua a pleno vapor.

MÉXICO

Na fronteira mais violenta da América

As três cabeças arrancadas e colocadas sobre cestos de lixo, em frente à prefeitura de Ciudad Juárez, resumem de forma emblemática o terror que engolfa o México. As vítimas ainda estão de boca semiaberta, olhar congelado, no ricto de quem foi surpreendido pela morte. Num cartaz, o recado, aqui traduzido do espanhol:

> — É isso que vai ocorrer com os "bundas-moles" que andam me procurando e que já encontrei. Isso também vai acontecer com El Chapo. Assinado: La Línea — descreve o cartaz.

É preciso explicar, para quem não conhece aquelas terras: La Línea (A Fronteira) é o apelido do Cartel de Juárez, maior organização criminosa na fronteira México-EUA. Os decapitados eram de um cartel rival, o de Sinaloa, estado situado às margens do Oceano Pacífico. O chefe dessa organização é Joaquín Guzmán Lorea, El Chapo Guzmán, diretamente ameaçado no cartaz.

Como sei essas coisas? É que, dois meses depois de as cabeças servirem de macabra decoração na cidade mais violenta da América, eu desembarquei lá. Meu guia era justamente o autor das fotos dos decapitados, José Luis González, fotógrafo do jornal *El Diário*, o maior de Ciudad Juárez. Seguindo a ele e outros colegas, testemunhei durante cinco dias uma voragem de sangue e execuções impressionante, até para os padrões de um repórter que, como eu, fez do crime sua matéria-prima em um quarto de século de atividades.

Essa aventura começou com um *e-mail*, em setembro de 2009. Dedilhava ao computador de *Zero Hora*, na avenida Ipiranga, em Porto Alegre, quando a mensagem pulsou no canto direito da tela. "Tu já estiveste no México, né?", perguntou Ricardo Stefanelli, diretor de redação. E, sem esperar resposta, sugeriu: "Passa no Marcelo Rech — diretor de produto editorial da *RBS* — que ele quer falar contigo".

Sim, eu já estivera no México, em 1992. A turismo. Uma viagem costa a costa, de Cancún a Acapulco, passando por ruínas maias. Inesquecível, ainda mais que não gastei, foi presente do governo mexicano a jornalistas. Mas, dezessete anos depois, o assunto despertado pelo *e-mail* do Stefanelli certamente seria outro. O território mexicano havia algum tempo vinha deixando de ser paraíso para férias e se transformava no mais sangrento campo de batalha do mundo ocidental.

Numa guerra civil não declarada, os confrontos entre narcotraficantes e, destes com o governo, empilhavam mortos em ritmo iraquiano: 2,7 mil execuções em 2007; 5,6 mil em 2008; 7 mil em setembro de 2009, e o número continuava subindo... Imaginei de pronto o que Rech queria.

Ele tinha retornado havia pouco de Monterrey (uma das maiores cidades mexicanas), chocado com relatos feitos por colegas numa reunião da Associação Mundial de Jornais. Executivos mexicanos fugiam aos magotes para os Estados Unidos, com medo de sequestros. E jornalistas eram assassinados.

— Tô pensando em te colocar na primeira viagem que surgir para lá. Topas?

Topei, claro. Crime e guerra são minhas praias desde que comecei na profissão, lá no longínquo 1984. Juntos, então... prato cheio. Para minha sorte, menos de uma semana depois surgiu o convite de uma indústria multinacional de cerveja, a FEMSA, para visitar Monterrey. Era a apresentação do balanço da empresa, sempre com muita festa. Fui, levando *notebook* e planos de tocar para a fronteira mexicano-americana assim que terminasse a reportagem da cervejaria para o setor de Economia do jornal.

Antes de viajar tentei um contato com colegas que trabalham no México. Meu objetivo era descrever a rotina no lugar mais atingido pela violência, Ciudad Juárez. Bem diverso da região que visitei a turismo, mais de quinze anos antes, o palco maior da guerra interna mexicana é o norte do país, fronteira com os Estados Unidos. Uma ativista de direitos humanos, Maria Idália Gomez, repassou os telefones de *El Diário*, principal jornal daquela localidade, separada da norte-americana El Paso por um rio. Liguei e pedi para falar com o diretor de Redação. "Vai com calma, os fones têm ouvidos", tinha me aconselhado a jornalista mexicana.

O diretor de *El Diário*, Pedro Torres, atendeu ao telefonema e nem deixou que eu perguntasse nada. Assim que mencionei a palavra Brasil ele deu um suspiro e disse:

— Ah, Brasil... Que saudades daquelas praias, do teu povo simpático. Escuta, Humberto, tu conheces *O Bem-Amado*?

Achei que tinha escutado mal.

— Odorico Paraguaçu? — questionei.

— Sim, ele mesmo — falou o jornalista — quem sabe tu encontras algum DVD da série... Gostaria tanto — sugeriu o diretor do *El Diário*.

Torres tinha assistido a alguns capítulos quando fez um curso no Brasil, nos anos 1970. Adorou as façanhas do anti-herói do dramaturgo Dias Gomes, prefeito da fictícia cidade de Sucupira, de um realismo fantástico tão ao gosto latino-americano...

É claro que procurei como um louco. Liguei para tudo que é videolocadora. Só achei um compacto da série, no aeroporto Tom Jobim, no Rio. Quando perguntei como estavam as coisas em Ciudad Juárez, Torres desconversou.

— O clima é sempre bom por aqui. Sabes como é, deserto, sem chuvas, calor...

Nem tentei prolongar a conversa. Percebi que os mexicanos fronteiriços, aterrorizados, se recusariam a falar do "problema" ao telefone. Resolvi tocar a viagem e pagar para ver.

Os preparativos da viagem foram antecedidos de alguns dias difíceis para mim. Em Porto Alegre, onde moro, ladrões levaram o meu Fusca, recém-pintado em cores metálicas. Aquilo doeu. Para piorar, na manhã do dia do embarque, um sábado, recebi uma ligação de número não identificado, no celular. Alguém disse que estava com meu carro e queria negociar sua devolução. Perdi a paciência e gritei com o sujeito:

— Tu queres negociar meu próprio carro comigo, cara? Tu ficou louco?

Aí o sujeito desligou. Nunca mais vi o Fusca. Se tivesse tempo, talvez botasse a cabeça para funcionar, armasse um esquema, com aviso à polícia. Mas tinha urgência. O telefonema foi ao meio-dia, o avião saía às 14h30. Tive azar.

Abstraí até desembarcar em Monterrey, aquela cidade celebrizada no seriado do Zorro. É uma das locomotivas a puxar o PIB mexicano. Encravada entre montanhas, é industrializada e bonita, com um rio canalizado pelo qual o visitante pode percorrer toda a cidade, de barco. Desfrutei tanto da apimentada comida mexicana, que até temi passar mal e perder o objetivo maior da viagem. Mas controlei o apetite e, após cinco dias, tomei um voo para Ciudad Juárez.

Não pude deixar de me espantar com as habilidades do ser humano, ao sobrevoar Juárez. Ela foi erguida em pleno deserto de Sonora, junto ao Rio Bravo (ou Rio Grande, como o chamam os ianques). A partir do rio, para norte e para sul, não existe verde. Só areia e pedras, centenas de quilômetros a fio. "Que coragem!", pensei, ao lembrar os pioneiros daquelas terras inóspitas.

Descobri logo no primeiro dia, 23 de outubro, porque Juárez é chamada capital da morte no México. Apresentei-me ao diretor do *El Diário* e ele, em dez minutos, chamou o fotógrafo José Luis González, jovem promessa do jornal. Ofereci perfilar seu cotidiano de busca por notícias e ele me colocou na carona de um Mitsubishi Eclipse, rádio sintonizado na frequência policial.

González é um tipo divertido, um jovem que gosta de música alta no carro, velocidade e adrenalina, tudo ao mesmo tempo. Não tínhamos rodado dez minutos quando ouvimos uma zoeira no radiocomunicador, sirenes e fomos ultrapassados por um comboio de viaturas da polícia estadual. Elas cruzaram por cima de uma calçada, guinaram à esquerda e entraram num *shopping* Walmart. Entramos junto. De dentro do luxuoso Pocket Billiard, um salão de jogos, eram retirados feridos, sangue golfando fora das macas. Uma mulher urrava, histérica. Vidros do estabelecimento estilhaçados, cápsulas vazias de fuzil cobriam o chão. O caos.

Em segundos fomos informados de que os assassinados eram o poderoso comandante da Agência Estatal de Investigações em Juárez (o equivalente à polícia civil daquele estado), Francisco Lazzarin, e o gerente do bilhar, Jaime Grensen. Lazzarin, de folga e acompanhado de duas mulheres, bebericava uma cerveja michelada (com limão, sal e molho de pimenta, à moda mexicana), quando dois rapazes entraram no salão, sacaram de bolsas dois fuzis russos AK-47 e dispararam rajadas. O policial se jogou para baixo de uma mesa, mas não conseguiu escapar. Foi morto com dezessete dos trinta e sete projéteis disparados pela dupla. Os jovens saíram a passo, deixando também agonizante o dono do *pub*. Ele morreu pouco depois.

Grensen encarnava o sonho mexicano. Aos vinte e oito anos, tinha também cidadania norte-americana e o ambicionado *green card*, licença para trabalhar nos EUA. Havia pouco mais de duas semanas, fora promovido a gerente do bilhar e transferido da vizinha cidade norte-americana de El Paso para a turbulenta Juárez. É possível que tenha morrido sem dever nada, num efeito colateral ao assassinato do policial. Ou que tenha sido assassinado por se recusar a pagar a "taxa de proteção" exigida pelos cartéis de drogas mexicanos a todo empresário que atua no país. É preciso pagar propina aos criminosos para trabalhar, no pior estilo mafioso.

Naquela noite as mortes não pararam por aí. Foram dezessete assassinatos. Está chocado? Mas foi um dia comum na fronteira do mais violento país da América. Para efeitos de comparação: Juárez tem 1,5 milhão de habitantes, o mesmo tamanho de Porto Alegre. Mas o número de homicídios, em 2009, foi sete vezes maior que na capital dos gaúchos. A taxa de assassinatos, 130 por 100 mil habitantes/ano, era a maior da América naquele ano, quiçá do mundo. Mais de 10% dos assassinados não tinham antecedentes e nem qualquer suspeita de ligação com o crime. Via de regra, morreram apenas porque estavam perto de alguém jurado de morte.

* * *

Juárez é apenas o ponto nevrálgico de um drama que atinge todo o território mexicano. Existem mais de trinta grupos de narcotraficantes atuando no México, a maioria usando o nome da região onde foi fundado. Os principais cartéis são os de Juárez, Tijuana, Sinaloa, do Golfo (do México), Oaxaca e da família Michoacana (do estado de Michoacán). As maiores batalhas são travadas, por motivos óbvios, nas regiões que fazem fronteira com os EUA, principal mercado consumidor de drogas do planeta.

Mas se engana quem pensa que os mafiosos mexicanos só lidam com entorpecentes. Disputam tudo que envolve crime. Isso inclui o controle da prostituição, do tráfico de armas, do roubo e contrabando de veículos e da migração ilegal de pessoas, com ajuda de *coyotes* (atravessadores de estrangeiros para dentro dos Estados Unidos).

O presidente mexicano, Felipe Calderón, se elegeu em 2006 com uma ousada promessa, acabar com o poder dos cartéis. Para isso, colocou 45 mil soldados do exército e policiais federais a patrulharem as ruas das principais cidades do país. Desencadeou uma onda de prisões, mas cometeu um erro: enfrentou todos os seis principais cartéis ao mesmo tempo. Com isso, aconteceu o óbvio, todos se voltaram contra *El Presidente*... E o México mergulhou num banho de sangue, só comparável ao dos tempos revolucionários de Francisco Pancho Villa. Villa, aliás, fez de Ciudad Juárez seu quartel-general durante a Revolução Mexicana, no início do século XX. Chegou a governar o estado ao qual pertence Juárez, Chihuahua. Morreu como viveu, pela violência: foi executado com quarenta e sete tiros, numa emboscada, em 1923. Camisetas com sua figura ainda fazem sucesso no México atual.

O México não é só corredor de passagem para drogas. É também produtor. Estive numa região famosa pelo cultivo de marijuana, uma cadeia de montanhas próxima ao deserto de Sonora. Fui ali para acompanhar uma gigantesca operação policial. Confira um trecho da reportagem, publicada em 1º de novembro de 2009:

A guerra dos cartéis

São 15 horas de sábado, 24 de outubro. O sol arde sobre Flores Magón, vila situada nas imediações do deserto de Sonora, norte do México e fronteira com os Estados Unidos. Da serra que representa um oásis em meio ao areal surge um helicóptero Blackhawk, metralhadoras laterais a postos. Pousa num campo ao lado de onde está a caminhonete ocupada pela reportagem de Zero Hora. O ventre do aparelho de guerra começa a desovar homens de capacete, vestindo negro dos pés à cabeça, com fuzis e coletes à prova de bala. Parecem soldados, mas nem sequer são militares. São policiais federais. Logo surge outro helicóptero, e a operação se repete. Outros combatentes. Eles se espalham e parecem formigas negras se destacando em meio ao sertão.

ZH testemunha a maior operação policial da história recente do México. Mais de 3 mil policiais federais, com ajuda de militares, buscam algo além de drogas ou armas. Procuram desesperadamente pistas sobre três colegas, sequestrados naquela semana, quando realizavam investigações no deserto nas proximidades de Chihuahua, cidade cujo nome é o mesmo do mais mexicano dos cães. Os três agentes investigavam o desaparecimento de um ativista dos direitos humanos. De caçadores, viraram caça. Passavam por plantações de maconha situadas na encosta de uma serra quando tiveram o carro metralhado. Sabe-se disso porque a sua viatura policial discreta, um Impala, foi encontrada embaixo de uma ponte. Há suspeita de que outros policiais, estaduais ou municipais a serviço do crime, tenham emboscado seus colegas.

Surpresa? Não. Ninguém confia em ninguém no México atual, na área da segurança pública. A cada dia surgem exemplos de agentes da lei que se bandearam para o lado do crime.

Na terça-feira, militares do exército prenderam quatro policiais municipais na cidade de Nuevo Laredo porque esses agentes teriam ajudado quatro ladrões de carro (um deles ferido) a fugir. Todos, incluindo os assaltantes, acabaram presos. O exército é, então, uma instituição confiável? Nem tanto. No fim de semana foi a vez de dois soldados de Infantaria serem presos em Ciudad Juárez. De folga, eles balearam um motorista e roubaram sua caminhonete. Foram capturados em flagrante pelos próprios colegas, quando toparam com uma patrulha militar.

Passados dez dias, os federais continuam sumidos. Não é o primeiro caso do gênero. No ano passado, uma patrulha com nove soldados do exército desapareceu na mesma área, a maior produtora de marijuana do México. Nunca mais foram vistos. Os dois casos parecem recado direto dos cartéis da droga ao presidente mexicano Felipe Calderón: não se meta na nossa área.

Assim que assumiu o país (em 2006), Calderón colocou 45 mil soldados do exército e policiais federais a patrulhar as ruas das principais cidades mexicanas, apoiando — e, na maioria das vezes — substituindo as polícias estaduais. Fez isso por não confiar nas polícias estaduais e municipais.

O resultado é que as avenidas mexicanas têm ares de Iraque, com soldados circulando em potentes jipes Humwee. Atuam mascarados e munidos de armas capazes de derrubar aviões.

E o texto continuava, páginas a fio.

Fazer jornalismo num território assim é um teste para os nervos. Durante os cinco dias em que frequentei *El Diário*, não pude deixar de notar que muitos colegas me evitavam. Não queriam ser vistos ao lado de um estrangeiro que, com certeza, não viera a Juárez para falar bem da cidade. Fui avisado de que o cartel local, dando mostras de um bairrismo surrealista e perigoso, deixa claro que detesta que falem mal da cidade.

Um dos mais críticos da guerra suja, um veterano repórter policial de *El Diário*, Armando Rodríguez Carreón, pagou com a vida seu destemor. Em dezembro de 2008 foi assassinado em frente à filha, ao buscá-la na escola. No mês em que cheguei ao México, setembro de 2009, Norberto Mirando Madri, radialista e blogueiro, foi morto por dois mascarados dentro da redação da *Rádio Visión*, em Chihuahua, a capital do estado onde fica Juárez.

Por tudo isso, os repórteres que cobrem o crime, no México, não assinam reportagens. Os policiais em serviço usam toucas ninja para não serem identificados. Empresários que se recusam a pagar propina às máfias têm suas atividades com dias contados.

Comecei a sentir um pouco do receio que permeia a imprensa mexicana quando fui cobrir o enterro do chefe da Agência Estatal

Policiais mexicanos disparam para o alto na salva fúnebre ao companheiro assassinado por traficantes em Ciudad Juárez

Policial mexicano caminha próximo ao local onde foi metralhado um colega, num *shopping* de Ciudad Juárez

Cabeças de narcotraficantes são expostas por bandidos rivais como troféu em frente à prefeitura de Ciudad Juárez (México)

TAMBIEN PARA
GAVINO SALAS
VALENCIANO"
ATTE: LA LINEA

de Investigações, Francisco Lazzarin — aquele executado no salão de bilhar. Guarda de honra, tiros de fuzil para o alto, o sepultamento teve toda a solenidade característica desses casos. Uma multidão de repórteres se acotovelava à espera das tradicionais promessas de exaustiva investigação do crime por parte das autoridades, quando resolvi fazer diferente. Pouco me interessavam os discursos oficiais, o meu negócio era descrever o ambiente. E nada melhor, para isso, do que fotografar e filmar. Abusei da câmera de vídeo e da máquina fotográfica. Tirei *closes* dos rostos dos policiais comovidos com a morte do colega. De parentes debulhados em lágrimas. Captei o som dos disparos de festim.

Estava nessa quando dois sujeitos se aproximaram, carrancudos, e rosnaram:

— Sem mais fotos, forasteiro. Cai fora, americano.

Cheguei a olhar para o lado, para ver se estavam falando com outro. Não, o problema era comigo mesmo. Como se eu, com 1,67m de altura, parecesse americano... Mas de pouco adiantava negar ser ianque, implicavam era com o fato de ser estrangeiro.

Reconheci um dos caras. Era um jornalista que estava no local do assassinato e chorava compulsivamente. Disseram que era parente do policial morto. Parei por um instante, mas logo retomei a filmagem. Aí vieram de novo em minha direção e resolvi sair discretamente do cemitério. Alô, colegas, admito: cometi um dos pecados em área de risco, me fiz notar demais. Perdi a discrição e ganhei antipatia. Tivesse feito imagens de longe e perguntado menos, talvez o ambiente permanecesse ameno.

Quando falei com colegas de *El Diário*, me insinuaram que o jornalista antipático a mim era, curiosamente, simpático ao Cartel de Juárez, assim como o policial assassinado. Ele, aliás, teria sido morto por outros policiais justamente por ser ligado à máfia local. Será? As investigações estavam nesse rumo. O pior é que, nesse ambiente contaminado pela desconfiança (inclusive entre colegas de profissão!), todo estrangeiro vira suspeito. Fui confundido com americano (pecado mortal, para alguns mexicanos fronteiriços). Nem sequer tive tempo de falar que era da terra do samba, do Carnaval, da cordialidade... Com olhos claros, compreendi ser difícil que acreditassem na minha brasilidade.

Dali em diante ficou difícil trabalhar. Quando me aproximava dos colegas em locais de crime, eles diziam que era melhor não serem vistos com um estrangeiro. Por via das dúvidas, ao redigir o material, sempre ficava de olho na porta no quarto do hotel. Bloqueava com armários. Caminhava me cuidando.

Resolvi peregrinar sozinho pelas ruas de Juárez, ver se esbarrava em cenas que sintetizassem o terror local. Não tive dificuldades. Em cinco dias, topei com mais de sessenta cadáveres. Gente estirada nas ruas, em lojas, metralhada em restaurante e carros, cenas que eu só tinha visto em filmes de máfia. À luz da manhã. Na calada da noite. Em qualquer horário ou local.

Busquei também mostrar a rotina de uma cidade fronteiriça. Juárez lembra muito Ciudad Del Este, a caótica localidade paraguaia que faz divisa com a brasileira Foz do Iguaçu. Assim como na fronteira Paraguai-Brasil, a cidade mexicana é separada da norte-americana El Paso por uma ponte.

A fiscalização ali é bem rigorosa, cada carro é checado, o que gera congestionamentos infernais. Mas, a algumas centenas de metros, na primeira curva do Rio Bravo, já é possível perceber filas de pessoas carregando objetos próximo às águas. São contrabandistas ou coisa pior, já que o tráfico de cocaína, anfetaminas e heroína, ali, acontece em larga escala. O toque mexicano fica por conta dos *sombreros* e chapéus de caubóis, onipresentes entre as pessoas nas ruas. Ou dos chifres colocados como decoração no capô das caminhonetes.

À noite, zanzando pelas bonitas avenidas asfaltadas de Juárez, notei a grande quantidade de picapes e automóveis de luxo SEM

PLACAS. A explicação é óbvia: são veículos contrabandeados dos Estados Unidos. Muitos colegas do *El Diário*, apesar de ganharem pouco (salário médio de US$ 1 mil), têm caminhonete na garagem. Uma Ford Ranger com cinco anos de uso pode ser adquirida por US$ 10 mil ou até menos. Isso garante uma frota sempre nova a Juárez, apesar da ausência de montadoras de carros por lá.

Navegando na internet, descobri que os cartéis não se limitam a aniquilar os inimigos. Gostam de avisar as vítimas, antes de liquidá-las. Para isso, criaram a figura do *quitapuercos* (mata policiais, em gíria mexicana). É um matador que posta vídeos na internet, embalados em música tradicional mexicana. Além de mostrar chacinas, ele exibe no *site* fotos de suas vítimas, vivas e depois de mortas. Em um dos vídeos, postado pelos Chapos (braço armado de Chapo Guzmán, o chefe do Cartel de Sinaloa), o *quitapuercos* mostra policiais metralhados e os acusa de pertencer ao cartel de Juárez.

A tática é inspirada em movimentos terroristas como a Al Qaeda, que veiculam na rede cenas de decapitação de seus adversários. Os vídeos do *quitapuercos* são sucesso absoluto entre os jovens mexicanos — assim como filmes de terror, só que é o mundo real.

O sequestro também é outra praga no México atual. Do pobre ao rico, todos olham para os lados antes de entrar ou sair de casa. É um delito que não diferencia classe social, nacionalidade ou importância política das vítimas. Os mexicanos são campeões mundiais em sequestro, segundo a ONG pacifista Pax Christi, num relatório feito com ajuda da câmara dos deputados mexicana. Calcula-se que 20 mil pessoas sejam sequestradas por ano em território mexicano. Isso supera países em guerra formal, como o Iraque e Chechênia, ou locais onde esse delito é endêmico, como Colômbia e Brasil.

Uma das modalidades mais curiosas de sequestro é a cometida contra aqueles que tentam entrar ilegalmente nos Estados Unidos. No meio do deserto, os caminhões e ônibus lotados de migrantes são desviados até barracões, onde as vítimas permanecem acorrentadas. Por dias ou meses... Só escapam quando, via telefone, conseguem com as famílias reunir quantias que variam de US$ 1,5 mil a US$ 5 mil por refém. Os cartéis de drogas costumam estar por trás desse crime, já que controlam os *coyotes*.

Os sequestros também podem ser clássicos, como o ocorrido com Pablo, um empresário que morava em Tijuana (cidade mexicana situada na fronteira com a Califórnia). Após muita negociação, consegui que ele me desse uma entrevista por telefone. Executivo de uma empresa de transportes, ele dormia em casa quando foi despertado com fuzis contra sua cabeça, da mulher e do filho de três anos. Levaram os três para um furgão, vendas nos olhos. A mulher e o filho foram libertados, mas ele migrou por três cativeiros em quinze dias. Dormia sobre cobertores no chão, no piso frio. Perguntavam detalhes dos seus negócios. Para dar seriedade ao crime, os sequestradores amputaram o dedo indicador da sua mão esquerda. Com anestesia local, ressaltou ele.

— Senti tudo, embora sem dor. Creio que um médico me amputou, porque suturou o corte, sabia o que fazer... Enviaram meu dedo num envelope à família, como prova de vida. Meus parentes pagaram então o resgate, US$ 100 mil. Fui libertado no mesmo dia — relatou.

Pablo fugiu do México e hoje mora em San Diego (Califórnia).

Logo depois dessa entrevista, desde o quarto de hotel, telefonei à minha mulher, a historiadora Angélica Boff, e confessei estar enojado de tanto sangue. A vontade era retornar logo. Quando voltei a Porto Alegre, após vinte e cinco horas entre aeroportos e aeronaves, não contive um suspiro de alívio. Passaram-se alguns meses para que assumíssemos, em uma conversa casual, que escondemos, de nós mesmos, nossas tensões durante esta viagem.

Fotos e filmagens renderam uma série de três dias em *Zero Hora* e dois vídeos que geraram amplo retorno de parte dos espectadores. Passei dias respondendo *e-mails*, contrapondo mitos, coisas que sempre acontecem quando retorno de viagens. E dando graças por estar num país como o Brasil, onde é possível deitar sem imaginar se no dia seguinte se estará vivo.

De lá para cá a situação no México ficou ainda pior. Chacinas com dezenas de mortos, alguns com cabeças arrancadas, acontecem em zonas que antes estavam imunes à guerra do tráfico, como o elegante balneário de Acapulco (aquele celebrizado nos filmes de Elvis Presley) ou as selvas povoadas de descendentes dos maias. Nenhuma região escapa. E os jornalistas? Mais de oitenta foram mortos em uma década. A cada morte de um colega, lembro dos meus dias em Juárez.

PORTO ALEGRE
A bandidagem abre o coração

Na sala da casa do bangalô, imagens de Nossa Senhora Aparecida dão um ar inocente à Firma — como os traficantes chamam a boca de fumo. Mas, nos quartos, uma festa pagã se desenrola. Mulheres com *shorts* cavados e bustiês se estiram ao lado de rapazes chapados, bebendo uísque no bico da garrafa. Alguns dos jovens portam pistolas e as giram em torno do dedo indicador, brincando com a morte. As paredes exibem demônios grafitados, enquanto o som solta "Deixa a vida me levar", um dos maiores sucessos de Zeca Pagodinho. E eu ali, esperando uma brecha para entrevistar a quadrilha.

Estamos em março de 2006. Dias antes desse meu encontro com bandidos na zona sul de Porto Alegre, a classe média brasileira — aquela mesma que fica sentada aos domingos em frente à TV, "com a boca escancarada e cheia de dentes, esperando a morte chegar", como definiu Raul Seixas — é sacudida por um soco emocional. A *Rede Globo* exibe, no *Fantástico*, um documentário chamado *Falcão, meninos do Tráfico*. Resultado de três anos de entrevistas feitas pelos *rappers* cariocas MV Bill e Celso Athayde, o trabalho mostra o cotidiano de dezessete bandidos mirins. Garotos das principais capitais brasileiras são retratados em seu *habitat*, as favelas, mostrando o seu ganha-pão: traficar droga. As filmagens incluem relatos completos dos adolescentes sobre a rotina de crimes, as batidas da polícia, cenas de execuções...

Nesse documentário os personagens não têm final feliz. No curto período de trinta e seis meses entre o início das gravações e a exibição na TV, dezesseis dos dezessete guris são assassinados. Inclusive um que vestia a camiseta vermelha do Sport Club Internacional, de Porto Alegre. O décimo sétimo e derradeiro personagem só sobrevive porque é trancafiado numa ala de contenção da Febem, escapando de seus inimigos. É como se o Brasil se apercebesse, numa noite de domingo, de um pesadelo que assola não apenas o eixo Rio-São Paulo, mas todas as grandes cidades do país.

Claro que meus chefes em *Zero Hora* veem o documentário, como eu vi. E claro que é o assunto dominante na reunião de pauta da segunda-feira. Em meio ao papo, algum dos editores (não lembro qual) vira para mim e pergunta, como quem não quer nada.

— Vamos fazer Os Falcões do Sul?

Adoro a ideia. Pergunto quanto tempo eu teria para tentar localizar nossos traficantes mirins. "Quatro dias", responde o editor, com naturalidade.

Fico catatônico. Como fazer em menos de uma semana algo que o MV Bill levou três anos para documentar? Mas os chefes têm razão num ponto: é imperioso que a reportagem saia LOGO, em cima do sucesso do documentário Falcão. Mas QUATRO DIAS?

Fugindo um pouco ao hábito de resmungar diante dos pepinos dessa vida, saio da reunião disposto a agir. Desabafo com a colega Adriana Irion e ela, a melhor repórter policial que conheço, me dá o telefone de um advogado acostumado a defender quadrilheiros. Um "porta de cadeia", como a gente chama esses profissionais.

Ligo para o sujeito e marco um papo, dizendo que estou atrás de clientes dele, sem especificar quais.

Ao chegar ao escritório, uma pequena sala num edifício velho do centro histórico, abro o jogo:

— Preciso falar com uma quadrilha. De adolescentes. Aliás, de preferência, mais de uma.

Achei que teria de gastar o verbo, convencer, apelar, implorar. Nada disso. O advogado nem pisca. Acostumado a lidar com assuntos bem mais espinhosos (como convencer policiais a amenizar queixas contra seus clientes) e também a ler meus trabalhos, ele confia. Faz uma só exigência: que seu nome jamais seja mencionado, nem sequer ao telefone. Saca o celular e dispara algumas ligações. Diz a um dos interlocutores que um repórter de sua confiança irá procurá-lo. Desliga e fala: "Está feito". O advogado me passa o fone. Eu mal contenho a alegria. Num último cuidado, peço a ele o nome completo do sujeito que comanda a quadrilha. Faço umas ligações e descubro que têm antecedentes por tráfico e assalto. Conferido.

Ligo para o patrão dos traficantes, Ricardo. É o único maior de idade. Ele concorda em me receber ao final da tarde na Restinga, bairro situado quarenta quilômetros ao sul do coração de Porto Alegre. Busco o fotógrafo Ronaldo Bernardi e vamos para lá. Em carro discreto, sem emblema do jornal, para não chamar a atenção. O local combinado é uma casa de madeira próxima a um dos principais cruzamentos do bairro, a uns 200 metros de um posto da PM. Insuspeita. Chego a desconfiar que a quadrilha não esteja ali. Engano.

SERVIÇO DE HOMICÍDIOS

Bato na porta e ela é aberta por uma garota morena e de cabelos alisados, descalça e em trajes sumários. Estão à nossa espera. A música de Zeca Pagodinho emana de um aparelho de som num canto. Na sala, o retrato da Virgem, vigilante. Dentro dos quartos, figuras de diabos grafitadas nas paredes. Sinistro.

A garota me apresenta a Ricardo, Carlinhos, Fernando e Roberto, integrantes da quadrilha. Ricardo é o único desarmado. Os demais portam pistolas ou revólveres. Estão deitados sobre almofadas, com bermudas e chinelos de dedo ou tênis, sem camisa. Uma outra guria fuma um cigarro de maconha. O uísque passa de mão em mão. A um convite, sento numa poltrona e a garotada começa a conversar. São depoimentos impressionantes. Alguns trechos:

A Firma — a boca de fumo — é compartimentada, fala Ricardo. Uns, os falcões, fazem segurança. Outros endolam (preparam a droga). Outros vendem. Só o segurança anda armado. A firma funciona vinte e quatro horas por dia.

O Faturamento — uns R$ 2 mil, R$ 3 mil por semana, quase tudo em venda de pó (cocaína). "Dá para fazer uma festa. Nem preciso ajudar a família, meu pai tem bom emprego, mas eu saí torto", admite Carlinhos, o mais novo do bando. Fernando, que era bom de matemática no colégio, faz a contabilidade. Ele diz que o irmão também era da quadrilha, tinha mais de um carro, mas morreu baleado. "É do jogo", reconhece. Roberto fala que a clientela é de classe média, muita gente buscando de automóvel a droga para o fim de semana. Quase ninguém de vila.

Banalidade da morte — no meio da conversa, Carlinhos recorda como matou um sujeito, para vingar um amigo. "O morto era vagabundo nato, como eu", define. Mesmo assim, não dormiu direito naquela noite. Fernando diz que o grupo se reúne para matar, quando o problema é sério. "Do contrário, dá um pau e manda vazar (fugir). Matar dá prejuízo. Mas que chore a mãe dele e não a minha", sentencia. Roberto, sem rodeios, comenta uma rixa que o bando da Restinga mantém com outra quadrilha do bairro. "Uns caras da outra rua mataram um gurizão, amigo nosso. A gente desceu e deu um monte de tiro neles.

Morreram quatro deles e quatro nossos, nessa brincadeira, ao longo dos meses. Não tem negociação."

Mercenários do crime — Ricardo afirma que existem encomendas. Usa português correto e seriedade para falar de assassinatos de encomenda, o que não deixa de ser engraçado..."Tem serviço de homicídios, também. A gente empresta pessoal para tomar outras bocas ou para fazer a segurança delas. Se a gente toma uma boca, exige as armas dos caídos para nós. A turma toda se embola, vai junto e faz o serviço, na hora."

O uso da droga — a quadrilha admite que usa droga, mas apenas tarde da noite. De dia, não (o que parece mentira, porque ainda é dia e alguns estão fumando maconha). "Uma maconha para relaxar, um pó para ligar... mas nada de *crack*. Ninguém quer ficar babando dentro da casa, para os contras chegarem e tomarem a firma", justifica Carlinhos.

Diversão, só em casa — Fernando reclama que o bando não sai do bairro para se divertir. Chama as garotas para dentro da casa e só. A festa é ali mesmo. Sair implica risco. "Os contras querem nos pegar. É sinistro. É islâmico, é islâmico", define Roberto.

A ajuda da comunidade — Os quadrilheiros mirins acreditam que são respeitados porque ajudam a comunidade. "Faz mais de cinco anos que o bar da esquina não é assaltado, porque a gente anda por aí, armado", exemplifica Roberto. Agradecidos, os moradores avisam quando a polícia está por perto. "Os vizinhos são nossos olhos", concluiu Roberto. Eu concordo.

O papo com os quadrilheiros da Restinga termina aí. Enquanto eu falava, Ronaldo tirou fotos. Cuidou apenas, a pedido da quadrilha, de não mostrar rostos. Saio da casa e ligo para o motorista nos buscar, num carro sem logotipo do jornal, para não chamar a atenção. Temo que apareçam policiais, aquela "noia" que dá quando tu circula com gente do submundo. Nada. Tudo tranquilo.

No dia seguinte ligo para um líder comunitário de uma vila próxima ao centro de Porto Alegre. Ele conhece uma quadrilha e mantém com ela relações respeitosas. Sem falar qual o assunto, marco um papo com ele perto do meio-dia. Apareço lá e abro o jogo, sem rodeios: preciso falar com os conhecidos dele. Ele manda chamar um dos rapazes do bando. Explica que sou de confiança e quero retratar o cotidiano deles. O sujeito marca encontro na casa do líder comunitário, à noite.

Mais uma vez vou, com carro discreto, sem muita esperança de que a combinação dê certo. Descubro que o bandido tem palavra. Entro na casa do líder comunitário, com o Ronaldo Bernardi. Estamos num bate-papo quando começa a chegar uma rapaziada, batendo na porta, de forma respeitosa. Trajam bermudas, camisetas esportivas e tênis último tipo, daqueles que custam R$ 300. São todos negros ou mulatos (a região é próxima a um antigo quilombo). São orientados a deixar as armas na mesa, ao lado da cozinha. Aí começam a despejar pistolas e revólveres.

Me apresento e começo a perguntar a cada um como entrou para a quadrilha. As histórias são sempre parecidas.

— A gente usava arma para se defender, na saída da escola. A gurizada vinha tirar onda, a gente dava tiro neles. Depois resolvemos usar pistola na profissão, na firma. Meu irmão era o patrão da boca. Quando mataram ele, assumi o negócio — resume Jeferson, um jovem alto e forte.

Outro rapaz, Carlos, diz que começou numa briga de vizinho de quarteirão, guri contra guri. Depois virou confronto de boca de fumo contra boca de fumo, já que os rivais também partiram para o tráfico.

— Como são da vizinhança, a gente passa o dia esperto. Tem turno de vigia vinte e quatro horas por vinte e quatro horas, que nem polícia. Às vezes, seis de nós ficam acordados. Cada carro que encosta a gente dá uma olhada — descreve.

FÁCIL ENTRAR, DIFÍCIL SAIR

Jeferson diz que a quadrilha nunca convida alguém para entrar. Quando um amigo quer, "embola" com a turma na boca. Ninguém é forçado, vários colegas de aula viraram trabalhadores, explica. Carlos jura que, até três anos atrás, gostava mesmo era de rinha de galo, passarinho e futebol. "Pensava em ser jogador, mas não deu."

E por que não deu? "Desde o colégio eu era estudioso, mas briguento. Só podia dar nisso, né?", conforma-se.

Um dos rapazes, que não recordo o nome, define com perfeição o brete em que eles se meteram.

— É fácil entrar, difícil sair. Não arranjo emprego, não estudei direito. Daqui pra frente é no crime e deu... Meu negócio é ser patrão de boca. A única profissão que tenho é essa. Desde pequeno sou envolvido.

Os garotos dizem que os pais sabem das suas atividades. Dão conselhos, mas não adianta. Um deles diz que o pai às vezes visita a boca, tenta levá-lo. Sem sucesso. Um deles diz que o pai tem uma pequena empresa, mas nenhum gosto por aventura, ao contrário do filho.

Todos viram o documentário *Falcão, meninos do Tráfico*. São fãs do *Fantástico*. Gostaram.

— Foi fera o bagulho... Só que aqui não se chama falcão. É segurança, campana — define Carlos.

Um dos rapazes, que se chama Maurício, adorou o documentário.

— É nóis ali, na fita. O programa deu a real da vagabundagem. É um problema de todo o Brasil. A única diferença em relação ao Rio é que as bocas deles são mais movimentadas, todos andam de fuzil e dão tiro na polícia. Nós só temos um fuzil — lamenta.

E a polícia?

— Quando eles vêm, sobem em bando. Eles na deles, nós na nossa. Quando aparecem, a gente dispensa a maquinaria (armas) e fica na rua, mostrando a cara. Não sabem direito quem somos. Esses dias um guri deu bobeira, pegaram ele com colete e trezoitão (revólver).

Não deu nada. Os "polícia" deram um pontapé na bunda dele, ficaram com as coisas e liberaram, era "di menor" — comenta Carlos.

Existe futuro nessa profissão? Jeferson está ciente que não. Ele tem uma filha pequena e quer um bom futuro para ela. Não sabe o que dizer, quando ela for maior.

— Quero estar morto quando minha filha crescer. Não quero parente meu nessa vida.

Carlos admite que a vida deles é sem futuro. E se ele morrer amanhã, o que acontece?

— Nada. Aí, depois de amanhã vai fazer dois dias que morri. Simples assim.

Saio da casa mudo. Chocado. Com pena desses jovens e do futuro do Brasil.

CELEBRAÇÃO COM CHARUTO

No dia seguinte arrematamos a reportagem com a visita a um "paiol" em Alvorada, a mais violenta cidade da Grande Porto Alegre. Na gíria do submundo, paiol é um depósito de "bagulhos" — mercadorias proibidas. O contato foi arranjado pelo mesmo advogado que intermediara a entrevista na Restinga. Vamos na Vila Americana, um dos raros bairros classe média de Alvorada. Os bandidos nos esperam numa casa insuspeita, de esquina (sempre é de esquina, para facilitar fugas). Entramos ali e o "patrão" da boca já avisa: só fotos, não quer muito papo. *Ok*. O lugar é esconderijo de droga. Eles recebem do exterior, embalam e repassam para toda a região metropolitana. Vejo pacotes de cocaína, já embalados. Mas autorizam apenas fotografias dos bandidos. Pela voz, percebo que são adolescentes. Estão armados com carabinas (um fuzil curto), metralhadoras, pistolas e revólveres. Ronaldo faz as fotos. Noturnas. Sombrias. Damos um tchau para os caras e vamos embora. No fundo, fico impressionado que uma usina do tráfico funcione assim, tão às claras. Mas trato é trato e mantenho discrição.

A reportagem rende capa em *Zero Hora* de domingo, 26 de março, com o título *Falcões do Sul*. São quatro páginas dentro, incluindo entrevista feita pelo colega Marcelo Perrone (especializado em cinema) com o *rapper* MV Bill, autor do documentário *Falcão* e inspirador da nossa matéria.

Na tarde de sábado, assim que o jornal dominical começa a rodar, pego um exemplar e levo para o Ronaldo, que está churrasqueando à beira do Guaíba, o rio que banha Porto Alegre. Me junto a ele, sua esposa e sua filha e brindamos dezenas de vezes. Arrematamos a celebração com charutos e cigarrilhas cubanas, deliciosas, mas que levariam a um arrependimento. No dia seguinte decidi comprar mais charutinhos e o resultado é que passei três anos fumando cigarrilhas — logo eu, que tinha abandonado o cigarro aos vinte e oito anos, dezesseis anos antes... Só consegui me livrar do hábito em 2009.

A FIRMA DA MORTE

É provável que a maioria dos brasileiros desconheça essa faceta de Porto Alegre, mas a capital dos gaúchos convive com uma epidemia de homicídios que há quase uma década cresce um pouco a cada ano. As maiores responsáveis por este sangrento fenômeno são as gangues do tráfico. Pelo menos 171 grupos disputam território na cidade, conforme levantamento feito por um psiquiatra que é minha fonte, Montserrat Vasconcelos Martins, que há duas décadas trabalha no Judiciário dando assistência psicológica a criminosos. É com base em mais de 500 entrevistas e avaliações clínicas com infratores presos, entre 2001 e 2007, que ele percebe a existência deste "mundo paralelo", suas leis não escritas, seu vocabulário.

— O Iraque é aqui e os americanos somos nós, os habitantes que não moram na periferia. Nas vilas acontece uma guerra e o tráfico tem até plano de carreira — define Montserrat, em setembro de 2007.

Naquele mês, o então editor da seção de Polícia de *Zero Hora*, Marcelo Ermel — um veterano repórter policial que por anos cobriu crimes na região mais violenta do Rio Grande do Sul — coloca na mesa uma ousada proposta. Que tal retratar o funcionamento de uma Firma (nome pelo qual os traficantes designam seu serviço)? Não reparo se a sugestão é para mim ou outro repórter. Sei apenas que gosto da pauta e me proponho a tentá-la. Na conversa, resolvemos ampliar o tema. Além da rotina dos criminosos, mostraríamos o cotidiano de viciados e também o de policiais encarregados de reprimir o tráfico.

Motivo para explorar o assunto não falta. O narcotráfico é o segundo item no comércio mundial, só superado pela venda ilegal de armas. A rentabilidade do tráfico de cocaína se aproxima de 3.000% (entre a planta e o consumidor). É por isso que droga é um negócio mortífero.

Saio da sala de reuniões e disparo telefonemas. Percorro roteiro similar ao que tinha feito para realizar a reportagem *Falcões do Sul*. Ligo para o mesmo líder comunitário que me ajudara anteriormente e ele fica de fazer contatos. Ainda naquela noite, ele me telefona e diz para procurar o dirigente de uma associação de bairro na Vila Cruzeiro, o maior conjunto de favelas de Porto Alegre, todas situadas em morros dos quais se tem uma vista deslumbrante do Guaíba.

ARMAS NA ASSOCIAÇÃO COMUNITÁRIA

Requisito o colega Ronaldo Bernardi e vamos ao encontro do sujeito. Ele é bastante considerado numa das vilas do complexo que forma a Cruzeiro. Pergunta qual nosso interesse e abrimos o jogo: conviver um pouco com os traficantes e mostrar sua rotina, aceitando não revelar suas identidades. Ele concorda e nos recebe num salão comunitário e diz que mantém relações cordiais com "a rapaziada" (como chama os seguranças do tráfico).

— Eles na deles e eu na minha. Não recrimino, eles ajudam a comunidade.

Logo descubro que esse distanciamento não é tão grande como ele relata. Com um sinal, ele manda um garoto chamar alguns traficantes. Eles chegam, meio tímidos, vários jovens e uma guria, vestidos com o traje padrão dos adolescentes: bonés, camisetas coloridas, tênis de marca, bermudas ou calças folgadas estilo *rapper*. Pergunto se estão armados. Um deles dá uma olhada pela janela, se certifica de que não há curiosos por perto e faz que sim, com a cabeça. Saca uma pistola escondida embaixo da camisa. Os outros fazem o mesmo e logo sobre a mesa está um pequeno arsenal de pistolas calibre 7.65mm, 380, revólveres .38 e .32. Incrível! Dentro da associação comunitária! Disfarço meu espanto, claro. Meu interesse é fazer as entrevistas, não pregar moral. Só a garota não está armada.

A rapaziada explica o funcionamento da Firma, igual a qualquer outra de qualquer capital brasileira. A parte mais visível é o olheiro, um menor de idade, que avisa aos traficantes sobre a presença de estranhos na vila. Ganha alguns trocados para isso. Depois vem o endolador, que embala a droga em pacotinhos de celofane e recebe conforme o faturamento da boca. Ele entrega o material ao vaposeiro, que vende a droga no varejo, nas ruas, fazendo eventualmente tele-entrega. Ele recebe conforme o faturamento. Tem também o mula, que transporta a droga pelas ruas ou, quando mais graduado, traz a droga do exterior. Em geral, um sujeito sem antecedentes e que ganha um percentual fixo sobre o total de droga comprada pelo chefe da quadrilha.

Os soldados são o resto e também os sujeitos que dão a má fama à Firma. É que estão sempre armados e intimando os estranhos.

Chamados também de "contenção" ou "segurança", vigiam a aproximação dos rivais ou da polícia. Ganham conforme o faturamento da boca. O gerente controla o movimento da boca, administra o reparte do dinheiro, tem comando sobre os outros traficantes e recebe, no mínimo, 10% do faturamento. Por último vem o patrão, que banca a compra de drogas e armas, distribuindo-as aos traficantes por meio do gerente. Leva, no mínimo, 20% do faturamento. Algumas bocas funcionam sem patrão, são coletivas.

Fazemos algumas fotos da rapaziada armada, com capuzes, mas não ficam boas. Tampouco o papo avançou muito. Meu interesse é fazer com que abram o coração, mas como? Decido pensar em algo, mais tarde. Temeroso de uma batida policial — estamos em pleno dia! — me despeço dele, do líder comunitário e negocio a volta à noite. Mal sei eu que seria a primeira de muitas.

SINUCA, OVO COZIDO E CERVEJA

Voltamos à noite e deparamos com um primeiro segurança embaixo de um poste, na rua, com uma arma longa embaixo do casaco. É uma espingarda de cano curto. Encostamos nele, perguntamos por Flávio (o gerente) e ele, já avisado que a reportagem chegaria, diz que vai buscar o chefe. Em poucos minutos, retorna com um negro magro e baixo, de bermudas. Fico um pouco decepcionado, pois pensava que o sujeito seria imponente. Mas nas primeiras palavras Flávio mostra que lidera pela inteligência e cultura, não pelo medo.

Descemos até um bar no meio da vila, onde um monte de rapazes disputa a dinheiro partidas de sinuca. Pedimos uma cerveja, três copos e sentamos numa mesa de canto, para conversar. Preciso ser ágil, penso. O negócio é convencer o sujeito de que a população precisa entender por que alguém vai para o crime. E como evitar isso. Sei, por alguma experiência adquirida, que mesmo o mais notório bandido não acha bonito o que faz. Via de regra, vê no delito uma maneira de subir na vida. Um negócio, um comércio, não algo a ser imitado ou seguido.

Flávio pensa assim e, por isso, a conversa flui. A rotina que ele descreve é puro ouro jornalístico. Ficaria melhor ainda, sem falsos moralismos ou dilemas, com a entrada de seus quadrilheiros na conversa. Melhor reproduzir um trecho, que acaba sendo a abertura da série de reportagens.

> *Como um executivo de bem com a vida, Flávio acorda sem pressa, às 9 horas, em Porto Alegre. Toma um banho e prepara o café para a mulher. Bate um papo, beija as crianças e sai para o trabalho, às 11 horas. Em vez de uma pasta preta, uma pistola Taurus calibre .380 na parte de trás das calças, sob a camisa florida. Enche os bolsos com pentes carregados, quinze balas em cada um.*
>
> *Flávio é gerente, mas não de uma empresa qualquer. É o encarregado de tocar a Firma, como os traficantes chamam a boca de fumo. Não gostam da palavra tráfico. Preferem "movimento", como se fosse uma causa — e, também, pelo vaivém de viciados em busca de pó (cocaína).*

E a reportagem continuava, emendando com a rotina de viciados e policiais. Mas não estamos aqui para reproduzir jornal e sim para detalhar bastidores dessa vivência. Voltando aonde tínhamos parado: termino a cerveja e me ofereço para uma partida de sinuca. Disputo com Flávio e não me saio mal, ganho. Em seguida é a vez de Ronaldo, que perde. Disputo com outro bandido e perco. Já estamos na terceira cerveja, hora de tirar o time de campo... Chamo um carro discreto e me despeço, ficando com o celular de Flávio.

Muito bom para um primeiro dia. Mas quero mais. E aí Ronaldo e eu mergulhamos numa espiral. Retornamos pelo menos oito noites em três semanas. Sempre tomando cerveja, jogando sinuca e batendo papo com os bandidos. Tenho de admitir: conto as horas para uma *blitz* policial nos surpreender de conversa com os traficantes e levar todo mundo preso. Mas eu tenho um trunfo, que garante alguma tranquilidade. É que redigi um documento para o então procurador-geral de justiça, Mauro Renner, informando que entraria em contato com uma quadrilha de traficantes e conviveria com eles. Com objetivo jornalístico, óbvio. Renner fica com o documento e nos manda *e-mail* (guardado), garantindo que intercederá por nós, caso algo dê errado.

Nas idas e vindas ao bar (que funciona como ponto de encontro dos vagabundos), descubro uma série de coisas. A Firma paga por dia. O trabalho é em turnos. Uma turma endola, outra faz a segurança, das 10 horas às 18 horas. Outras duas turmas entram às 18 horas e saem a uma da madrugada, quando o movimento cai.

— Viciado compra antes de fazer a festa. Na madruga, não compensa manter a Firma aberta — justifica Flávio, trinta anos de malandragem, camiseta da grife Cavalera, tênis Nike e ginga no andar.

Flávio é prova viva do que está falando. No começo da madrugada, carrega um maço de reais no bolso. Dinheiro que nenhum trabalhador da vila consegue arrecadar num mês vai parar em uma noite nas mãos do gerente da boca. Estamos numa quinta-feira quando vejo a grana. É a noite mais forte para os negócios. Rende uns R$ 2 mil. Em noites fracas, como segunda-feira, o faturamento não chega a R$ 1 mil. Pode até parecer pouco, mas não podemos esquecer que na mesma rua em que estamos, uma via que corta a Cruzeiro, outras quadrilhas mantêm outras firmas.

TRÁFICO FECHADO AOS DOMINGOS

Como membros de uma religião profana, os traficantes também descansam. A Firma fecha aos domingos — melhor dizendo, na madrugada de sábado. Depois do último viciado, os funcionários da boca descem o morro até um salão de pagode situado ao lado do estádio do Esporte Clube Internacional. Deixam as armas dentro de ocos de árvores ou embaixo de rochas, "mocozeadas" (escondidas).

— É que o Nego Banda é muito mau. Difícil entrar armado no salão, melhor assim — justifica Roberto, o campeão da bola preta, o melhor na sinuca da quadrilha.

Nego Banda é o apelido de Luiz Fernando Centeno, um policial civil com 1,85 m de altura, forte como um touro, que já mandou algum bandido para o inferno. Conheço ele há décadas. Nas horas vagas, é chefe de segurança em escolas de samba. Impõe respeito.

Não é só para ir ao pagode que os "soldados" da Firma escondem as armas. De dia, na vila, também. Circulam mais como olheiros que como seguranças, embora os moradores saibam que, com eles, não dá para brincar. À noite a coisa muda. Andam sempre com alguma arma leve na cintura. As "pesadas" — escopetas ou fuzis — permanecem dentro de alguma casa, à espera de um eventual confronto.

Vagabundo honra o apelido, deita tarde e nunca acorda cedo. Programa certo, no verão, é boteco até tarde. Jogam sinuca e, entre uma partida e outra, comem ovo em conserva (daqueles roxos pelo vinagre), azeitonas e bebem cerveja. Não consomem droga no local, nem permitem que outros o façam. Jogam a dinheiro, apenas R$ 5 a partida. Todo mundo armado, o que torna difícil qualquer briga — ninguém quer morrer por bobagem. Mesmo quando saem sem um pila da mesa, saem rindo. São todos amigos de infância, nessa boca de fumo que eu passo a frequentar.

PISTOLAS NA MOCHILA DA GAROTADA

Numa das noites em que vou ao bar sou apresentado à mula que fornece droga para a boca. Acredite se puder: uma jovem bonita, com mochila às costas, estudante de ensino médio. Usa a mochila para trazer cocaína e até pistolas, vez ou outra. Disfarce perfeito para a quadrilha. Maria, a mula, não consome droga. Está nessa vida porque namora um dos seguranças do tráfico.

A droga nunca é armazenada no mesmo lugar. Fica ora numa casa, ora noutra. Sempre residência de morador. Via de regra, um trabalhador amigo da quadrilha, que empresta um quarto para funcionar como depósito provisório.

O objetivo, óbvio, é evitar a perda de toda a carga numa batida policial ou ataque de outras quadrilhas. O vaposeiro vende apenas alguns papelotes e entrega o dinheiro acumulado ao gerente. Ao final do turno, a grana é repartida entre mais de vinte quadrilheiros, metade dos funcionários da Firma. Soldados, endoladores e vaposeiros ganham o mesmo. O gerente Flávio fica com 10%. Outros 20% são enviados ao presídio central, onde está trancafiado o patrão da quadrilha. A droga chega ao morro por um familiar dele e por mulas como Maria.

Ronaldo e eu damos uma volta com os seguranças, para fazer fotos. Os rapazes se esgueiram pelas ruelas da favela, com escopetas na mão. Cruzamos com moradores, eles baixam a cabeça. Fingem que nada enxergam. É como se um exército invisível passasse ao lado das casas.

DESPREZO PELO VICIADO

O *crack* é a droga com mais saída, quase sempre para moradores da própria vila. O viciado de carro busca cocaína. Rapaziada de colégio quer maconha, em pequenas quantias, até cinco pacotinhos para dividir com a turma.

O vaivém de viciados é lento, mas constante. Os carros apontam, ficam apenas com as lanternas ligadas, piscam duas vezes os faróis. Logo um vaposeiro sai debaixo da laje e encosta no motorista. Pega dinheiro e some por um beco. Em dois minutos, volta com dois papelotes.

Viciados são desprezados. Jairo, um dos seguranças da quadrilha, diz que não suporta sequer o cheiro da droga. Prefere ver os amigos traficando do que viciados.

— Ninguém quer viciado trabalhando na venda. Ele acaba roubando e aí, já era. Eles mesmos dizem: quero largar a droga, mas ela não me larga.

Cliente viciado é um chato, está sempre mendigando uma dose a mais, resmunga Jairo.

— Aí enche o saco e acaba virando traíra. Isso aqui é um negócio — reclama.

A quadrilha nem sempre foi quadrilha. Começou como um time de futebol. Um dos jovens, de dezessete anos, diz que eles cansaram de apanhar na saída dos jogos, geralmente surras aplicadas por gente armada. Aí resolveram se armar também. Disso para o tráfico foi um pulo.

— A gente tomou a boca de um pessoal que extorquia a comunidade. Agora tem outros querendo nosso lugar. Já morreu um nosso e um deles — diz o menor.

O morto era irmão de Flávio, o gerente. Não trabalhava no tráfico, asseguram. Não devia.

— Mataram só porque era meu irmão. Mas vou buscar quem fez isso — promete Flávio.

Não duvido, nem um pouco.

FEIJOADA E PAGODE COM OS VIZINHOS

Os traficantes fazem questão de ajudar a comunidade. Assisto a um desses momentos. Um morador, que pede para não ser identificado, pede remédio para um filho. Flávio separa duas notas de R$ 50 e dá ao homem, que agradece várias vezes.

No sábado a quadrilha banca uma feijoada para os favelados. Sucesso garantido, temperado com samba.

— Eles viram a gente crescer, não nos entregam, merecem um agrado. A gente retribui fazendo segurança. Aqui, ladrão não se cria — explica Flávio.

A quadrilha tem dinheiro guardado para emergências. Ajuda a feridos em combate, compra de mantimentos, pagamento de advogados — tem sempre alguém saindo ou entrando na cadeia. Um dos integrantes do bando está preso por assalto, e os bandidos discutem se vão ajudar. Roubo é tabu entre eles, pelo menos quando o sujeito é empregado da boca de fumo. A Firma é a Firma e não rouba.

Não rouba, mas faz alguma vista grossa para o roubo. No bar, assisto a um traficante dar uma dura em outro.

— Como tu emprestou a pistola pro Jailton? Ele vai "fazer a mão" (assaltar)! — critica.

— Pois é, acho que vai. Mas se devolver as armas, tá limpo — diz o outro.

O primeiro não se comove.

— E se não devolver? Sujeira pra Firma, meu, sujeira...

O tal Jailton, fico sabendo depois, devolveu o armamento.

E quais os planos dessa rapaziada? Só de curto prazo. Beber, namorar, cheirar um pouco, sambar muito. Ah, e bater uma bola, que todos são loucos por uma pelada.

— Só saio dessa morto. Não tem como ganhar salário mínimo, depois que entra nessa... — resume Flávio, esbanjando sinceridade.

Não é difícil entender por que a disputa por essa vida mansa é feita à bala. Mais de mil pessoas são assassinadas por ano em Porto Alegre, e a maioria em disputas que envolvem drogas. Seja porque pegaram *crack* e não pagaram, seja por tentativa de tomar o ponto de vendas, seja por alguma desavença mais banal envolvendo dois sujeitos drogados e armados — muitas vezes, disputando a mesma mulher.

Passo umas três semanas frequentando, à noite, a boca de Flávio. Em nenhum momento escondo que a matéria falaria mal do comércio de drogas. Os bandidos não se importaram. Sabem que o que fazem está errado, muito errado. Mas amortecem a própria consciência com o dinheiro fácil. E põem a culpa no viciado. Sem ele, o tráfico não existiria, argumentam.

O passo seguinte da reportagem foi descrever a rotina dos dependentes. Com licença dos familiares, acompanhei vários. A situação de Vanessa resume, aqui, o drama deles. Ela só possui chinelos de dedo para usar. São três, que alterna ao longo da semana. Vendeu os quatro tênis que tinha para sustentar o vício em *crack*. Com um corpo que aparenta mais que os quinze anos de idade, a garota bonita parece uma mendiga. Veste camisetas surradas e calças remendadas. Está há dois anos sem estudar. Abandonou a escola porque não suporta disciplina. A revolta começou aos onze anos, logo depois que fumou maconha pela primeira vez, apenas por brincadeira, levada por uma amiga.

— Meu padrasto fumava maconha em casa, eu tinha nojo. Com o tempo, gostei e passei a roubar a droga dele — recorda.

Junto, veio o hábito do cigarro. A primeira pedra de *crack* surgiu aos treze anos. Não parou mais. Inteligente, costumava passar com médias superiores às das colegas. Parou na sétima série, atormentada pelo vício. Quando ainda estudava, recebia R$ 3 diários da mãe para um lanche. Trocava o alimento por droga. A pedra lhe "afinou" a silhueta, lhe deu olheiras, lhe tirou a força de vontade. A garota "fumou" parte do patrimônio da família. Furtou dinheiro escondido pelo avô.

Vanessa já passou por quatro internações em fazendas terapêuticas — fugiu de todas elas — e duas clínicas. Eram períodos de calmaria, nos quais frequentava cultos evangélicos. Eles a acalmam, admite. A fissura pela droga é tanta, que o quarto de Vanessa tem cadeado na basculante, para evitar que ela fuja pela janela. Mesmo assim, às vezes ela dá um jeito e foge. Dia desses usou uma lima para remover um tijolo da parede. Pelo buraco, um amigo lhe repassou maconha.

Para arcar com o vício, Vanessa trabalhou para um traficante. Chegava a faturar R$ 700 num dia. Trocava tudo por *crack*. Na dívida, virou amante do bandido. Comia e dormia na boca de fumo. O padrasto tentou buscá-la. Ela pegou uma arma e ameaçou o familiar.

A saga rumo ao abismo só foi interrompida porque outra adolescente, com ciúmes de Vanessa, inventou que ela alcaguetara o patrão da boca de fumo. Vanessa teve de fugir para a casa da avó materna. Que a vigia como um leão.

Quando redijo a reportagem, Vanessa está "limpa", há meses sem usar droga. Torno a ligar no final de 2007 para seus familiares. Descubro que a garota recaiu e sumiu. Me dá um desânimo. Ainda mais que sou pai de uma adolescente.

A última etapa da apuração da reportagem envolve o relato de policiais. Primeiro, de um policial civil que durante anos se infiltrou em quadrilhas de traficantes. R. (prefiro revelar só a inicial) carrega na barriga uma cicatriz de trinta centímetros. Resultado de um tiro que levou quando comprava cocaína de um traficante no Vale do Taquari, a cem quilômetros de Porto Alegre. O bandido desconfiou de sua identidade e deu início a um tiroteio. O criminoso acabou preso e foi condenado, com quatro comparsas.

R. não porta documento quando se infiltra para negociações. Criado em vila, conhece todas as gírias. Tampouco leva arma. Assim, é revistado e ganha confiança da bandidagem.

— A infiltração é o momento mais difícil da investigação policial. Tem de assimilar bem os hábitos e os assuntos dos investigados. Manter a calma, sempre. E jamais confidenciar a informantes que está infiltrado. Eles vendem tua cabeça por uma pedra de *crack* — resume o agente, que hoje está aposentado.

A reportagem culmina com uma ponta de esperança. Descrevo o trabalho da soldado Roseli Zotti, da brigada militar (a PM gaúcha), que percorre escolas doutrinando jovens a não usarem tóxicos. Ela é ligada ao Programa educacional de resistência às drogas e à violência (Proerd), que em nove anos administrou aulas a 410 mil estudantes gaúchos. Até cartilhas em braille, para alunos cegos, são disponibilizadas nessa ação.

Roseli fala a linguagem dos jovens.

— Quem se nega a usar drogas é "frutinha", "bichinha"? — questiona aos alunos.

— Nããããooo! Droga faz mal à saúde! — retrucam os pequenos, numa aula da quinta série.

São aulas semanais. Ao final do ano, os estudantes são estimulados a relatar o que aprenderam. Os autores das melhores redações na área de atuação de cada batalhão da PM são premiados com bicicletas. Como prêmios secundários, os alunos recebem ainda bolsas em cursos de informática e inglês. Como diz Roseli, influência ruim se combate com bons estímulos.

A série de reportagens começa a ser publicada em 14 de outubro de 2007 e se intitula *Mercadores da Morte*. O primeiro dia é dedicado à Firma. O segundo, ao Vício. O terceiro, ao Antídoto, representado pelos policiais que previnem e reprimem o tráfico. No total, oito páginas. A repercussão é grande, com convite para falar em rádio e TV. Policiais me ligam. Oficialmente, para que eu revele quem é a quadrilha. Nos bastidores, para me cumprimentar por ter retratado um pouco do mundo que conhecem tão bem. Ao contrário do que imaginava, a reportagem não me traz qualquer incômodo, nem condenações moralistas por parte dos leitores pelo fato de exibir bandidos armados na primeira página do jornal. Todos reconhecem que a abordagem está longe de ser uma louvação ao crime. Ao final daquele ano, ganho um prêmio do Movimento de Justiça e Direitos Humanos e outro da Associação Riograndense de Imprensa (ARI) pelo material. Comemoro mais uma vez com charutos, que ainda iriam me acompanhar por algum tempo. Saboroso vício, que agora abandonei.

REPORTAGEM POLICIAL

No tempo dos policiais-repórteres

Na balbúrdia cotidiana do trabalho em jornal, prenhe de setores que representam microcosmos da sociedade — e que se entrosam muito menos do que deveriam — me coube atuar na reportagem geral. Foi o que fiz ao longo da maior parte da vida profissional. Esse setor é o que os americanos, apropriadamente, chamam *hard news*: via de regra, retrata problemas. Quase sempre, apenas problemas. Já virou piada entre repórteres: a Geral é a editoria onde se publica notícias sobre aqueles que não querem virar notícia.

Quando o trabalho jornalístico não se enquadra em Economia, Política, Esportes, Artes e Espetáculos, Campo e Lavoura e Assuntos Internacionais, bem... aí vai parar na Geral. Que, como o nome indica, é muito ampla. Nela cabem desde dilemas do transporte coletivo aos dramas da saúde pública, das agressões ao meio ambiente aos protestos estudantis. Versatilidade e conhecimentos gerais são palavras de ordem para quem se aventura como repórter nesta área.

E, dentro da editoria Geral, sempre atuei de forma preponderante como repórter policial. Duplo incômodo, já que dentro do setor onde poucos gostam de virar notícia existe uma especialidade em que, definitivamente, NINGUÉM gosta de figurar no noticiário, a subeditoria de Polícia. O sujeito costuma aparecer ali só quando cometeu algum crime, foi vítima de criminosos ou já não está nesse mundo... Sem falar em controvérsias éticas, como quando criminosos se gabam de estar na página policial. Em suma, o repórter policial precisa ainda cuidar para que a notícia não contribua para a "boa fama" do "serviço criminal".

O curioso é que sempre gostei de atuar com esses temas — no passado, mais que agora. A preferência começou com a profissão, ao ser escalado para a cobertura de homicídios e tentar ouvir os assassinos. Ou quando insistia em perfilar os hábitos de quem fora morto, para desespero de meus chefes, sempre preocupados com o horário de colocar o jornal na rua.

É que situações-limite, e a forma como o ser humano reage a elas, sempre me fascinaram. As pessoas se revelam na urgência. Gosto de cobrir isso profissionalmente. Lógico que não torço pela existência de situações dramáticas para que eu possa narrá-las, pois não sou sádico.

Talvez a reportagem policial seja uma sina que me coube. Lembro que, no dia em que passei no vestibular para jornalismo, em agosto de 1980, a manchete da extinta *Folha da Tarde* era: "Matou a mãe e fez carreteiro do seu coração". Para quem não entendeu o linguajar gauchesco usado pelo jornal: o sujeito transformou a mãe em guisado. Era a história de um psicopata que acreditava incorporar o diabo e cometeu assassinatos em série na família, no interior gaúcho. Aquela notícia me marcou. Fiquei com a ideia de entender como esse tipo de absurdo acontece.

Influências tive muitas. Marcos Faerman, o gaúcho Marcão, repórter especial radicado em São Paulo e já falecido, escreveu um dos livros definitivos da crônica policial: *Com as mãos sujas de sangue* (São Paulo, Global Editora, 1979). Garimpou preciosidades no dia a dia das delegacias. Perfilou com maestria "joões-ninguéns" que figuravam anônimos em boletins de ocorrência. Sofreu com seus personagens.

Outro clássico que me inspirou, de forma definitiva, foi *Barra Pesada* (Rio de Janeiro, Editora Codecri, 1977). É um livraço que condensa entrevistas da turma do jornal alternativo *O Pasquim* com alguns dos personagens-símbolo do violento Rio de Janeiro das décadas de 1960 e 1970. A obra começa com um perfil de Octávio Ribeiro, o Pena Branca, mais famoso repórter policial brasileiro de todos os tempos. Octávio conta ali como entrevistou Mineirinho, o bandido-mor dos morros cariocas. Uma entrevista que ele conquistou só após ganhar do criminoso várias partidas num jogo de cartas. Imperdível nesse livro também é a entrevista com o policial civil Sivuca, um dos integrantes dos Homens de Ouro da polícia fluminense e, diziam, do famigerado Esquadrão da Morte.

Qualquer um pode cobrir a área policial? Lendo livros como esses que citei, o leitor concluirá que não. Definitivamente, não é atividade para qualquer um. Tem de ter estômago. Tem de guardar a ingenuidade num canto, mas manter a pureza nas intenções e atos. Tem de conversar com malandro, sem escorregar na malandragem. Tem de circular com *tira* (policial civil), sem jamais esquecer: jornalista não é policial. Tem de ter tato para conversar com alguém que perdeu há minutos um familiar. Perdi a conta das vezes em que me vi em situações assim, pedindo fotos do morto, detalhes da sua vida interrompida de forma brusca. Talvez por reunir frieza e versatilidade, alguns repórteres policiais sejam designados para cobrir situações de conflito fora do país. Isso aconteceu, por exemplo, com o colega Carlos Wagner e comigo.

Para efeito de comparação, nem todo mundo tem a serenidade necessária para ser médico, passar a vida cuidando de pessoas doentes. E nem todo médico tem coragem de lidar com alguns dos aspectos mais sangrentos da sua profissão, como a traumatologia e o intensivismo — aquelas especialidades da medicina que cuidam de pacientes que chegam aos pedaços, mutilados, aos gritos, com apenas um fio de vida. É preciso um escudo emocional que leve ao distanciamento profissional. Assim ocorre também com a reportagem policial, embora com responsabilidades e funções muito diferentes da medicina. Por isso, muitas vezes, quando perguntado sobre o que sinto, eu respondo: "Nada, exceto quando conheço as vítimas ou quando elas são crianças. Aí desmorono". Sim, frieza é necessária, um escudo.

Durante décadas foi costume dos gerentes de jornais (os editores) testarem repórteres jovens (os focas) colocando-os a cobrir a área criminal. Comigo não foi diferente. Comecei entrevistando assaltantes e assassinos presos, descrevendo cenas de crimes. A diferença em relação a alguns colegas é que para mim a tarefa não soava como castigo.

Até concordo que repórter, pela crescente necessidade de atuar de forma multifacetada, deve mesmo mergulhar alguma vez em cobertura criminal. Mas discordo que isso seja obrigação para o jornalista iniciante. Muita gente sente vontade de vomitar ao ver um cadáver. De chorar até desfalecer, ao ouvir o drama de quem acaba de perder um ente querido. De distribuir socos, ao ver uma injustiça sendo cometida. De gritar, ao ver um ato de violência. Tudo isso é humano, muito humano.

Mas o profissionalismo da reportagem exige distanciamento, até para tentar relatar de forma isenta. Mesmo que imparcialidade não exista, é preciso buscá-la. Se alguém fica paralisado, catatônico ao ver uma cena violenta, dificilmente conseguirá descrever essa situação para os leitores, a tempo de figurar na edição do dia seguinte. Como diz um velho ditado gauchesco, ovelha não é para mato. E por isso sou contra que se obrigue um jornalista a atuar em qualquer área, seja ela qual for. Isso inclui a delicada cobertura policial.

E quem, afinal, está apto a fazer a reportagem policial? Pessoas que unam humanismo e curiosidade por situações-limite. Mas nem sempre foram estas as exigências do setor. Aquele alerta que fiz no texto acima, "jornalista não é policial", era solenemente ignorado nas redações. Até os anos 1970 e 1980 existiam muitos policiais-jornalistas. Acredite... Num turno do dia, esses caras atuavam dentro do jornal, redigindo notícias. À tardinha e à noite, colocavam distintivo no bolso e saíam, armados, para prender pessoas. Houve um tempo em que isso não era encarado como falta de ética. Pelo contrário, os jornalistas achavam natural. E muitos diretores de jornais consideravam útil, para melhor garantir informações de dentro do sistema criminal. Simples assim.

Conheci vários servidores da área de segurança pública que atuaram em redações. Eram repórteres ou redatores que usavam caneta, mas carregavam pistola: o delegado Wilson Müller Rodrigues (hoje presidente da Associação de Delegados do Rio Grande do Sul); o inspetor Leopoldo Ruzicki (o Pantera), hoje aposentado e cuidando de uma granja; o inspetor Sérgio Mota; o agente penitenciário Juarez Hasse (o Juca Paranga), que, depois de deixar as redações, voltou por um tempo a guardar detentos no Presídio Central de Porto Alegre; o Milton Galdino, que trabalhava na Secretaria de Segurança Pública assessorando figurões do regime militar, mas cujo humanismo fez com que, à surdina, ajudasse colegas que foram presos por atividades políticas de oposição.

O meu colega de *Zero Hora*, Nilson Mariano, quando foca, foi escalado para a editoria de Polícia. Um dia se assustou ao ver um dos repórteres pegar na gaveta uma pistola Beretta, enfiar na cintura e sair para cobrir uma notícia. Ao ver os olhos arregalados de Mariano, o policial pensou que fosse cobiça:

— Calma, um dia tu vais ter a tua arma também — disse o policial-repórter, como consolo.

Mariano, justiça seja feita, nunca usou arma no serviço. Nem eu, é bom ressaltar. Mas que isso era comum até o início dos anos 1980, era...

Existiam também repórteres com pendor para entender o mundo dos criminosos. Eram recebidos nas bocas de fumo, conversavam com bandidos, por vezes até viravam amigos deles. Tudo isso mudou (repórteres amigos de bandidos, policiais-jornalistas) quando impositivos éticos começaram a ganhar espaço nas discussões da categoria jornalística.

Penso nisso quando vejo a jovem geração de repórteres da área de segurança pública. Quanta diferença! Hoje, a maioria dos jornalistas tem pavor de arma, é impossível imaginá-los carregando uma. Muitos torcem o nariz ao entrar numa delegacia ou presídio — com razão, algumas são verdadeiras pocilgas. São colegas que preferem interpretação à ação. Todos cursaram no mínimo faculdade, algo raro entre os policiais-repórteres das redações antigas.

Não pretendo polemizar, apenas constatar o óbvio: o jornalismo e também a atividade policial mudaram. Passaram por refinamento, sofisticação. Ganharam em estudo. Os papéis de repórteres, policiais e criminosos estão menos misturados — e também, menos promíscuos.

O perfil da notícia policial também sofreu uma metamorfose. Quando comecei, em 1984, batedores de carteira ganhavam fotos grandes no jornal, com nome e sobrenome estampados. Notícia de arrombamento era abertura de página e até ia parar na capa, se tivesse ocorrido em algum lugar nobre da cidade. Hoje esse tipo de delito quase não é notícia, tal o volume de outros crimes mais violentos a serem divulgados.

Agora, o crime se tornou uma das atividades mais organizadas no Brasil (e no mundo). Vivemos a época dos assaltos cinematográficos, das chacinas, das guerras de facções de ladrões e traficantes, das toneladas de pó, da lavagem de milhões no exterior... E da corrupção à mostra. Tudo grandioso.

E esse aprimoramento do crime organizado vem de pelo menos duas décadas para cá. A série de reportagens com a qual recebi um prêmio Esso Regional, em 1998 (em parceria com dois colegas), se intitulava *Fronteira do Crime* e focava nas várias formas de enviar dinheiro e ouro para o exterior, ilegalmente. Comprovamos que era simples atravessar a fronteira carregado de dólares, abrir contas no Uruguai com nome fictício, contrabandear metais preciosos sem comunicar as autoridades. Mais de cinquenta contrabandistas e doleiros foram investigados, a partir da reportagem.

Basta lembrar também duas obras de Caco Barcellos para mostrar como o jornalismo policial se agigantou. Em *Rota 66* (São Paulo, Editora Globo, 1992) ele identifica 4,2 mil pessoas mortas pela PM paulista e mostra que muitas foram executadas sumariamente. Em *Abusado* (Rio de Janeiro, Editora Record, 2003) ele escreve o perfil de um dos líderes do Comando Vermelho (maior facção criminosa do Rio). São reportagens de fôlego, nada parecido com o que existia nos anos 1970 e 1980.

Não por acaso as facções, como o citado Comando Vermelho, dominam o noticiário criminal das últimas duas décadas e foram responsáveis por me levar umas vinte vezes a cobrir guerras do tráfico no Rio. E pelo menos três vezes os sangrentos ataques do Primeiro Comando da Capital (PCC) na capital paulista, que deixaram meia centena de policiais e guardas municipais mortos. É, o crime disputa com a economia e a política as manchetes, cada vez mais.

A editoria de Polícia até pode já não existir na maioria dos grandes jornais brasileiros, mas trago uma certeza: o assunto crime continua em alta. Num país de classe média, a maioria das famílias tem emprego, residência (própria ou alugada), carro, até algum plano de saúde — pelo menos, nos estados mais abastados. A grande preocupação desses cidadãos é segurança. É por isso que jornal até pode virar peça de museu, num futuro não tão distante, mas a reportagem policial jamais vai acabar.